| 제 1 회 |

투자자산운용사
실전 모의고사

수험번호

이름

시작 시간: _____ 시 _____ 분   종료 시간: _____ 시 _____ 분   총 소요 시간: _____ 분 / 120분

〈 응시자 유의사항 〉

1. 답안은 반드시 검정색 필기구(컴퓨터용 사인펜 권장, 연필 불가)를 사용하여 아래 보기와 같이 해당란 안에 완전히 표기할 것

[올바른 표기]	[잘못된 표기]
●	⊙ ◑ ◐ ⊘ ⊗

2. 본 문제지는 시험종료 후 답안지와 함께 반드시 제출할 것(수험번호, 성명 기재)

3. 시험시간 종료 후의 문제풀이 및 답안지 표기는 부정행위로 간주
   *부정행위자는 소속 기관 통보 및 본회 주관 모든 시험의 응시제한 등 불이익을 받을 수 있음

- 「금융소비자 보호에 관한 법률」을 이하 소비자보호법이라 한다.
- 「자본시장과 금융투자업에 관한 법률」은 이하 자본시장법이라 한다.

■ 제1과목(금융상품 및 세제): 01번~20번(20문항)

01 조세의 분류에 대한 설명으로 가장 거리가 먼 것은?

① 과세 주체에 따라 국세와 지방세로 분류한다.
② 세율의 구조에 따라 비례세와 종량세로 분류한다.
③ 조세의 전가성에 따라 직접세와 간접세로 분류한다.
④ 지출의 목적성에 따라 보통세와 목적세로 분류한다.

02 다음 〈보기〉는 기한 후 신고에 대한 내용이다. 빈칸에 들어갈 기간으로 적절한 것은?

┌ 보기 ├
과세표준신고서를 법정신고기한이 지난 후 (   ) 이내에 기한 후 신고를 한 경우에는 그 경과기간에 따라 해당 가산세액의 일부를 경감받을 수 있다.

① 1개월
② 3개월
③ 6개월
④ 9개월

03 다음 중 우리나라 소득세 제도의 특징으로 옳은 것만 모두 고른 것은?

┌─────────────────────┐
│ ㉠ 종합과세제도 │
│ ㉡ 정부부과제도 │
│ ㉢ 부부단위과세제도 │
│ ㉣ 6~45%의 초과누진세율 │
└─────────────────────┘

① ㉠, ㉣
② ㉡, ㉢
③ ㉠, ㉡, ㉣
④ ㉡, ㉣

04 소득세법상 이자소득의 종류로 가장 거리가 먼 것은?

① 채권의 매매차익
② 직장공제회 초과 반환금
③ 비영업대금의 이익
④ 파생결합상품의 이익

05 무조건 분리과세 금융소득의 원천징수세율로 옳지 않은 것은?

① 직장공제회 초과 반환금: 기본세율
② 금융기관을 통한 비실명거래로 인한 이자·배당소득: 90%
③ 법원에 납부한 경락대금에서 발생하는 이자소득: 14%
④ ISA(개인종합자산관리계좌)의 비과세 한도 초과 이자·배당소득: 14%

06 증여세 절세전략으로 가장 거리가 먼 것은?

① 한 사람의 증여자가 한 사람의 수증자에게 증여할 때 증여세를 줄일 수 있다.
② 자녀에게 직접 증여할 때는 10년 단위로 증여하여 증여재산공제를 활용한다.
③ 증여재산공제 범위의 증여라도 자금출처 조사 등을 대비하여 증여세 신고를 하는 것이 중요하다.
④ 저평가된 재산을 증여하는 것이 절세 측면에서 유리하다.

07 금융소득 종합과세 절세전략으로 가장 거리가 먼 것은?

① 여러 군데의 금융기관을 이용하여 금융자산 전반에 대한 다양한 조언 및 관리서비스를 제공받는다.
② 투자자금의 여유가 있다면 비과세 금융상품에 가입 한도까지 투자하는 것이 바람직하다.
③ 연간 금융소득 수입시기를 분산시켜 기준금액 2,000만원을 초과하지 않도록 금융상품을 구성한다.
④ 연간 금융소득을 줄이기 위해 배우자 또는 자녀 명의로 분산투자하되 증여세를 고려해야 한다.

08 비은행 금융회사의 종류로 적절하지 않은 것은?

① 우체국예금
② 새마을금고
③ 중소기업은행
④ 신용협동기구

09 투자매매업자의 업무로 적절하지 않은 것은?

① 청약의 권유
② 증권의 발행
③ 금융투자상품의 매수
④ 금융투자상품의 운용

10 자본시장법상 집합투자재산을 보관·관리하는 업무를 수행하는 집합투자기구의 관계회사로 적절한 것은?

① 신탁업자
② 집합투자업자
③ 일반 사무관리회사
④ 투자매매업자

11 집합투자기구의 환매에 대한 설명으로 가장 거리가 먼 것은?

① 투자자는 집합투자업자에게 직접 환매청구를 해야 한다.
② 환매금지형 간접투자기구를 제외하고 투자자는 언제든지 집합투자증권의 환매를 청구할 수 있다.
③ 환매수수료가 부과될 경우 이는 투자자가 부담하며 집합투자재산에 귀속된다.
④ 환매청구를 받은 집합투자업자는 환매청구일로부터 15일 이내에 집합투자규약에서 정한 환매일에 환매대금을 지급해야 한다.

12 ELW(주식워런트증권)에 대한 설명으로 가장 거리가 먼 것은?

① 콜 워런트는 기초자산의 가격 상승에 따라 이익이 발생한다.
② 풋 워런트는 기초자산의 가격 하락에 따라 이익이 발생한다.
③ 현재 우리나라는 주식과 주가지수만을 대상으로 ELW(주식워런트증권)를 발행할 수 있다.
④ 10%의 상한가 및 하한가의 가격제한폭이 적용된다.

13 ABS(자산유동화증권)의 특징으로 가장 거리가 먼 것은?

① 자산보유자의 신용도와 자산 자체의 신용도가 결합되어 발행된다.
② 신용도는 기초자산의 신용도와 신용보강(Credit Enhancement) 등에 의해 결정된다.
③ 투자자의 선호에 부합하여 증권을 설계하므로 다계층증권이 발행된다.
④ 다양한 구조와 신용보강 등을 통해 자산보유자보다 높은 신용도를 지닌 증권으로 발행된다.

14 MBS(주택저당증권)의 저당대출의 특성과 가장 거리가 먼 것은?

① 담보가 있음에도 대출금리가 무위험이자율보다 높다.
② 단기금융상품으로 조기상환 리스크에 노출될 가능성이 크다.
③ 상환주기가 월단위로 원리금이 동시에 상환되는 할부상환 형태로 현금흐름이 안정적이다.
④ 차주에 대한 신용평가 및 담보물에 대한 감정평가 등 사무처리가 필요한 노동집약적 금융상품이다.

15 확정기여형(DC형) 퇴직연금제도에 대한 설명으로 적절하지 않은 것은?

① 기업이 도산해도 수급권이 100% 보장된다.
② 퇴직급여 수준은 근로자별 운용실적에 따라 다르다.
③ 장기근속을 유도하고자 하는 기업에게 적합한 제도이다.
④ 사용자 부담금은 연간 임금 총액의 1/12 이상으로 당해 연도 전액 사외적립해야 한다.

16 부동산의 자연적 특성과 가장 거리가 먼 것은?

① 비소모성
② 비생산성
③ 용도의 다양성
④ 부동성

17 부동산 시장의 특징으로 적절한 것은?

① 시장의 국지성
② 거래의 공개성
③ 부동산 상품의 표준화성
④ 수요공급의 조절성

18 다음 〈보기〉는 부동산 현황 확인과 관련된 서류에 대한 설명이다. 빈칸에 들어갈 말을 순서대로 나열한 것은?

┤ 보기 ├
부동산 활용에 있어 관련 공부들이 나름대로 표시를 하고 있다. 면적에 대해서는 (   )을/를, 토지의 형상에 대해서는 (   )을/를, 토지의 용도지역지구제 적용에 따른 활용 가능성에 대해서는(   )을/를 통해 확인할 수 있다.

① 지적도, 토지대상, 등기부등본
② 토지대장, 지적도, 토지이용계획확인서
③ 등기부등본, 지적도, 토지대장
④ 지적도, 토지이용계획확인서, 토지대장

19 프로젝트 파이낸싱(PF; Project Financing)의 특징으로 가장 거리가 먼 것은?

① 부외금융의 효과를 갖고 있다.
② 낮은 금융비용으로 자금을 조달할 수 있다.
③ 프로젝트로부터 발생하는 미래의 현금흐름을 담보로 자금을 조달한다.
④ 채권보전장치(시공사 지급보증, 책임준공, 사업부지 및 공사 중인 건물에 대한 신탁)를 통해 Project Financing의 안정성을 확보한다.

20 소득접근법(수익방식)에 대한 설명으로 가장 거리가 먼 것은?

① 환원이율이 클수록 부동산의 가치는 커진다.
② 순수익을 산정하는 방법에는 직접법, 간접법, 잔여법이 있다.
③ 환원이율을 구하는 방법에는 시장비교방식, 요소구성법, 투자결합법 등이 있다.
④ 순영업소득(NOI) 10억원, 자본환원율이 10%일 때 직접환원법에 의한 부동산의 가치는 100억원이다.

■ 제2과목(투자운용 및 전략 II/투자분석): 21번 ~50번(30문항)

21 부동산금융에 대한 설명으로 가장 거리가 먼 것은?

① 주택금융은 부동산이 창출하는 현금흐름을 전제로 자금을 조달한다.
② ABS 자산보유자는 유동화 과정으로 조기에 현금흐름을 창출시켜 유동성 위험을 회피할 수 있다.
③ MBS가 ABS와 다른 점은 주택저당채권을 전문으로 하는 유동화 중개기관이 있다는 점이다.
④ REITs를 활용하면 일반투자자들도 소액의 자금으로 부동산 투자가 가능하다.

22 PEF(Private Equity Fund)에 대한 설명으로 가장 거리가 먼 것은?

① PEF는 무한책임사원과 유한책임사원으로 구성되어 있다.
② 무한책임사원은 펀드를 설립하고 투자와 운영을 책임지는 사원이다.
③ 유한책임사원은 PEF에 투자한 금액의 범위 안에서만 책임을 진다.
④ 무한책임사원의 자기거래 금지 및 무효조항은 유한책임사원의 도덕적 해이를 통제하는 보조적 수단이다.

23 헤지펀드에 대한 설명으로 가장 거리가 먼 것은?

① 규제가 적고 투명성이 낮다.
② 헤지펀드 운용자 자신의 헤지펀드에 대한 직접 투자는 금지된다.
③ 투기적 목적으로 파생상품 활용 및 공매도(short stock selling)가 가능하다.
④ 차입(leverage)규제를 받지 않아 높은 수준의 차입을 활용할 수 있다.

24 전환사채의 가격은 $1,000, 기초자산 주식 가격은 $50, 전환 가격은 $75, 전환프리미엄은 50%, 전환사채의 델타를 0.65로 가정하면 매도해야 하는 주식 수는 몇 주인가?

① 4.8주
② 6.5주
③ 8.7주
④ 13주

25 CDO(부채담보부증권) 거래는 하나 혹은 둘 이상의 주요 신용평가사들에 의해 신용등급을 받게 된다. 다음 중 신용등급 평가기준 요소와 가장 거리가 먼 것은?

① 자산의 질(Asset Quality)
② 최대 신용손실
③ 신용보강
④ 거래구조

26 글로벌 펀드의 투자기준이 되는 MSCI 지수에 대한 설명으로 가장 적절한 것은?

① MSCI 지수는 시가총액 방식으로 산출된다.
② 우리나라는 MSCI에서 세계(선진)지수에 포함되어 있다.
③ MSCI 지수는 달러 기준의 국제 주가지수이다.
④ MSCI 한국지수는 지수 변동에 주가의 등락만이 영향을 받는다.

27 해외투자의 수익률과 위험에 대한 설명으로 적절하지 않은 것은?

① 국제투자 논리에 따르면 한 나라의 통화가치와 주가는 양의 상관관계를 갖는다.
② 국제투자에서 환위험은 환율과 주가 간의 상관관계에 의한 위험요인도 큰 비중을 차지한다.
③ 해외 주식 투자 시 투자대상 주식의 수익률과 투자자의 투자수익률은 본국 통화로 표시된다.
④ 본국 통화로 표시되는 투자수익률의 분산은 자산수익률의 분산, 환율 변동률의 분산, 자산 가격과 환율 변동률 간 공분산의 세 요인의 합으로 표시된다.

28 다음 〈보기〉에서 설명하는 해외상장의 종류로 가장 적절한 것은?

┤ 보기 ├
2021년 3월 쿠팡은 뉴욕증권거래소에 (   )하면서 시가총액이 한때 100조원을 넘어 섰다. 이처럼 국내에 상장하지 않고 바로 외국 거래소에 상장하는 것을 (   ) (이)라고 한다.

① DR상장
② 직상장
③ 복수상장
④ 원주상장

29 국제 채권(International bonds)에 대한 설명으로 가장 적절하지 않은 것은?

① 한국기업이 미국에서 발행한 미달러 표시의 채권은 김치본드이다.
② 한국기업이 한국에서 미달러 표시 채권을 발행한 경우 유로본드이다.
③ 발행과 관련된 당국에 규제가 없다는 점에서 유로본드는 역외채권이다.
④ 양키본드를 발행하게 되면 미국의 채권발행 및 조세에 관한 규제가 적용된다.

30 해외 주식 직접 투자 시 반드시 체크해야 될 사항으로 가장 적절하지 않은 것은?

① 해외 주식 세금
② 해외 주식 거래 시간
③ 해외 주식 정보 습득
④ 해외 주식 거래 수수료

31 유가증권 가치평가를 위한 현금흐름 추정의 기본원칙과 가장 거리가 먼 것은?

① 현금흐름은 증분 기준으로 추정되어야 한다.
② 현금흐름은 세전 기준으로 추정되어야 한다.
③ 현금흐름의 추정에는 모든 간접적 효과가 고려되어야 한다.
④ 현금흐름을 추정할 때 기회비용을 고려해야 한다.

32 통계자료의 분석 특성을 하나의 수치로 요약하는 기준인 중심위치를 나타내는 대표치와 가장 거리가 먼 것은?

① 산술평균(Mean)
② 최빈값(Mode)
③ 중앙값(Median)
④ 범위(Range)

33 A기업의 주당순이익은 매년 8%씩 성장하고, 30%의 배당성향을 보이며 주주의 요구수익률이 12%이다. 내년 주당순이익이 2,000원일 것이라고 예상할 때 항상성장모형을 이용한 A기업의 주가는?

① 6,000원
② 12,000원
③ 15,000원
④ 24,000원

34 재무상태표와 손익계산서를 함께 사용하여 구할 수 있는 재무비율과 가장 거리가 먼 것은?

① 총자산이익률
② 자기자본이익률
③ 이자보상비율
④ 재고자산회전율

35 A기업의 자기자본이익률이 총자산이익률의 4배이고, 총자산이 4,000원일 때, 총부채는 얼마인가?

① 500원
② 1,000원
③ 2,000원
④ 3,000원

36 A기업의 재무레버리지도(DFL)가 3, 매출총이익이 30,000원, 영업이익이 4,500원일 때 이자비용은 얼마인가?

① 1,000원
② 2,500원
③ 3,000원
④ 5,500원

37 주식배당모형 중 〈보기〉의 빈칸에 공통적으로 들어갈 모형으로 가장 적절한 것은?

┤ 보기 ├
• (   )은/는 순수하게 벌어들인 기업의 이익에 대한 기업가치의 비율이다.
• (   )을/를 당기순이익으로 평가하는 PER 모형의 한계점을 보완한다.

① PBR
② EV/EBITDA
③ PEGR
④ Tobin's Q

38 기술적 분석에 대한 설명으로 적절하지 않은 것은?

① 추세의 변화는 수요와 공급의 변동에 의해 일어난다.

② 패턴 분석은 주가 움직임을 동적으로 관찰하여 주가 흐름의 방향을 예측한다.

③ 계량화하기 어려운 심리적 요인까지도 반영하여 기본적 분석의 한계점을 보완할 수 있다.

④ 시장의 변동에만 집착하기 때문에 시장이 변화하는 원인을 분석할 수 없다.

39 다음 중 주식시장의 변화를 보여주는 지표인 거래량과 관련 없는 기술적 분석 지표는?

① OBV(On Balance Volume)

② VR(Volume Ratio)

③ 역시계 곡선

④ RSI(Relaltive Strength Index)

40 엘리어트 파동법칙에 대한 설명으로 적절하지 않은 것은?

① 2번 파동 저점이 1번 파동 저점보다 반드시 높아야 한다.

② 3번 파동이 상승 파동 중 제일 짧은 파동이 될 수 없다.

③ 4번 파동의 저점은 1번 파동의 고점과 겹치거나 더 높아야 한다.

④ 3번 파동이 연장될 경우 파동은 1번 파동과 같거나 1번의 61.8%를 형성한다.

41 다음 〈보기〉에서 설명하는 라이프사이클의 단계별 특징으로 적절한 것은?

┤ 보기 ├
㉠ 매출은 완만하게 늘어나는 단계이다.
㉡ 이익률은 시장점유율 유지를 위한 가격 경쟁과 판촉 경쟁 등으로 하락한다.
㉢ 제품 수명주기를 연장하기 위한 노력이 필요하다.

① 도입기

② 성장기

③ 성숙기

④ 쇠퇴기

42 다음 중 산업정책의 특징과 거리가 먼 것은?

① 산업정책은 총수요관리정책이다.

② 산업정책의 범위와 내용은 시장실패의 범위 및 내용과 긴밀히 연결되어 있다.

③ 산업정책은 생산자원의 공급과 배분에 정부가 개입하여 산업활동을 지원한다.

④ 산업정책은 경제발전이 뒤떨어진 후발국에서 강조되었다.

43 3년 만기 국채 100억원을 보유한 경우, 이 채권의 만기수익률(YTM) 증감(Δy) 1일 기준 변동성(σ)이 0.05%이고 수정듀레이션이 2.7년일 때, 99% 신뢰도 1일 VaR는 얼마인가?

① 0.31억원

② 1.31억원

③ 2.31억원

④ 3.31억원

44 수익률 분포가 시간에 따라 동일하고, 시간에 따른 상관관계도 존재하지 않는다고 가정할 때 수익률의 연간 변동성이 25%이면 일별 변동성은 얼마인가? (연간 거래일수 260일)

① 1.05%

② 1.55%

③ 1.95%

④ 1.25%

45 역사적 시뮬레이션에 대한 설명으로 적절하지 않은 것은?

① 95% 신뢰구간에서 1일 VaR은 100개 중에서 6번째 큰 손실로 측정된다.

② 위험요인이 변동할 때 포지션의 가치 변동을 측정하기 위한 가치평가모형이 필요하다.

③ 한 개의 표본구간만이 사용되므로 변동성이 임의적으로 증가한 경우 측정치가 부정확하다.

④ 과거의 가격 데이터만 있으면 자료가 존재하지 않는 자산에 대해 비교적 쉽게 VaR을 측정할 수 있다.

46 델타-노말 분석법에 대한 설명으로 적절하지 않은 것은?

① 비선형 증권의 리스크를 적절히 반영하지 못한다.

② 각 자산의 가치를 평가하는 가격 모형을 요구하지 않는다.

③ 분산, 공분산 등과 같은 모수(Parameter)에 대한 추정을 요구하지 않는다.

④ 리스크 요인에 대한 민감도를 이용하여 포지션의 가치 변동을 추정한다.

47 주가지수 옵션 가격이 5point인 경우, KOSPI200이 100pt이고 주가지수 수익률의 1일 기준 변동성(σ)이 1.7%이다. 옵션의 델타가 0.7이고 감마가 0.3이라면 콜옵션 매도 포지션의 신뢰수준이 99%일 때, 신뢰도 1일 VaR은 얼마인가?

① 약 3.12point

② 약 4.12point

③ 약 5.12point

④ 약 6.12point

48 어느 기업의 1년 후를 기대하는 기업가치는 50억원이고 부채가치는 35억원이다. 표준편차는 5억이며, 이 기업의 1년 후 기업가치는 정규분포를 이룬다고 가정할 때 부도거리(DD)는 얼마인가?

① 1표준편차

② 3표준편차

③ 5표준편차

④ 7표준편차

49 어느 은행이 500억원을 대출하고 있다. 예상손실(기대손실)금액이 6억원이고 회수율이 60%일 때, 이 대출의 부도율은 얼마인가?

① 1%

② 2%

③ 3%

④ 4%

50 신용 리스크와 신용손실 분포의 특징으로 적절하지 않은 것은?

① 신용 리스크의 측정치는 신용손실의 분포에 의해 결정된다.

② 신용 리스크는 신용손실의 예상되는 손실로 정의된다.

③ 손실분포는 한쪽으로 치우친 특성과 꼬리가 두꺼운 특성을 가지고 있다.

④ 부도모형에서 신용 리스크의 측정은 EL(예상손실)의 변동성을 측정하는 것이다.

■ 제3과목(직무윤리 및 법규/투자운용 및 전략 I/ 거시경제 및 분산투자): 51번~100번(50문항)

51 다음 중 금융투자업에서 직무윤리의 중요성이 더욱 강조되는 이유로 가장 거리가 먼 것은?

① 업무 특성상 고객의 이익을 침해할 가능성이 높기 때문이다.

② 금융투자상품은 원본손실 가능성을 내포하고 있어 고객과의 분쟁가능성이 상존하기 때문이다.

③ 금융투자상품의 전문화, 복잡화, 다양화로 단순한 정보제공의 차원을 넘어 금융소비자보호를 위한 노력이 요구되기 때문이다.

④ 직무윤리를 준수하는 것은 금융소비자만을 보호하는 안전장치의 역할을 한다.

52 다음 중 금융투자업자가 준수해야 할 직무윤리에 대한 설명으로 가장 적절하지 않은 것은?

① 신의성실의 원칙은 윤리적 원칙이면서 동시에 법적 의무이기도 하다.

② 신의성실의 원칙은 금융투자업자의 충실의무와 주의의무에 모두 적용된다.

③ 합리적 근거 없이 고객에게 투기적인 증권투자를 권유하는 과잉권유는 부당권유의 금지 원칙을 위반한 것이다.

④ 설명의무 위반으로 일반투자자의 손해가 발생한 경우 금융투자업자는 손해배상책임을 진다.

53 과당매매를 판단하는 기준으로 적절하지 않은 것은?

① 일반투자자가 부담하는 수수료의 총액
② 일반투자자의 재산상태 및 투자 목적에 적합한지 여부
③ 일반투자자의 투자 성향에 적합한 금융투자상품인지 여부
④ 일반투자자의 투자 지식이나 경험에 비추어 당해 거래에 수반되는 위험에 대한 이해 여부

54 다음 중 요청하지 않은 투자권유 금지에 대한 설명으로 적절하지 않은 것은?

① 고객으로부터 요청이 없으면 투자권유 등을 해서는 안 된다.
② 증권과 장내파생상품은 요청하지 않은 투자권유의 예외가 인정된다.
③ 고객으로부터 요청이 있더라도 위험성 높은 장외파생상품에 대한 투자권유는 금지된다.
④ 투자권유를 받은 자가 거부하는 취지의 의사표시를 한 후 1개월이 지나 다시 투자권유를 하는 행위는 가능하다.

55 다음 중 내부통제 및 준법감시제도에 대한 설명으로 적절하지 않은 것은?

① 금융투자업자는 이사회의 결의에 따라 내부통제기준 제도의 도입 여부를 선택할 수 있다.
② 내부통제기준의 제정·변경 시 이사회의 결의를 거쳐야 한다.
③ 준법감시제도는 금융투자업의 내부통제 중 하나이다.
④ 준법감시제도는 금융투자업자가 업무를 수행함에 있어 제반 법규를 엄격히 준수하고 있는지에 대해 사전적 또는 상시적으로 통제 감독하는 장치이다.

56 금융투자상품에 대한 설명으로 적절하지 않은 것은?

① 선도, 옵션, 스왑거래는 장내파생상품에 속한다.
② 관리형 신탁의 수익권은 자본시장법상 증권에서 제외된다.
③ 증권은 취득과 동시에 어떤 명목으로든 추가적인 지급의무를 부담하지 않는다.
④ 지급청구권이 표시되었더라도 사적인 금전채권은 채무증권으로 인정되지 않는다.

57 영업용순자본비율의 기본원칙으로 적절하지 않은 것은?

① 영업용순자본 차감 항목에 위험액을 산정하는 것을 원칙으로 한다.
② 부외자산과 부외부채에 대해서도 위험액을 산정하는 것을 원칙으로 한다.
③ 금융투자업자의 자산, 부채, 자본은 연결재무제표에 계상된 장부가액을 기준으로 한다.
④ 시장위험과 신용위험을 동시에 내포하는 자산에 대하여는 시장위험액과 신용위험액을 모두 산정한다.

58 휴업 또는 영업의 중지 등 돌발사태가 발생하여 정상적인 영업이 불가능한 경우 금융위원회가 취할 수 있는 긴급조치 내용으로 적절하지 않은 것은?

① 투자자예탁금 등의 반환명령 또는 지급정지
② 투자자예탁금 등의 수탁금지
③ 채무변제행위 금지
④ 경영개선권고조치

59 투자자 재산보호를 위한 규제 내용과 가장 거리가 먼 것은?

① 투자자예탁금의 양도 및 담보 제공은 원칙적으로 금지된다.
② 투자자예탁금은 증권금융회사에 예치하거나 신탁업자에게 신탁할 수 있다.
③ 누구든지 예치기관에 예치 또는 신탁한 투자자예탁금을 상계·압류하지 못한다.
④ 예치기관은 투자자예탁금을 증권 또는 원화로 표시된 양도성 예금증서를 담보로 한 대출로 운용할 수 있다.

60 공개매수에 대한 설명으로 적절하지 않은 것은?

① 공개매수는 증권시장 밖에서 불특정 다수를 대상으로 이루어진다.
② 응모주주는 공개매수기간 중에 위약금의 지급 없이 언제든지 응모를 취소할 수 있다.
③ 공개매수기간은 공개매수신고서의 제출일로부터 20일 이상 60일 이내이다.
④ 공개매수 공고를 한 자는 공개매수 공고일 이전에 미리 공개매수신고서를 금융위와 거래소에 제출해야 한다.

61 투자설명서의 교부가 면제되는 자와 거리가 먼 것은?

① 전문투자자
② 서면으로 투자설명서의 수령거부의사를 밝힌 자
③ 이미 취득한 집합투자증권을 계속하여 추가로 취득하려는 자
④ 투자금액 100만원 이하의 소액 투자자

62 집합투자기구의 등록에 대한 설명으로 적절하지 않은 것은?

① 사모 집합투자기구에 대해서는 등록의무를 면제하고 있다.
② 투자신탁과 투자익명조합의 경우 집합투자기구 자체가 등록주체가 된다.
③ 등록심사기간은 금융위에 등록신청서를 제출한 날로부터 20일 이내 결정된다.
④ 등록된 사항이 변경된 경우 투자자 보호를 해할 우려가 없다면 2주 이내 금융위에 변경등록을 해야 한다.

63 집합투자업자의 투자신탁재산 영업행위 규칙에 대한 설명으로 가장 거리가 먼 것은?

① 자산운용의 실질 주체는 집합투자업자이다.
② 신탁업자는 집합투자업자의 지시에 따라 자신의 명의로 거래를 실행해야 한다.
③ 집합투자업자가 투자신탁재산을 직접 취득·처분하는 것은 금지된다.
④ 집합투자업자가 집합투자재산을 운용·지시할 경우 그 내용은 전산 시스템에 의해 관리된다.

64 미공개 정보 이용(내부자거래) 규제 대상자와 가장 거리가 먼 것은?

① 상장법인의 모든 임직원 및 주주
② 내부자나 준내부자로부터 정보를 수령한 자
③ 상장법인과 계약체결 과정에서 미공개 중요 정보를 알게 된 자
④ 상장법인 계열사의 임직원으로 미공개 중요 정보를 알게 된 후 퇴사한지 6개월이 경과한 자

65 시장질서 교란행위 규제에 대한 설명으로 적절하지 않은 것은?

① 상장증권과 장내파생상품 매매에 적용된다.
② 2차 이상 정보수령자에게는 적용되지 않는다.
③ 위반행위와 관련된 거래로 얻은 이익의 1.5배가 5억원을 초과할 경우 그 금액을 과징금으로 부과할 수 있다.
④ 매매유인이나 부당이득을 얻을 목적 등이 없다고 할지라도 시세에 부당한 영향을 줄 우려가 있다고 판단되면 규제 대상이 된다.

66 다음 〈보기〉는 주식 등의 대량보유상황 보고제도에 대한 내용이다. ㉠~㉣에 들어갈 숫자의 합으로 적절한 것은?

┤ 보기 ├
• 본인과 특별관계자를 합하여 주권상장법인 주식 등을 (㉠)% 이상 보유하게 된 자 또는 보유하고 있는 자가 적용 대상이며, 대량보유자는 그 날부터 (㉡)일 이내에 보고해야 한다.
• 대량보유자의 보유비율이 (㉢)% 이상 변동된 경우에는 그 변동된 날부터 (㉣)일 이내에 보고해야 한다.

① 15
② 16
③ 25
④ 26

67 다음 중 금융투자업규정에 따른 재산상 이익에 포함되는 것은?

① 20만원 이하의 경조비
② 경제적 가치 3만원 이하의 물품
③ 외부 전문가로부터 작성된 조사분석 자료의 제공
④ 금융투자상품에 대한 가치분석 및 매매정보 제공을 위해 자체적으로 개발한 소프트웨어

68 금융투자분석사의 매매거래제한에 대한 설명으로 적절하지 않은 것은?

① 분기별로 금융투자상품의 매매거래내역을 회사에 보고해야 한다.
② 금융투자분석사 자격 취득 이전에 취득한 금융투자상품의 처분에 의한 매매는 가능하다.
③ 소속 회사에서 조사분석 자료를 공표한 금융투자상품은 공표일로부터 7일 동안 공표한 투자의견과 같은 방향으로 매매해야 한다.
④ 소속 회사에서 조사분석 자료를 공표한 금융투자상품의 매매는 24시간이 경과해야 한다.

69 금융투자상품에 대한 금융투자협회의 광고 규정으로 적절하지 않은 것은?

① 운용실적이 포함된 광고의 유효기간은 6개월이다.
② 공간상 제약으로 심사필의 표시가 곤란할 경우 생략할 수 있다.
③ 인터넷 배너를 이용한 투자광고의 경우 위험고지 내용을 생략할 수 있다.
④ 펀드 설립일로부터 1년 이상 경과하고 순자산 총액이 100억원 이상인 펀드에 운용실적을 표시할 수 있다.

70 효율적 시장가설에 대한 설명으로 가장 적절하지 않은 것은?

① 효율적 시장가설은 패시브 운용을 반대하는 논거로 이용된다.
② 약형(Weak form) 효율적 시장가설에 의하면 기술적 분석은 아무런 가치가 없다.
③ 준강형(Semi−strong form) 효율적 시장가설에 의하면 공개된 정보로부터 이익을 얻는 것은 불가능하다.
④ 강형(Strong form)의 효율적 시장가설을 신뢰한다면 어떤 형태의 액티브 운용도 시도할 필요가 없다.

71 패시브 운용전략에 대한 설명으로 가장 거리가 먼 것은?

① 패시브 운용의 대표적인 형태가 인덱스펀드이다.
② 벤치마크 수익률을 상회하는 것을 목표로 한다.
③ 액티브 운용에 비해 낮은 거래회전율과 낮은 운용보수가 장점이다.
④ 투자대상에 대한 기대수익률이나 위험을 반영하여 주식구성을 변경시키려 하지 않는다.

72 자산집단(Asset class)의 기본적인 성격과 거리가 먼 것은?

① 동질성
② 배타성
③ 이질성
④ 포괄성

73 전략적 자산배분에 대한 설명으로 적절하지 않은 것은?

① 포트폴리오 이론에 토대를 두고 있다.
② 자본시장에 대한 가정이 크게 변화하더라도 자산배분의 비중을 변경하지 않는다.
③ 연기금, 자산운용회사 등 다른 기관투자자의 자산배분을 모방하여 자산배분을 실행하기도 한다.
④ 투자자의 투자목적 및 투자제약조건의 파악, 자산집단의 선택, 자산종류별 기대수익, 위험, 상관관계의 추정, 최적 자산 구성의 선택의 4가지 단계를 거쳐 실행된다.

74 다음 〈보기〉에서 설명하는 인덱스펀드 구성방법으로 적절한 것은?

┤ 보기 ├
• 가장 단순하고 직접적인 방법이다.
• 운용 및 관리 등 거래비용으로 인해 벤치마크에 비해 수익률이 낮게 나타난다.

① 완전복제법
② 표본추출법
③ 최적화법
④ 포트폴리오 인슈런스

75 다음 〈보기〉에서 설명하는 주식 포트폴리오 운용전략으로 적절한 것은?

┌ 보기 ┐
- 과거 데이터의 관점에서 최적인 전략을 확인할 수 있다.
- 과거의 전략이 왜 성공적이었으며, 미래에도 성공적일 것이라는 것에 나름대로의 이론적 근거를 가진다.
└──────┘

① 표본추출법
② 계량분석방법
③ 최적화법
④ 완전복제법

76 전환사채(CB)에 대한 설명으로 적절하지 않은 것은?

① 사채와 주식의 중간 형태를 취한 채권이다.
② 일반사채보다 낮은 금리로 발행된다.
③ 주식으로 전환할 경우 자본금의 증가가 수반된다.
④ 주식으로 전환할 경우 고정부채가 자기자본이 된다.

77 액면금액 10,000원, 표면이율 2.25%, 만기가 5년인 국민주택채권(복리채)을 매매할 경우 만기 시 지급받는 만기상환금액은?

① 10,225원
② 10,690원
③ 10,930원
④ 11,176원

78 채권수익률에 대한 설명으로 적절하지 않은 것은?

① 경상수익률은 연이자 지급액을 현재의 채권시장가격으로 나눈 값이다.
② 만기수익률은 채권의 내부수익률을 의미한다.
③ 실효 연수익률은 채권 가격을 산출하기 위해 사용되는 할인율이다.
④ 액면가 미만으로 거래되는 채권의 콜옵션 행사수익률은 만기수익률보다 항상 높다.

79 말킬의 채권가격 정리에 대한 설명으로 적절하지 않은 것은?

① 채권의 잔존기간이 길수록 동일한 수익률 변동에 대한 가격 변동폭은 커진다.
② 채권수익률 변동에 의한 채권가격 변동은 만기가 길어질수록 증가하나 그 증감률(변동률)은 체감한다.
③ 볼록성으로 인해 만기가 일정할 때 채권수익률 하락으로 인한 가격 상승폭은 같은 폭의 채권수익률 상승으로 인한 가격 하락폭보다 크다.
④ 표면이자율이 높을수록 동일한 크기의 수익률 변동에 대한 가격 변동률도 함께 커진다.

80 다음 〈보기〉의 채권펀드 중 듀레이션이 큰 순서대로 올바르게 나열한 것은?

┌ 보기 ┐

채권펀드	종류	잔존만기	표면이율
A	이표채	2년	5%
B	복리채	3년	5%
C	복리채	3년	4%
D	이표채	2년	4%

① A−B−C−B
② C−B−D−A
③ B−C−B−A
④ D−A−B−C

81 서로 다른 종목 간 수익률 격차가 일시적으로 확대 또는 감소했다가 시간이 지남에 따라 다시 정상적으로 돌아오는 특성을 이용하는 채권투자전략은?

① Barbell형 운용전략
② Bullet형 운용전략
③ 스프레드(Sparead) 운용전략
④ 순자산가치 면역전략

82 원래 포지션을 그대로 둔 채 추가 포지션을 취하여 전체적으로 손익을 중립적으로 만드는 기법을 활용한 파생상품 투자전략은 무엇인가?

① 투기적 거래
② 헤지거래
③ 차익거래
④ 스프레드 거래

83 KOSPI200 지수가 200포인트이고 이자율은 연 4%, 주가지수에 대한 배당률이 연 1%일 경우, 만기가 3개월 남은 KOSPI200 주가지수선물의 균형가격은 얼마인가?

① 200.50pt
② 201.50pt
③ 203.10pt
④ 205.50pt

84 KOSPI200 옵션의 투자자는 만기 3개월, 행사가격 253pt 콜옵션을 2에 매수하였다. 현재 주가지수가 250pt라고 할 때 콜옵션의 시간가치는?

① −3
② 0
③ 2
④ 3

85 KOSPI200 지수가 250p일 때 행사가격 250p인 콜옵션 1계약을 1.5p에 매입하여 만기까지 보유했다. 만기 시 KOSPI200 지수가 255p가 되었을 때 투자자의 손익으로 적절한 것은? (1계약당 거래단위 승수 25만원)

① 875,000원 손실
② 875,000원 이익
③ 1,250,000원 손실
④ 1,250,000원 이익

86 동일한 만기와 동일한 행사가격을 가지는 두개의 옵션, 즉 콜옵션과 풋옵션을 동시에 매수함으로써 구성되는 옵션전략으로 적절한 것은?

① 스트래들매수
② 스트랭글매수
③ 콜 불 스프레드
④ 강세 스프레드

87 옵션 프리미엄의 민감도 지표인 델타에 대한 설명으로 적절하지 않은 것은?

① 등가격(ATM)일수록 절대값은 1까지 증가한다.
② 콜옵션의 델타는 0에서 1사이의 값을, 풋옵션의 델타는 −1에서 0까지의 값을 가진다.
③ 기초자산의 가격이 200에서 210으로, 옵션의 가격은 9에서 10으로 변동했다면 이 옵션의 델타는 0.1이다.
④ '콜옵션 한계약 매도＋주식 델타 계약 매수' 포지션은 무위험 포지션이 되므로 델타를 헤지비율로 해석할 수 있다.

88 다음 중 상대적 위험을 측정하는 척도로 적절하지 않은 것은?

① 베타
② 공분산
③ 잔차위험
④ 표준편차

89 다음 중 위험조정 성과지표의 종류로 적절하지 않은 것은?

① 젠센의 알파
② 샤프비율
③ 트레이너비율
④ 포트폴리오 베타

90 다음 자료를 참고하여 계산한 젠센의 알파는?

- 펀드(포트폴리오) 수익률 = 12%
- 무위험 수익률 = 8%
- 베타(β) = 1.2
- 연평균 수익률 = 10%
- 표준편차 = 0.2

① 0.014
② 0.016
③ 0.018
④ 0.02

91 주식의 가치 · 성장 특성 중 속성이 다른 하나는?

① 저 PER
② 고 배당수익률
③ 높은 수익성장률
④ 과거 PER에 비해 낮은 PER

92 취업자수 20명, 경제활동인구 30명, 생산활동가능인구 40명일 때, 실업률과 경제활동참가율은 각각 몇 %인가?

	실업률	경제활동참가율
①	25%	75%
②	33%	75%
③	67%	50%
④	33%	50%

93 경기종합지수 중 선행 종합지수 구성지표로 적절한 것은?

① 소비자기대지수
② 수입액
③ 소매판매액지수
④ 생산자제품재고지수

94 경기변동의 요인으로 적절하지 않은 것은?

① 계절요인
② 불규칙요인
③ 실물요인
④ 순환요인

95 전체 응답자 중 장래의 경기를 낙관적으로 보는 기업이 25%이고 비관적으로 보는 기업이 75%라면 기업경기실사지수(BSI)는 얼마인가?

① 25
② 50
③ 60
④ 75

96 포트폴리오 위험의 결정요인과 거리가 먼 것은?

① 개별주식의 위험
② 개별주식의 기대수익률
③ 구성주식 간의 공분산(상관관계)
④ 각 주식에 대한 투자금액의 비율

97 다음 자료를 참고로 주식A에 40%, 주식B에 60%를 투자했을 때 포트폴리오 기대수익률은 얼마인가?

경제상황	확률	예상 기대수익률	
		주식A	주식B
호황	50%	20%	30%
불황	50%	2%	3%

① 11.9%
② 13%
③ 14.9%
④ 15%

98 〈보기〉 중 자본시장선(CML)에 대한 적절한 설명으로만 모두 묶인 것은?

┤ 보기 ├
- ㉠ 기대수익률과 베타의 공간
- ㉡ 기대수익률과 표준편차의 공간
- ㉢ 체계적 위험만 고려
- ㉣ 완전분산된 효율적 포트폴리오

① ㉠, ㉢
② ㉡, ㉢
③ ㉡, ㉣
④ ㉢, ㉣

99 포트폴리오 투자전략에 대한 설명으로 가장 거리가 먼 것은?

① 단순매입·보유전략은 포트폴리오를 선택하고자 하는 의도적인 노력을 하지 않는다.
② 포뮬러 플랜은 일정한 규칙에 따라 기계적으로 자산배분을 하는 방법이다.
③ 트레이너 블랙모형은 가격이 잘못 형성된 소수의 증권에 투자하게 되면 위험은 낮아지면서 초과수익의 가능성을 높일 수 있다고 본다.
④ 적극적 투자전략은 시장이 비효율적인 것을 전제로 내재가치 대비 저평가된 증권을 매입하는 방법이다.

100 적극적 투자전략 중 증권선택전략에 해당하는 것을 〈보기〉에서 모두 고른 것은?

┤ 보기 ├
- ㉠ 변동비율법
- ㉡ 내재가치 추정법
- ㉢ 베타계수 이용법
- ㉣ 불변금액법

① ㉠, ㉣
② ㉠, ㉢
③ ㉡, ㉢
④ ㉡, ㉣

| 제2회 |

투자자산운용사 실전 모의고사

| 수험번호 | | 이름 |

시작 시간: _____시 _____분   종료 시간: _____시 _____분   총 소요 시간: _____분 / 120분

〈 응시자 유의사항 〉

1. 답안은 반드시 검정색 필기구(컴퓨터용 사인펜 권장, 연필 불가)를 사용하여 아래 보기와 같이 해당란 안에 완전히 표기할 것

[올바른 표기]	[잘못된 표기]
●	⊙ ◑ ◐ ⊘

2. 본 문제지는 시험종료 후 답안지와 함께 반드시 제출할 것(수험번호, 성명 기재)

3. 시험시간 종료 후의 문제풀이 및 답안지 표기는 부정행위로 간주
   *부정행위자는 소속 기관 통보 및 본회 주관 모든 시험의 응시제한 등 불이익을 받을 수 있음

> • 「금융소비자 보호에 관한 법률」을 이하 소비자보호법이라 한다.
> • 「자본시장과 금융투자법에 관한 법률」은 이하 자본시장법이라 한다.

■ 제1과목(금융상품 및 세제): 01번~20번(20문항)

01 기한에 대한 특례 규정으로 적절하지 않은 것은?

① 기한이 근로자의 날에 해당할 경우 그 다음 날을 기한으로 한다.
② 기한이 토요일에 해당할 경우 그 다음 날을 기한으로 한다.
③ 국세정보통신망이 장애로 인하여 가동이 정지된 경우 그 장애가 복구되어 신고 또는 납부할 수 있게 된 날의 다음 날을 기한으로 한다.
④ 우편으로 서류를 제출하는 경우 서류가 도착한 날에 신고된 것으로 본다.

02 국세우선의 원칙에 대한 설명으로 적절하지 않은 것은?

① 국세채권이 기타 채권에 우선하는 권리를 의미한다.
② 국세채권의 공익성이 감안되어 기타 채권에 우선하는 권리를 갖는다.
③ 국세우선의 원칙은 예외 규정을 인정하지 않는다.
④ 국세채권과 일반채권이 경합된 경우 채권자 평등원칙이 배제된다.

03 원천징수로써 과세를 종결하고 납세의무자는 따로 정산을 위한 확정신고 의무를 지지 않는 경우로 적절한 것은?

① 1,000만원의 이자소득
② 3,000만원의 배당소득
③ 2,000만원의 연금소득
④ 1,000만원의 기타소득

04 종합과세되는 금융소득의 구성순서로 적절한 것은?

① Gross−up 대상이 아닌 배당소득 → Gross−up 대상인 배당소득 → 이자소득
② 이자소득 → Gross−up 대상이 아닌 배당소득 → Gross−up 대상인 배당소득
③ Gross−up 대상인 배당소득 → 이자소득 → Gross−up 대상이 아닌 배당소득
④ 이자소득 → Gross−up 대상인 배당소득 → Gross−up 대상이 아닌 배당소득

05 주식 양도소득 과세표준 계산 시 공제되는 것으로 적절하지 않은 것은?

① 취득가액
② 증권거래세
③ 장기보유 특별공제
④ 양도소득 기본공제

06 상속세 절세전략에 대한 설명으로 적절하지 않은 것은?

① 상속 개시 전 미리 상속인들에게 장기적인 계획하에 증여해야 한다.
② 상속 개시 후 상속세를 절감할 수 있는 현실적인 대안은 원칙적으로 없다.
③ 재차 상속을 고려한다면 배우자가 상속을 포기하고 자녀들에게 상속재산을 분배하는 것이 가장 유리한 방법이다.
④ 상속재산을 부동산과 금융자산으로 적절히 분산하는 것이 유리하다.

07 종합소득세 신고나 납부를 신고기한까지 하지 않은 경우 가산세를 부담해야 한다. 다음 중 종합소득세의 가산세의 세목으로 적절하지 않은 것은?

① 무신고 가산세
② 일반과소신고 가산세
③ 세금계산서 미발급 가산세
④ 납부불성실 가산세

08 우리나라 특수은행의 종류로 적절하지 않은 것은?

① 한국산업은행
② 중소기업은행
③ 우체국예금
④ 수산업협동조합 중앙회

09 다음 중 절세 금융상품의 종류와 가입 한도가 올바르게 연결된 것은?

① ISA: 연간 2,000만원씩 5년 동안 총 1억원
② 연금저축: 연간 400만원
③ 조합예탁금: 총 1,000만원
④ 비과세 종합저축: 총 3,000만원

10 주택청약종합저축에 대한 설명으로 적절하지 않은 것은?

① 주택분양 또는 임대 시 청약권이 주어지는 적립식 저축상품이다.
② 총급여 7천만원 이하 근로소득자는 연간 최대 96만원의 소득공제 혜택을 받을 수 있다.
③ 적립식의 경우 매월 5만원 이상 50만원 이내에서 월 단위로 자유적립이 가능하다.
④ 예금자비보호 상품이지만 국민주택기금의 조성재원으로 정부가 관리한다.

11 다음 〈보기〉 중 시장성 예금상품에 대한 적절한 설명으로만 모두 묶인 것은?

┤ 보기 ├

㉠ 양도성 예금증서(CD)는 중도해지가 가능하여 필요할 때 즉시 현금화할 수 있다.
㉡ 환매조건부채권(RP)은 예금자보호 대상은 아니지만 안정성이 높은 편이다.
㉢ 표지어음은 만기 전에는 중도해지와 양도가 불가능하다.
㉣ 금융채의 원리금 지급은 예금자보호법에 의해 보호된다.
㉤ 후순위채권은 원금손실을 볼 수도 있으나 상대적으로 금리가 높아 고수익을 올릴 수 있다.

① ㉠, ㉡, ㉤
② ㉠, ㉢, ㉣
③ ㉡, ㉤
④ ㉢, ㉣

12 금전신탁에 대한 설명으로 적절하지 않은 것은?

① 계약관계인은 위탁자, 수탁자, 수익자의 제3자 관계이다.
② 불특정금전신탁의 경우 특약에 의해 원금 및 이익보장이 가능하다.
③ 수익자에게 확정 이율을 반영한 약정이자를 지급한다.
④ 운용방법은 신탁계약 및 법령 범위 내에서 정해진다.

13 생명보험상품의 보험료 구성요소에 대한 설명으로 적절하지 않은 것은?

① 생명보험상품의 예정기초요율은 예정사망률, 예정이율, 예정사업비율이다.

② 예정사망(위험)률이 올라가면 보험료는 올라간다.

③ 예정이율이 올라가면 보험료는 올라간다.

④ 예정사업비율이 올라가면 보험료는 올라간다.

14 자본시장법상 금융투자상품에 대한 설명으로 적절하지 않은 것은?

① 위험, 즉 투자성이 없다면 금융투자상품으로 보지 않는다.

② 원화로 표시된 양도성 예금증서는 금융투자상품에서 제외된다.

③ 원본 대비 손실률이 100%를 초과할 수 있으면 증권으로 본다.

④ 수탁자에게 신탁재산의 처분권한이 없는 신탁의 수익권은 금융투자상품에서 제외된다.

15 주식워런트증권(ELW)의 특징과 거리가 먼 것은?

① 레버리지 효과

② 무한손실 가능성

③ 위험헤지 기능

④ 높은 유동성

16 부동산의 부동성에 대한 설명으로 적절하지 않은 것은?

① 부동성은 부동산 현상을 국지화시킨다.

② 오늘날의 모든 건물은 부동성이 적용된다.

③ 부동산의 지리적 위치는 인위적으로 통제할 수 없다.

④ 동산과 부동산을 구별하여 공시방법을 달리하는 근거가 된다.

17 부동산 투자 결정 과정을 순서대로 나열한 것은?

> ㉠ 투자결정
> ㉡ 현금흐름(Cash Flow)의 예측
> ㉢ 부동산 투자환경의 분석
> ㉣ 투자의 목표 및 제약조건 확인
> ㉤ 투자의 타당성 분석

① ㉣ - ㉡ - ㉠ - ㉢ - ㉤

② ㉣ - ㉡ - ㉢ - ㉠ - ㉤

③ ㉣ - ㉢ - ㉡ - ㉤ - ㉠

④ ㉣ - ㉤ - ㉢ - ㉡ - ㉠

18 다음 〈보기〉는 부동산 운용에 의한 현금흐름의 산출방법이다. 빈칸에 들어갈 말을 순서대로 나열한 것은?

> ┤ 보기 ├
>
> 연간 단위당 임대료 × 단위수
> = 잠재 총소득 − 공실 등 + 기타소득
> = (   ) − (   )
> = (   ) − (   )
> = 납세 전 현금흐름 − 소득세
> = 납세 후 현금흐름

① 실제 총소득, 부채상환액, 운용소득, 운용비용

② 실제 총소득, 운용비용, 순운용소득, 부채상환액

③ 운용소득, 부채상환액, 실제 총소득, 운용비용

④ 운용소득, 운용비용, 실제 총소득, 부채상환액

19 포트폴리오 분산투자에 대한 설명으로 적절하지 않은 것은?

① 포트폴리오의 비체계적 위험의 감소는 총위험의 감소를 가져온다.

② 부동산 포트폴리오의 위험은 두 부동산의 분산을 가중평균하여 계산한다.

③ 포트폴리오에 투자되는 투자안들을 늘리면 투자안들의 비체계적 위험이 서로 상쇄되는 부분이 있어 포트폴리오의 위험이 줄어들게 된다.

④ 체계적 위험은 피할 수 없는 위험으로 포트폴리오에 추가적으로 부동산을 편입시켜도 분산 불가능한 위험이다.

20 다음 〈보기〉를 참고하여 계산한 직접환원법에 의한 부동산 수익가격은 얼마인가?

┤ 보기 ├

- 실제(유효) 총수익 12억원
- 운용비용 2억원
- 대출이자 2억원
- 자본환원율 5%

① 120억원
② 160억원
③ 200억원
④ 240억원

■ **제2과목(투자운용 및 전략 II/투자분석): 21번 ~50번(30문항)**

21 대안투자상품의 종류와 거리가 먼 것은?

① 헤지펀드
② Commodity
③ 부동산 펀드
④ Monet Market Fund

22 PEF(Private Equity Fund)의 무한책임사원 특례 규정으로 적절하지 않은 것은?

① 겸업금지 의무를 배제한다.
② 임의적 퇴사권을 인정하지 않는다.
③ 일반 회사도 무한책임사원이 될 수 있다.
④ 노무 또는 신용출자뿐만 아니라 시장성 있는 유가증권의 출자도 가능하다.

23 PEF(Private Equity Fund)의 인수대상 기업으로 선정하기 어려운 기업은?

① 부실기업
② 기업 부동산 매입
③ 경기변동에 민감한 기업
④ 구조조정을 통해 기업가치 상승이 기대되는 기업

24 최초 Capital이 100일 때 Long/Short Equity 포트폴리오 예시를 참고하여 빈칸에 들어갈 내용이 올바르게 연결된 것은?

구분	포트폴리오
Long Exposure(%)	150
Short Exposure(%)	100
Net Exposure(%)	(㉠)
Long/Short Ratio	(㉡)
Gross Exposure	(㉢)

① ㉠ 50, ㉡ 1.5, ㉢ 1.5
② ㉠ 50, ㉡ 1.5, ㉢ 5
③ ㉠ 60, ㉡ 1.5, ㉢ 1.5
④ ㉠ 60, ㉡ 1.5, ㉢ 5

25 다음 〈보기〉에서 설명하는 신용파생상품은 무엇인가?

> **보기**
>
> 가장 간단하면서도 보편화된 형태의 신용파생상품으로서 준거자산의 신용위험을 분리하여 보장매입자가 보장매도자에게 이전하고 보장매도자는 그 대가로 Premium을 지급받는 금융상품으로 보장 Premium과 손실보전금액(Contingent default payment)을 교환하는 계약이다.

① CDO
② CLN
③ CDS
④ TRS

26 글로벌 펀드의 투자기준이 되는 대표적인 지표로 최초의 국제 벤치마크의 주요 기준으로 사용되는 지수는?

① MSCI 지수
② FTSE 지수
③ WGBI Index
④ Down Jones 산업지수

27 통화가치와 주가의 상관관계에 대한 설명으로 적절하지 않은 것은?

① 국제투자 측면에서 한 나라의 통화가치 상승은 외국 투자자의 기대수익을 높여준다.
② 국제투자 측면에서 한 나라의 통화가치는 주가와 양(+)의 상관관계를 가진다.
③ 국제경쟁력 측면에서 통화가치와 그 나라 주가의 변동은 음(−)의 상관관계를 가지게 된다.
④ 국제경쟁력 측면에서 통화가치의 하락은 국제경쟁력 약화로 해석되어 주가의 하락을 가져온다.

28 다음 중 유로채(Euro Bonds)로 볼 수 있는 것은?

① 한국기업이 런던에서 발행한 미달러화 표시 채권
② 한국기업이 미국에서 발행한 미달러화 표시 채권
③ 미국기업이 홍콩에서 위안화로 발행한 채권
④ 미국기업이 한국에서 원화로 발행한 채권

29 해외 주식펀드 투자 시 고려할 사항으로 적절하지 않은 것은?

① 펀드를 환매할 때 22%(지방소득세 포함)의 세금이 부과된다.
② 환매 신청 후 며칠간 주가 변동성에 노출될 수 있다.
③ 국내 주식형 펀드에 비해 판매수수료가 높은 편이다.
④ 배당금이 2천만원을 초과할 경우 다른 종합과세 대상 소득과 합산되어 금융소득 종합과세된다.

30 해외채권투자에 대한 설명으로 적절하지 않은 것은?

① T−bill은 1년 이하의 단기채권으로 이자가 없고 할인채로 발행된다.
② T−bond는 10년 이상의 장기채권으로 이표가 있어 6개월마다 이자를 받을 수 있다.
③ 국내에서 브라질 채권 투자 시 환헤지를 하지 않는 것은 투자수익률에 부정적인 요소로 작용된다.
④ 판다 본드는 외국기업이 중국 본토에서 위안화 표시 채권을 발행한 것이다.

31 어느 철도회사에서 연리 6%의 만기가 없는 무보증사채를 발행하였다. 이 채권에 대한 요구수익률이 8%인 투자자는 이 영구채권의 가치를 얼마로 평가하겠는가? (액면가는 10만원이고 이자는 1년에 한 번 지급한다)

① 6,000원
② 60,000원
③ 75,000원
④ 80,000원

32 자기자본이익률(ROE)이 하락하는 추세를 보일 때 나타나는 현상과 가장 거리가 먼 것은?

① 기업의 매출이 둔화된다.
② 기업이 점차 쇠퇴해지고 있다.
③ 기업의 전체적인 효율성이 하락하고 있다.
④ 기업의 부채 부담이 증가하고 있다는 신호이다.

33 주가순자산비율(PBR)의 특성과 거리가 먼 것은?

① 자기자본이익률(ROE)과 (+)의 관계이다.
② 기업의 위험과는 (+)의 관계이다.
③ 'ROE > 요구수익률(K)'이면 PBR은 1보다 크고 성장률(g)이 높을수록 커진다.
④ 'ROE < 요구수익률(K)'이면 PBR은 1보다 작고 성장률(g)이 높을수록 작아진다.

34 결합레버리지도(DCL)가 36, 재무레버리지도(DFL)가 6, 매출액 200억원, 변동비 140억원일 때, 고정비용은 얼마인가?

① 20억
② 30억
③ 40억
④ 50억

35 다음 〈보기〉를 참고할 때 상장 예정인 A기업의 주당가치로 적절한 것은?

┤ 보기 ├
• A기업과 유사기업B의 EV/EBITDA 비율: 6
• A기업의 EBITDA: 500억원
• A기업의 채권가치: 400억원
• A기업의 발행주식수: 1,000만주

① 12,000원
② 16,000원
③ 20,000원
④ 26,000원

36 다음 〈보기〉를 참고하여 EVA 모형으로 평가한 기업가치는 얼마인가?

┤ 보기 ├
• 세후 순영업이익 40억원   • 자기자본 100억원
• 타인자본 100억원   • 자기자본비용 10%
• 세후 타인자본 10%

① 100억
② 200억
③ 300억
④ 400억

37 기술적 분석에 대한 설명으로 가장 적절하지 않은 것은?

① 추세의 변화는 수요와 공급의 변동에 의해 일어난다.
② 심리적 요인을 반영하고 매매시점 포착에 유용하다.
③ 시장변화의 근본적인 원인을 추정할 수 있다.
④ 도표에 나타나는 주가모형은 스스로 반복하는 경향이 있다.

38 추세분석에 대한 설명으로 적절하지 않은 것은?

① 지지선은 저점을 수평으로 이은 선이다.
② 상승 추세선은 상승 추세에서 고점을 연결한 선이다.
③ 추세선이 상승 추세를 나타날 때 기울기가 커지는 경우 상승 추세의 강화를 나타낸다.
④ 추세선의 신뢰도는 추세선의 기울기가 완만할수록 크다고 볼 수 있다.

39 다음 중 반전형 패턴과 거리가 먼 것은?

① 확대형
② 원형 천장형
③ 쐐기형
④ 선형

40 다음 중 추세반전형 지표와 거리가 먼 것은?

① 스토캐스틱(Stochastic)
② RSI(Relative Strength Index)
③ ROC(Rate of Change)
④ OBV(On Balance Volume)

41 다음은 산업연관표에 대한 설명이다. (㉠)~(㉡) 안에 들어갈 내용으로 적절한 것은?

> 산업연관표에서 세로 방향은 상품의 (㉠) 구조를 나타내고 가로 방향은 각 산업부문 생산물의 (㉡) 구조를 나타낸다.

① 배분, 투입
② 투입, 배분
③ 중간수요, 최종수요
④ 중간재투입, 부가가치

42 다음 중 산업정책에 대한 설명으로 적절하지 않은 것은?

① 공급지향적 정책이다.
② 생산자원의 공급과 배분에 정부가 개입한다.
③ 선진국에서 그 중요성이 강조된다.
④ 각 국가가 처한 경제상황에 따라 구체적인 모습이 달라진다.

43 파생상품의 불법거래에 따른 막대한 손실로 인하여 파산한 리스크 관리의 실패사례는?

① 베어링은행(Barings) 파산사건
② 메탈게젤샤프트사(Metallgesellschaft) 파산사건
③ 오렌지카운티(Orange County) 파산사건
④ LTCM(Long-Term Capital Management) 사건

44 주가지수 옵션의 가격이 5point인 경우, KOSPI 200이 100pt, 주가지수 수익률의 1일 기준 변동성이 1.7%, 옵션의 델타가 0.6이라면 신뢰수준 99% 1일 VaR은 얼마인가?

① 1.37point

② 2.37point

③ 3.37point

④ 4.37point

45 어느 투자자가 A주식에 100억원을 투자한다고 가정할 때 이 주식은 1일 수익률이 정규분포를 띠고 1일 수익률의 표준편차가 3%이며, 95% 신뢰도 1일 VaR이 4.95억이다. 이때 신뢰수준 95%에서 10일 VaR은 얼마인가?

① 4.6억원

② 6.6억원

③ 8.4억원

④ 15.65억원

46 A자산의 VaR은 8억원, B자산의 VaR은 6억이다. 자산 A와 자산B의 상관계수가 0일 때, 두 자산으로 구성된 포트폴리오 VaR은 얼마인가?

① 4억원

② 6억원

③ 10억원

④ 12억원

47 다음 중 가장 우월한 투자대안은 무엇인가?

① 투자대안 A의 Marginal VaR은 10억원이다.

② 투자대안 B의 Marginal VaR은 30억원이다.

③ 투자대안 C의 Marginal VaR은 60억원이다.

④ 투자대안 D의 Marginal VaR은 90억원이다.

48 다음 중 〈보기〉에서 설명하는 VaR의 측정방법은 무엇인가?

┌─ 보기 ┐
포트폴리오의 주요 변수들에 큰 변화가 발생했을 때 포트폴리오의 가치가 얼마나 변할 것인지를 측정하기 위해 주로 이용되며 시나리오분석 또는 위기상황분석이라고도 한다. 이 방법은 주로 최악의 상황에 사용된다.
└──────┘

① 역사적 시뮬레이션법

② 스트레스 검증

③ 몬테카를로법

④ Marginal Var

49 어느 은행이 100억원의 대출을 하고 있다. 대출의 부도율은 8%이고, 손실률은 50%일 때, 예상 기대손실은 얼마인가?

① 1억원

② 2억원

③ 3억원

④ 4억원

50 부도율측정모형(KMV에 의해 개발된 EDF모형)에 대한 설명으로 적절하지 않은 것은?

① 부도발생뿐 아니라 신용등급의 변화에 따른 손실 리스크까지도 신용 리스크에 포함시키는 모형이다.
② 미래의 자산가치가 부채를 감당할 수 없을 정도로 낮아질 때 채무불이행이 나타난다고 본다.
③ 기업의 주식가치는 자산가치를 기초자산으로 하고, 부채금액은 행사 가격인 콜옵션으로 간주한다.
④ 특정 기간 내에 기업의 자산가치가 상환해야 할 부채규모 이하로 떨어질 확률을 계산하여 채무불이행빈도를 계산한다.

■ 제3과목(직무윤리 및 법규/투자운용 및 전략 I/ 거시경제 및 분산투자): 51번~100번(50문항)

51 다음 〈보기〉 중 직무윤리를 준수해야 할 대상에 대한 설명으로 옳은 것만 모두 고른 것은?

┌ 보기 ┐
㉠ 회사의 계약직원 등을 포함한다.
㉡ 회사의 임시직원 등을 포함한다.
㉢ 회사의 투자 관련 직무에 간접적으로 종사하는 자는 제외한다.
㉣ 회사와 무보수로 일하는 자는 제외한다.
└────┘

① ㉠
② ㉠, ㉡
③ ㉠, ㉡, ㉢
④ ㉠, ㉡, ㉣

52 다음의 〈보기〉에서 설명하는 금융투자업 직무윤리로 가장 적절한 것은?

┌ 보기 ┐
금융투자업자는 금융투자업을 영위함에 있어 정당한 사유 없이 투자자의 이익을 해하면서 자기가 이익을 얻거나 제3자가 이익을 얻도록 하여서는 아니 된다.
└────┘

① 이해상충 방지의무
② 금융소비자보호의무
③ 부당권유의 금지
④ 설명의무

53 금융투자상품 판매 이전 단계의 금융소비자보호 중 설명의무에 대한 설명으로 적절하지 않은 것은?

① 금융투자업자는 일반투자자를 상대로 투자권유를 하는 경우 상품의 내용, 투자에 따르는 위험을 이해할 수 있도록 설명해야 한다.
② 금융투자업자는 설명내용을 일반투자자가 이해하였음을 서명, 기명날인, 녹취 등의 방법으로 확인받아야 한다.
③ 금융투자업자는 투자자의 투자경험 및 지식수준에 따라 설명의 정도를 달리할 수 없다.
④ 금융투자업 종사자는 설명의무 위반으로 발생된 일반투자자의 손해를 배상할 책임이 있다.

54 다음 〈보기〉는 금융상품 판매 이후의 단계에서 실행되는 금융소비자보호 관련 제도이다. 빈칸에 들어갈 숫자를 순서대로 나열한 것은?

┌ 보기 ┐
㉠ 판매 후 모니터링 제도: 금융소비자와 판매계약을 맺은 날로부터 (   ) 영업일 이내에 금융소비자와 통화하여 불완전 판매가 없었는지에 대해서 확인하는 제도이다.
㉡ 불완전판매 배상제도: 금융소비자는 본인에 대한 금융투자회사의 불완전판매가 있었음을 알게 된 경우, 가입일로부터 (   )일 이내에 금융투자회사에 배상을 신청할 수 있다.
㉢ 판매수수료 반환 서비스: 금융소비자가 특정 금융투자 상품에 가입하고 (   ) 영업일 이내에 환매, 상환 또는 해지를 요청하는 경우, 환매나 상환, 해지대금과 함께 판매수수료를 돌려주는 제도이다.
└────┘

① 7, 15, 7
② 7, 15, 5
③ 5, 30, 5
④ 5, 30, 7

55 영업점별 영업관리자에 대한 요건과 가장 거리가 먼 것은?

① 영업점장이 아닌 책임자급이어야 한다.
② 영업점에서 3년 이상 근무한 경험이 있어야 한다.
③ 본인의 업무가 준법감시업무에 곤란을 받지 않아야 한다.
④ 준법감시업무를 수행할 수 있는 충분한 경험과 윤리성을 갖춰야 한다.

56 금융투자업 감독기관 및 관련 기관에 대한 적절한 설명으로만 모두 묶인 것은?

> ㉠ 공적규제기관으로는 금융위원회, 증권선물위원회, 금융감독원이 있다.
> ㉡ 금융감독원은 자본시장의 불공정거래 조사업무를 담당한다.
> ㉢ 금융위원회는 금융민원 해소 및 금융분쟁 조정업무를 담당한다.
> ㉣ 증권금융회사는 증권시장의 매매거래에 필요한 자금을 거래소를 통하여 대여하는 업무를 담당한다.

① ㉠, ㉡
② ㉠, ㉣
③ ㉡, ㉢
④ ㉢, ㉣

57 투자매매업자 및 투자중개업자의 영업행위 규제에 대한 설명으로 가장 적절하지 않은 것은?

① 3개월마다 최선집행기준의 내용을 점검해야 한다.
② 고객으로부터 금융투자상품의 매매를 위탁받은 투자중개업자는 고객의 대리인이 됨과 동시에 그 거래의 상대방이 될 수 없다.
③ 투자자로부터 금융투자상품의 매매에 관한 청약을 받는 경우 반드시 서면으로 그 투자자에게 자기가 투자매매업자인지 투자중개업자인지를 밝혀야 한다.
④ 투자매매업자가 투자자로부터 자기주식을 예외적으로 취득한 경우 자기주식은 취득일로부터 3개월 이내에 처분해야 한다.

58 약관 변경 후 7일 이내 금융위원회 및 협회에 보고해야 할 사항과 거리가 먼 것은?

① 금융투자업자가 전문투자자를 대상으로 약관을 제정·변경하는 경우
② 협회가 전문투자자만을 대상으로 하는 표준약관을 제정·변경한 경우
③ 다른 금융투자업자가 신고한 약관과 동일하게 약관을 제정·변경하는 경우
④ 협회가 표준약관을 제정·변경하고자 하는 경우

59 영업용순자본비율의 산정원칙으로 적절한 것은?

① 시장위험과 신용위험을 동시에 내포하는 자산에 대해서는 시장위험액만을 산정한다.
② 영업용순자본 산정 시 차감 항목에 대해서만 위험액을 산정한다.
③ 영업용순자본의 차감 항목과 위험액 산정대상 자산 사이에 위험회피효과가 있는 경우에는 위험액 산정대상 자산의 위험액을 감액할 수 있다.
④ 부외자산과 부채에 대해서는 위험액을 산정하지 않는다.

60 투자광고 규제에 대한 설명으로 적절하지 않은 것은?

① 최소비용을 표기하는 경우 그 최대비용을 포함해야 한다.
② 과거 영업실적으로 표기하는 경우 미래에는 이와 다를 수 있다는 내용이 포함되어야 한다.
③ 금융투자업자의 경영실태평가 결과와 영업용순자본비율을 다른 금융투자업자와 비교할 경우 준법감시인의 사전확인을 받아야 한다.
④ 협회는 매 분기별 투자광고 심사 결과를 해당 분기의 말일로부터 1개월 이내에 감독원장에게 보고해야 한다.

61 증권신고서에 대한 설명으로 적절하지 않은 것은?

① 증권의 발행인에 관한 사항이 포함된다.
② 모집가액 또는 매출가액이 10억원 미만인 경우 증권신고서 제출의무가 면제된다.
③ 신고서의 효력이 발생한 후 투자설명서를 사용하여 청약을 권유할 수 있다.
④ 증권신고서의 효력발생은 정부에서 그 증권의 가치를 보증 또는 승인하는 효력을 가진다.

62 투자설명서의 작성 및 공시에 대한 설명으로 적절하지 않은 것은?

① 투자설명서는 원칙적으로 증권신고서에 기재된 내용과 다른 내용을 표시할 수 없다.
② 발행인은 증권신고서의 효력이 발생하는 날 금융위에 예비투자설명서 및 간이투자설명서를 제출해야 한다.
③ 개방형 집합투자기구의 투자설명서 및 간이투자설명서는 제출한 후 1년마다 1회 이상 다시 고친 투자설명서 및 간이투자설명서를 금융위에 제출해야 한다.
④ 개방형 집합투자증권의 모집 또는 매출을 중지한 경우 투자설명서의 제출·비치 및 공시를 생략할 수 있다.

63 예치 금융투자업자가 투자자 예탁금을 우선 지급해야 할 사유와 거리가 먼 것은?

① 인가 취소
② 해산 결의 및 파산선고
③ 투자매매업 또는 투자중개업 전부 양도 승인
④ 다른 회사에 흡수 합병된 경우

64 공개매수의 철회 사유로 적절하지 않은 것은?

① 대항공개매수
② 공개매수자의 사망
③ 공개매수자가 발행한 어음이나 수표의 부도
④ 공개매수대상 회사의 주식 등의 변경상장

65 어느 하나에 해당하는 방법으로 정보를 공개하고 일정한 기간이나 시간이 지나기 전에 중요 정보를 이용하여 특정 증권 등의 매매를 한 경우에는 미공개 정보 이용 규제 대상 행위에 포함된다. 다음 〈보기〉의 빈칸에 들어갈 내용으로 적절한 것은?

┤ 보기 ├
- 금융위원회 또는 거래소에 신고되거나 보고된 서류에 기재되어 있는 정보: 그 내용이 기재되어 있는 서류가 금융위 또는 거래소가 정하는 바에 따라 비치된 날부터 (㉠)이 경과된 경우 미공개 정보에 해당하지 않는다.
- 연합뉴스사를 통하여 그 내용이 제공된 정보: 제공된 때부터 (㉡)이 경과된 경우 미공개 정보에 해당하지 않는다.
- 전국을 가시청권으로 하는 지상파 방송을 통하여 그 내용이 방송된 정보: 방송된 때부터 (㉢)이 경과된 경우 미공개정보에 해당하지 않는다.

① ㉠: 1일, ㉡: 3시간, ㉢: 6시간
② ㉠: 3일, ㉡: 6시간, ㉢: 3시간
③ ㉠: 1일, ㉡: 6시간, ㉢: 6시간
④ ㉠: 3일, ㉡: 3시간, ㉢: 3시간

66 투자매매업자 또는 투자중개업자의 신용공여에 대한 금융위원회의 규정으로 적절한 것은?

① 신용공여의 규모는 투자매매업자 또는 투자중개업자 자기자본의 80%까지 가능하다.

② 투자자의 신용상태 및 종목별 거래상황 등을 고려하여 신용공여금액의 100분의 120 이상에 상당하는 담보를 징구하여야 한다.

③ 투자자는 신용거래를 통해 상장주식과 비상장주식에 대한 투자가 가능하다.

④ 투자매매업자가 인수한 증권은 인수일로부터 3개월이 경과되었다면 투자자에게 그 증권을 매수하게 하기 위한 금전의 융자, 그 밖의 신용공여를 할 수 있다.

67 재산상 이익의 제공 및 수령에 대한 설명으로 적절하지 않은 것은?

① 재산상 이익의 1회당 한도 및 연간 한도는 금융회사가 스스로 정하여 준수하도록 하고 있다.

② 금융투자회사가 거래상대방에게 재산상 이익을 제공하거나 제공받은 경우 제공목적, 제공내용 등을 5년 이상 기록보관해야 한다.

③ 최근 5개 사업연도를 합산하여 금전·물품 등을 10억원을 초과하여 거래상대방에게 제공한 경우 인터넷 홈페이지 등에 공시해야 한다.

④ 추첨 및 기타 우연성을 이용하는 방법으로 일반투자자에게 재산상의 이익을 제공할 수 없다.

68 ELW, ETN, ETF에 대한 금융투자협회의 투자자보호 특례 내용으로 적절하지 않은 것은?

① 외국인의 경우 사전 교육 의무 대상에서 제외된다.

② 일반투자자가 레버리지 ETF 상품을 매매하기 위해서는 협회가 인정하는 사전 교육을 이수해야 한다.

③ 위탁매매거래계좌가 있다면 주식워런트증권을 별도의 절차 없이 매매할 수 있다.

④ 일반투자자가 최초로 변동성지수선물의 가격을 기초로 하는 상장지수증권을 매매하고자 한다면 발생할 수 있는 위험 등을 고지하고 매매의사를 추가로 확인해야 한다.

69 금융투자회사가 투자자에게 이용료를 지급해야 하는 투자자 예탁금과 가장 거리가 먼 것은?

① 위탁자 예수금
② 장내파생상품 예수금
③ 현금예탁 필요액
④ 집합투자증권투자자 예수금

70 최근 자산운용기관들의 운용전략과 거리가 먼 것은?

① 자산배분을 가장 먼저 결정
② 벤치마크 수익률을 상회하는 운용을 지향
③ 동적 자산배분 전략의 사용
④ 스타일 투자 적용

71 전략적 자산배분의 이론적 배경에 대한 설명으로 적절하지 않은 것은?

① 현실적으로 진정한 효율적 투자기회선을 규명하는 것은 불가능하다.

② 여러 개의 효율적 포트폴리오를 수익률과 위험의 공간에서 연속선으로 연결한 것을 무차별곡선이라고 한다.

③ 투자자의 최적 자산배분은 효율적 투자기회선과 투자자의 무차별곡선이 접하는 점에서 결정된다.

④ 진정한 효율적인 포트폴리오는 퍼지 투자기회선(Fuzzy frontier) 내에 존재한다고 본다.

72 보험자산배분 전략의 실행 메커니즘의 기본 특성에 대한 설명으로 적절하지 않은 것은?

① 이 방식은 오로지 포트폴리오 가치에만 의존한다.
② 포트폴리오의 가치가 하락함에 따라 무위험자산에 대한 투자비중 또한 낮아진다.
③ 주식가격이 상승할 때 주식을 매입하고 주식가격이 하락할 때 주식을 매도하게 되는 고가매입, 저가매도전략이다.
④ 시장가격이 하락하여 최저 보장수익을 보장할 수 없을 만큼 치명적인 최저수준에 도달하기 전에 포트폴리오 전체가 완전히 무위험자산에 투자되도록 만든다.

73 최적의 포트폴리오를 구성하기 위한 마지막 단계로 주가변동으로 인해 변화된 포트폴리오를 기준으로 그 시점에서 다시 최적의 포트폴리오를 구성하는 방법을 무엇이라 하는가?

① 리밸런싱
② 업그레이딩
③ 투자유니버스
④ 포트폴리오 재조정

74 액티브 운용의 가치투자 스타일에 대한 설명으로 적절하지 않은 것은?

① 저 PER, 역행투자, 저 배당수익률 투자방식 등이 포함된다.
② 기업의 수익은 평균으로 회귀하는 경향을 이용한 운용방식이다.
③ 진입장벽이 높고, 이익의 Swing factor가 적은 방어주들이 선택되는 경우가 많다.
④ 투자자가 예상하는 투자기간 내에 저평가된 정도가 회복되지 않을 위험도 존재한다.

75 주식 포트폴리오의 종목 선정 방식 중 하향식 방법(Top-down approach)에 대한 설명으로 적절하지 않은 것은?

① 종목 선정보다 섹터나 산업 선정을 강조한다.
② 마젤란 펀드가 하향식 방법의 대표적인 펀드이다.
③ 섹터별 비중을 정하기 위해 스코어링(Scoring) 과정을 거치기도 한다.
④ 섹터가 포괄적일 경우 최종적인 종목 선정을 어렵게 할 수 있다.

76 액면가 10,000원인 전환사채의 전환가격은 20,000원이며, 이 전환사채 발행기업의 주가는 19,000원이다. 이때 패리티와 패리티 가격은 각각 얼마인가?

	패리티	패리티 가격
①	95%	9,500원
②	100%	10,000원
③	105%	10,500원
④	110%	11,000원

77 액면가 10,000원, 만기수익률 5%, 만기가 1년 145일 남은 통화안정증권(할인채)의 매매가격은?

① 9,338원
② 9,548원
③ 9,675원
④ 9,768원

78 액면가 10,000원, 표면이율 8%, 잔존기간이 3년인 연단위 후급 이자지급 이표채의 만기수익률이 10%일 경우 이 채권의 듀레이션은? (소수점 세 번째 자리 이하 절사)

① 2.58년
② 2.77년
③ 2.80년
④ 2.92년

79 다음 중 채권가격의 변동성이 커지는 경우로 적절한 것은?

① 채권의 잔존기간이 짧을수록 변동성은 커진다.
② 채권의 만기가 짧을수록 변동성은 커진다.
③ 이표율이 낮을수록 변동성은 커진다.
④ 만기수익률의 수준이 높을수록 변동성은 커진다.

80 채권수익률의 기간구조이론에 대한 적절한 설명으로만 모두 묶인 것은?

> ㉠ 시장분할이론에 의하면 장기채권과 단기채권은 완전 대체관계이다.
> ㉡ 유동성 프리미엄이론에 의하면 만기가 서로 다른 채권들은 완전한 대체재가 될 수 없다.
> ㉢ 불편기대이론은 낙타형 모습의 수익률 곡선을 잘 설명할 수 있다.
> ㉣ 선호영역가설은 완화된 구조의 시장분할이론으로 볼 수 있다.

① ㉠, ㉢
② ㉡, ㉢
③ ㉡, ㉣
④ ㉠, ㉣

81 채권운용전략 중 소극적 운용전략과 거리가 먼 것은?

① 채권교체전략
② 만기보유전략
③ 채권면역전략
④ 채권인덱싱전략

82 행사가격이 200Point인 콜옵션이 있다. 현재 기초자산 가격이 203Point이고 옵션 프리미엄이 5Point일 때 이 콜옵션의 시간가치는 얼마인가?

① 0
② 2
③ 3
④ 5

83 다음 중 스프레드(Spread) 거래에 대한 설명으로 적절하지 않은 것은?

① 만기 또는 종목이 다른 두 개의 선물계약을 이용한다.
② 두 선물의 가격 움직임 차이를 이용하여 이윤을 획득하려는 전략이다.
③ 강세 스프레드(Bull Spread) 전략은 '근월물 매도 + 원월물 매수' 전략이다.
④ 스프레드 거래는 다른 전략에 비해 위험이 적다고 할 수 있으나 경우에 따라 매우 투기적으로 이용될 수 있다.

84 다음 〈보기〉 중 기초자산의 가격 변동성이 크게 증가할 것으로 예상될 때 적합한 옵션거래 전략으로 모두 묶인 것은?

┌─ 보기 ├─
ㄱ 스트래들매수
ㄴ 스트랭글매수
ㄷ 콜매수
ㄹ 풋매도
└─────────────

① ㄱ, ㄴ
② ㄱ, ㄷ
③ ㄴ, ㄷ, ㄹ
④ ㄷ, ㄹ

85 다음 중 포트폴리오 보험전략과 거리가 먼 것은?

① 방어적 풋전략
② 이자추출전략
③ 동적헤징전략
④ 스트랭글매수전략

86 금리가 변화할 때 옵션가격이 얼마나 변화하는가를 나타내는 옵션의 민감도 지표는?

① 베가
② 감로
③ 로우
④ 세타

87 스트래들매도 포지션일 때 민감도 분석에 대한 설명으로 적절하지 않은 것은?

① 포지션 델타는 음수이다.
② 포지션 감마는 음수이다.
③ 포지션 세타는 양수이다.
④ 포지션 베가는 음수이다.

88 다음 중 현금유출액의 현재가치와 현금유입액의 현재가치를 일치시키는 할인율은?

① 평균수익률
② 내부수익률
③ 자기자본이익률
④ 총자산이익률

89 위험조정 성과지표 유형 중 단위 위험당 초과수익률을 평가하는 지표로 적절하지 않은 것은?

① 샤프비율
② 트레이너비율
③ 정보비율
④ 젠센알파

90 포트폴리오 분석에 대한 설명으로 적절하지 않은 것은?

① 포트폴리오 자체의 특성을 분석하는 것이다.
② 포트폴리오 성과의 결과물을 살펴보는 것이다.
③ 펀드의 특성을 파악하고 위험관리를 할 수 있다.
④ 펀드의 운용전략을 개괄적으로 파악할 수 있다.

91 성과분석을 위한 회계처리 원칙에 대한 설명으로 적절하지 않은 것은?

① 평가일 현재 신뢰할 만한 시가가 없는 경우 공정가액으로 평가한다.
② 현금의 수입 시점에 수익을 인식하는 현금주의 회계처리를 사용해야 한다.
③ 거래의 체결이 확인되면, 실제로 현금흐름에 따라 결제가 일어나지 않았더라도 회계상에 반영한다.
④ 유동성이 부족하여 현재의 시장가격을 알 수 없는 경우 현금흐름을 시장금리로 할인한 이론가격을 사용할 수 있다.

92 이자율 결정이론에 대한 설명으로 적절하지 않은 것은?

① 고전학파는 이자율이 실물적 요인에 의해 결정된다고 본다.
② 케인즈학파는 이자율이 화폐시장에서 결정된다고 본다.
③ 고전학파는 유량(Flow)분석을, 케인즈는 저량(Stock)분석을 하고 있다.
④ 케인즈학파는 이자율 수준이 통화량과 관계없이 결정된다고 본다.

93 다음 중 IS-LM 모형에서 IS 곡선이 우측으로 이동하는 요인과 거리가 먼 것은?

① 정부지출의 증가
② 절대소비의 증가
③ 독립투자 증가
④ 조세의 증가

94 전체 인구 8,000명, 15세 미만 인구 3,000명, 비경제 활동인구 1,000명, 취업자수 2,500명일 경우 경제활동 참가율과 실업률을 순서대로 나열한 것은?

① 50%, 43.75%
② 50%, 37.5%
③ 80%, 37.5%
④ 80%, 43.75%

95 다음 중 경기지표에 의한 경기예측방법에 대한 적절한 설명으로만 모두 묶인 것은?

> ㉠ 경기확산지수(DI)는 경기변동의 진폭이나 속도는 측정하지 않고 경기변동의 변화 방향과 전환점을 식별하기 위한 지표이다.
> ㉡ 경기확산지수(DI)가 100% 이상이면 경기는 상승국면에 있음을 의미한다.
> ㉢ 경기종합지수(CI)가 100% 이상이면 경기상승을 의미한다.
> ㉣ 경기종합지수(CI)는 경기국면 파악 및 경기수준 측정에 이용하기 위한 종합경기지표이다.

① ㉠, ㉡
② ㉠, ㉣
③ ㉡, ㉢
④ ㉢, ㉣

96 포트폴리오의 기대수익률과 위험에 대한 설명으로 적절한 것은?

① 포트폴리오 위험과 기대수익은 투자종목수가 많을수록 증가한다.

② 포트폴리오 위험은 개별증권 사이에 존재하는 공분산 또는 상관관계를 고려하여 계산한다.

③ 분산투자를 통해 감소되지 않는 위험을 위험을 분산가능위험, 비체계적위험, 기업고유위험, 개별위험이라고 한다.

④ 상관계수가 높을수록 분산투자효과가 극대화된다.

97 투자자금의 70%는 기대수익률 15%의 위험자산에 투자하고 나머지 30%는 기대수익률 7%의 무위험자산에 투자하려고 한다. 또한 위험자산의 표준편차는 10%, 무위험자산의 표준편차는 0일 때 포트폴리오의 기대수익률과 표준편차는 각각 얼마인가?

	포트폴리오 기대수익률	포트폴리오 표준편차
①	8.4%	7%
②	10.4%	10%
③	12.6%	7%
④	16.6%	10%

98 다음 중 시장포트폴리오에 대한 설명으로 적절하지 않은 것은?

① 이성적 투자자라면 자신들의 위험선호도와 관계 없이 시장포트폴리오를 선택하게 된다.

② 증권 선택 결정과 자본 배분 결정은 서로 별개의 문제가 된다.

③ 투자자의 위험선호도와 관계 없이 시장포트폴리오의 투자비중은 동일하다.

④ 모든 위험자산을 포함하는 완전 분산된 효율적인 포트폴리오이다.

99 A주식의 차기 배당금(D1)이 2,000원이고 연간 성장률(g)이 6%로 매년 일정할 것으로 예상된다. 한편 무위험 이자율(Rf)은 8%, 시장포트폴리오의 기대수익률은 12%, 분산은 0.02, A주식과 시장포트폴리오의 공분산은 0.03일 때, A주식의 요구수익률과 내재가치는 얼마인가?

	요구수익률	내재가치
①	10.67%	25,000원
②	10.67%	42,857원
③	14%	25,000원
④	14%	26,500원

100 다음 중 성격이 다른 투자전략은?

① 평균분할투자전략

② 단순한 매입보유전략

③ 인덱스 투자전략

④ 포뮬러 플랜

투자자산운용사 실전 모의고사

| 제 3 회 |

투자자산운용사
실전 모의고사

<table>
<tr><td>수험번호</td><td>이름</td></tr>
</table>

시작 시간: _____시 _____분   **종료 시간:** _____시 _____분   **총 소요 시간:** _____분 / 120분

〈 응시자 유의사항 〉

1. 답안은 반드시 검정색 필기구(컴퓨터용 사인펜 권장, 연필 불가)를 사용하여 아래 보기와 같이 해당란 안에 완전히 표기할 것

[올바른 표기]	[잘못된 표기]
●	⊙ ◐ ◑ ⊘

2. 본 문제지는 시험종료 후 답안지와 함께 반드시 제출할 것(수험번호, 성명 기재)

3. 시험시간 종료 후의 문제풀이 및 답안지 표기는 부정행위로 간주
   *부정행위자는 소속 기관 통보 및 본회 주관 모든 시험의 응시제한 등 불이익을 받을 수 있음

- 「금융소비자 보호에 관한 법률」을 이하 소비자보호법이라 한다.
- 「자본시장과 금융투자법에 관한 법률」은 이하 자본시장법이라 한다.

■ 제1과목(금융상품 및 세제): 01번~20번(20문항)

01 우리나라 조세체계 중 국세로 볼 수 없는 것은?

① 소득세
② 법인세
③ 취득세
④ 교육세

02 조세불복제도인 이의신청, 심사, 심판청구에 대한 설명으로 적절하지 않은 것은?

① 심사청구는 국세청 또는 감사원에, 심판청구는 조세심판원에 제기하는 불복이다.
② 이의신청을 거치지 않고 행정(취소)소송을 제기할 수 없다.
③ 심사청구와 심판청구는 청구인의 선택에 따라 그중 하나를 선택해야 한다.
④ 이의신청, 심사청구, 심판청구는 처분청의 처분을 안 날로부터 90일 이내에 제기해야 한다.

03 다음 〈보기〉 중 우리나라의 소득세 제도에 대한 적절한 설명으로만 모두 묶은 것은?

┌─ 보기 ─┐
㉠ 부양가족 등의 사정을 감안하여 인적공제제도를 두고 있다.
㉡ 정부부과제도에 의해 조세채권이 확정된다.
㉢ 개인을 과세단위로 하여 소득세를 과세한다.
㉣ 소득 발생지를 납세지로 한다.
└──────┘

① ㉠, ㉢
② ㉡, ㉢
③ ㉡, ㉣
④ ㉢

04 종합과세 대상소득으로 적절하지 않은 것은?

① 임대사업소득
② 근로소득
③ 연금소득
④ 퇴직소득

05 이자소득의 범위와 수입시기가 올바르지 않은 것은?

	이자소득의 범위	수입시기
①	양도가능한 채권 등의 이자와 할인액	기명의 경우 약정에 의한 지급일
②	예금·적금 또는 부금의 이자	만기일
③	저축성 보험의 보험차익	보험금 환급금의 지급일
④	비영업대금의 이익	약정에 의한 이자지급일

06 다음은 부동산 양도소득세 과세표준을 계산하는 방법이다. ( ) 안에 들어갈 내용을 순서대로 올바르게 표시한 것은?

```
총수입금액 − (          )
= 양도차익 − (          )
= 양도소득금액 − (          )
= 양도소득 과세표준
```

① 양도소득 기본공제, 필요경비, 장기보유특별공제
② 장기보유특별공제, 필요경비, 양도소득 기본공제
③ 필요경비, 장기보유특별공제, 양도소득 기본공제
④ 필요경비, 양도소득 기본공제, 양도소득 세율

07 비거주자의 소득세법상 국내원천소득에 대한 과세방법으로 적절하지 않은 것은?

① 원천징수세율이 조세조약상의 제한세율보다 높은 경우 제한세율을 적용한다.

② 국내 사업장이나 부동산 임대사업소득이 있는 경우 종합과세한다.

③ 국내 사업장이나 부동산 임대사업소득이 없는 경우 분리과세한다.

④ 퇴직·양도소득에 대해서는 과세소득의 예외 규정이 적용된다.

08 금융상품의 구분에 대한 설명으로 가장 적절하지 않은 것은?

① 원본손실 가능성이 없는 금융상품을 채권으로 구분한다.

② 원본손실 가능성이 있는 금융상품을 금융투자상품으로 구분한다.

③ 원본 초과 손실 가능성이 없는 금융상품을 증권으로 구분한다.

④ 원본 초과 손실 가능성이 있는 금융상품을 파생상품으로 구분한다.

09 다음 중 수시입출금식 예금으로 적절하지 않은 것은?

① 보통예금
② 저축예금
③ 정기예금
④ CMA

10 재형저축에 대한 설명으로 적절하지 않은 것은?

① 예금자비보호상품이다.

② 기본이율은 3년간 고정금리가 적용되며 이후 1년 단위로 변동된다.

③ 분기 300만원 범위 내에서 1만원 단위로 자유롭게 저축이 가능하다.

④ 가입일로부터 7년 이상 경과 후 만기 해지 시 이자소득세를 부과하지 않는다.

11 주가지수연동형 금융상품으로 적절하지 않은 것은?

① ELS
② ELD
③ ELF
④ ETF

12 다음 중 예금보험 가입금융기관으로 적절하지 않은 것은?

① 은행
② 증권회사
③ 상호저축은행
④ 새마을금고

13 다음 중 손해보험의 특징으로 적절하지 않은 것은?

① 피보험이익이 없는 보험계약은 무효이다.

② 보험자 대위는 이득금지원칙에 근간을 두고 있다.

③ 보험계약 체결 시 당사자가 협정에 의해 정하는 보험금액 외에 보험가액이 존재한다.

④ 손해방지의무는 보험의 목적이 일시적으로 무보험상태가 되는 것을 방지하기 위한 제도이다.

14 자본시장법상 증권의 종류로 볼 수 없는 것은?

① 선물, 옵션, 스왑

② 투자신탁의 수익증권

③ 국채증권, 지방채증권, 특수채증권

④ 주식연계증권(ELS), 주식연계워런트(ELW)

15 다음 중 자본시장법상 집합투자로 인정받을 수 있는 것은?

① 신탁업자가 수탁한 금전을 공동으로 운용하는 경우
② 자산유동화 계획에 따라 금전 등을 모아 운용·배분하는 경우
③ 2인 이상에게 모은 금전을 운용하고 그 결과를 투자자에게 배분하는 경우
④ 사모의 방법으로 금전 등을 모아 운용·배분하는 것으로 일반투자자의 총수가 49인 이하인 경우

16 부동산 물권 중 제한물권에 해당하지 않는 것은?

① 점유권
② 지상권
③ 유치권
④ 저당권

17 부동산 투자의 실행 여부를 판단하는 기준에 대한 적절한 설명으로만 모두 묶인 것은?

> ㉠ 투자안의 순현재가치(NPV)가 0보다 크면 투자안을 채택한다.
> ㉡ 투자안의 요구수익률(K)이 내부수익률(IRR)보다 크면 투자안을 채택한다.
> ㉢ 수익성지수(PI)가 1보다 큰 부동산 투자안을 선택한다.
> ㉣ 여러 개의 투자안이 있는 경우, 그 우선순위는 순현재가치가 크거나 요구수익률이 크거나 수익성 지수가 큰 순서대로 결정한다.

① ㉠, ㉢
② ㉡, ㉣
③ ㉡, ㉢, ㉣
④ ㉠, ㉡, ㉢, ㉣

18 부동산 투자회사(REITs)에 대한 설명으로 적절하지 않은 것은?

① 부동산 투자회사법의 규제를 받는다.
② 자금의 차입은 순자산의 2배를 초과할 수 없다.
③ 설립을 위한 최소 자본금은 50억원이다.
④ 상법상 주식회사로 주주총회, 이사회, 감사 등의 내부 구성요소를 지닌다.

19 부동산 가치의 발생 요인과 거리가 먼 것은?

① 부동산의 효용성
② 부동산의 유효수요
③ 부동산의 상대적 희소성
④ 부동산의 최유효이용

20 부동산 가격에 대한 순수익의 비율을 환원이율이라 한다. 다음 중 환원이율을 산정하는 방식과 거리가 먼 것은?

① 정률법
② 요소구성법
③ 투자결합법
④ 시장비교방식

21 대안투자상품의 특징으로 적절하지 않은 것은?

① 전통적인 투자상품과 낮은 상관관계를 갖는다.
② 주로 장외시장에서 거래되므로 환금성이 높은 편이다.
③ 차입, 공매도, 파생상품의 활용도가 높다.
④ 운용자의 스킬이 중요시되어 보수율이 높다.

22 PEF(Private Equity Fund) 업무집행사원의 대리인 문제를 해결하기 위한 행위준칙과 거리가 먼 것은?

① PEF와 거래하는 행위 금지
② PEF의 운용과 관련된 본질적 업무 위탁
③ 반기에 1회 이상 PEF 등의 재무제표 등을 유한책임사원에게 제공 및 설명 의무
④ 원금 또는 일정한 이익의 보장을 약속하는 방법 등의 방법으로 사원이 될 것을 부당하게 권유하는 행위

23 PEF(Private Equity Fund)의 투자회수(Exit) 전략으로 적절하지 않은 것은?

① 매각
② 상장
③ 무상감자 및 배당
④ PEF 자체 상장

24 합병차익거래에 대한 설명으로 적절하지 않은 것은?

① 발표되지 않은 미공개 정보에 투자하는 것을 원칙으로 한다.
② 인수 합병이 완료되면 발생할 수 있는 주식가치의 변화에서 이익을 창출한다.
③ 피인수 합병 기업의 주식을 매수하고, 인수 기업의 주식을 매도하는 포지션을 취한다.
④ Merger arbitrage spread가 시장에서 계속 변하는 이유는 합병이 성사되지 않을 위험 때문이다.

25 다음 〈보기〉는 전환증권 차익거래의 포지션에 대한 설명이다. 빈칸에 들어갈 내용이 올바르게 연결된 것은?

┤ 보기 ├

전환증권 차익거래(Convertible arbitrage)는 전환사채를 (㉠)하고, 기초자산 주식을 (㉡)하고, 이자율 변동 위험과 신용위험과 같은 위험은 (㉢)하면서 전환사채의 이론가와 시장 가격의 괴리에서 수익을 추구하는 전략이다.

① ㉠ 매도, ㉡ 매도, ㉢ 헤지
② ㉠ 매수, ㉡ 매도, ㉢ 헤지
③ ㉠ 매수, ㉡ 매수, ㉢ 헤지
④ ㉠ 매수, ㉡ 매도, ㉢ 보유

26 국제분산투자에 대한 설명으로 적절하지 않은 것은?

① 주식시장의 동조화 현상은 국제분산투자효과를 감소시킨다.
② 국가 간의 상관관계가 높을수록 국제분산투자효과는 작아진다.
③ 국내분산투자로 제거할 수 없는 체계적 위험을 일부 제거할 수 있다.
④ 단기적으로 볼 때 국제주식투자에서 환위험의 비중은 높지 않은 것으로 나타난다.

27 자본시장 동조화 현상에 대한 설명으로 적절하지 않은 것은?

① 각국 주식시장 간의 상관관계가 높아질 것으로 본다.
② 주식시장의 동조화는 뉴스의 전파속도만큼이나 빠르게 일어난다.
③ 동조화 현상은 총위험 감소라는 의미에서 국제분산투자의 효과는 강화될 것이다.
④ 글로벌화가 진전된 IT 산업 등에서 동조화 현상은 두드러지게 나타난다.

28 유로채(Euro bonds)에 대한 설명으로 적절하지 않은 것은?

① 유로 본드는 역외채권이다.

② 채권의 소지자가 청구권을 가지는 무기명채권이다.

③ 채권에서 발생하는 수익에 대한 소득세를 원천징수하지 않는 것이 일반적이다.

④ 투자자 보호를 위한 신용등급평가 등에 대한 엄격한 공시 규정이 적용된다.

29 해외투자전략에 대한 설명으로 적절하지 않은 것은?

① 공격적 전략은 환율과 주가전망을 투자결정에 거의 반영하지 않는다.

② 공격적 전략의 목표수익률은 벤치마크의 수익률보다 높게 설정한다.

③ 방어적 전략은 시장이 효율적인 상황에서 초과수익을 얻을 수 없다는 판단에 근거하고 있다.

④ 방어적 전략의 전형적인 예는 인덱스펀드에 투자하는 것이다.

30 다음 〈보기〉를 참고하여 미국국채 투자 시 유의사항으로 적절한 것은 모두 몇 개인가?

┤ 보기 ├

㉠ Yield Curve 분석

㉡ 달러의 움직임

㉢ 미국 연준(Fed)의 금리정책

㉣ 토빈세

① 1개

② 2개

③ 3개

④ 4개

31 다음 중 Gorden의 항상성장모형에 대한 설명으로 적절하지 않은 것은?

① 주주들의 요구수익률은 배당성장률보다 크다.

② 미래 배당금이 매 기간 일정한 비율로 지속적으로 성장한다.

③ 투자자들의 요구수익률은 예상 배당수익률($D_1 \div P_0$)과 자본이득 수익률의 합으로 나타난다.

④ 내년도 배당금이 주당 500원이고 투자자의 요구수익률은 10%, 성장률은 5%일 때 Gorden의 항상성장모형에 의한 적정주가는 5,000원이다.

32 다음 중 안정성 지표와 거리가 먼 것은?

① 부채비율

② 현금비율

③ 이자보상비율

④ 부채 – 자기자본비율

33 다음 〈보기〉 중 수익성 지표에 대한 적절한 설명으로만 모두 묶인 것은?

┤ 보기 ├

㉠ ROE는 ROA가 높거나 부채비율이 낮을수록 상승한다.

㉡ ROE는 주주에 대한 보상능력, ROA는 주주와 채권자들에 대한 보상능력을 보여준다.

㉢ ROA의 하락 추세는 기업의 매출 둔화 및 효율성이 하락하고 있음을 의미한다.

㉣ ROA의 값이 낮다는 것은 연구개발에 충분한 투자를 하지 않은 경우로 볼 수 있다.

① ㉠, ㉡

② ㉠, ㉣

③ ㉡, ㉢

④ ㉢, ㉣

34 어느 기업의 판매량이 200개에서 250개로 증가할 때 영업이익이 10억원에서 25억원으로 증가하였다. 이때 판매량이 200개라면 영업레버리지도는 얼마인가?

① 4
② 5
③ 6
④ 7

35 간접법으로 현금흐름표를 작성할 때 현금유입이 발생되는 항목과 거리가 먼 것은?

① 유가증권 처분손실
② 실비자산 처분손실
③ 재고자산의 증가
④ 매입채무의 증가

36 Tobin's Q 비율에 대한 설명으로 적절하지 않은 것은?

① 자본의 시장가치에 대한 보유자산의 대체원가의 비율이다.
② 자산의 대체원가를 추정하기 어렵다.
③ PBR의 시간성의 차이를 극복하는 지표이다.
④ Q 비율이 1보다 크면 적대적 M&A의 대상이 되는 경향이 있다.

37 다음 〈보기〉에서 설명하는 갭의 종류는 무엇인가?

┤ 보기 ├
• 다우이론의 추세추종국면이나 엘리어트 파동이론의 3번 파동에서 주로 발생한다.
• 주가가 거의 일직선으로 급상승하거나 급하락하는 도중에 주로 발생한다.

① 보통 갭
② 돌파 갭
③ 소멸 갭
④ 급진 갭

38 다음 중 추세추종형 지표와 거리가 먼 것은?

① MACD
② MAO
③ 소나 차트
④ 스토캐스틱

39 다음 〈보기〉에서 설명하는 지표의 종류는?

┤ 보기 ├
• 그랜빌(J. E. Granville)이 만든 거래량 지표이다.
• 거래량은 주가에 선행한다는 전제하에 주가가 전일에 비해 상승한 날의 거래량 누계에서 하락한 날의 거래량 누계를 차감하여 이를 매일 누적으로 집계, 도표화한 것이다.
• 주가가 뚜렷한 등락을 보이지 않고 정체되어 있을 때 거래량 동향에 의하여 향후 주가의 방향을 예측하는 데 유용하게 활용되는 기술적 지표이다.
• 시장이 매집단계에 있는지 아니면 분산단계에 있는지를 나타내준다.

① RSI
② OBV
③ VR
④ CCI

40 다음 중 산업분석에 대한 설명으로 적절하지 않은 것은?

① 산업활동의 범위에는 가사활동을 제외한 영리적, 비영리적 모든 활동이 포함된다.

② 소비와 관련성이 큰 산업은 경기에 선행하는 경향을 갖고 있다.

③ 경기종합지수는 산업분석에 필요한 대표적인 경제지표이다.

④ 개별기업의 투자분석에 중요한 참고자료를 제공한다.

41 다음은 산업 간의 불균형 성장에 대한 설명으로 적절하지 않은 것은?

① 산업 간 불균형 성장의 원인은 수요와 공급 양 측면에서 찾을 수 있다.

② Hoffman의 법칙에 의하면 경제발전에 따라 2차 산업 내 소비재 부문보다 생산재 부문의 생산비중이 높아진다고 본다.

③ Petty 법칙에 의하면 소득수준이 상승함에 따라 3차 산업에서 1차 산업으로 노동력 구성비가 점차 상승한다고 본다.

④ 산업구조의 변화는 산업 간 성장속도가 일정하지 않다는 것을 의미한다.

42 허핀달지수(HHI)가 0.5인 시장의 모든 기업의 시장점유율이 동일하다면, 동등규모 기업수(Numbers Equivalent)는 얼마인가?

① 2
② 3
③ 4
④ 5

43 다음 〈보기〉에서 설명하는 재무위험은 무엇인가?

┤ 보기 ├
• 포지션을 마감하는 데에서 발생하는 비용에 대한 위험
• 기업이 소유하고 있는 자산을 매각하고자 할 때 매입자가 없어 매우 불리한 조건으로 자산을 매각해야 할 위험

① 신용위험
② 유동성위험
③ 운용위험
④ 법적위험

44 A자산의 VaR은 8억원, B자산의 VaR은 6억이다. 자산 A와 자산B의 상관계수가 0.7일 때, 두 자산으로 구성된 포트폴리오 VaR은 얼마인가?

① 5.79억원
② 6.93억원
③ 12.93억원
④ 14억원

45 몬테카를로 분석법에 대한 설명으로 적절하지 않은 것은?

① 가치평가모형이 필요하다.
② 완전가치평가법으로 측정한다.
③ 분석 과정에 많은 비용이 든다.
④ VaR을 측정하는 과정이 델타분석법과 동일하다.

46 VaR 측정방법에 대한 설명으로 적절하지 않은 것은?

① 몬테카를로 시뮬레이션은 모델의 정확성에 지나치게 의존한다.

② 스트레스 검증은 비정상적인 상황에서 이용하기 어렵다.

③ 역사적 시뮬레이션은 극단적 사건 발생 시 왜곡될 우려가 있다.

④ 델타 분석법은 옵션 포지션 포함 시 왜곡될 우려가 있다.

47 VaR에 대한 설명으로 가장 적절하지 않은 것은?

① 다른 조건이 동일한 상태에서 1주일 VaR가 1달 VaR보다 작다.

② 신뢰도 1일 VaR이 4.95억일 때 10일 VaR는 $4.95억 \times \sqrt{10}$으로 계산된다.

③ 두 자산의 상관관계가 0인 포트폴리오의 VaR은 개별 VaR의 합과 동일하다.

④ 다른 조건이 동일한 상태에서 99% 신뢰수준의 VaR가 95% 신뢰수준의 VaR보다 크다.

48 부도모형에 대한 설명으로 적절하지 않은 것은?

① 부도율은 정규분포를 활용한다.

② 신용손실은 EAD, 부도율과 부도 시의 손실률에 의해 결정된다.

③ 부도모형에서 신용 리스크는 예산손실(EL)의 불확실성으로 측정된다.

④ 100억원의 대출에서 부도율은 1%, 손실률은 30%일 때 기대손실은 3천만원이다.

49 다음 정보를 참고하여 A기업의 부도거리(DD, Distance to Default)는 얼마인가?

- 1년 후 기대 기업가치는 50억원, 표준편차는 10억원, 부채가치는 20억원이다.
- 1년 후 기업가치는 정규분포를 이루는 것으로 가정한다.

① 1표준편차

② 2표준편차

③ 3표준편차

④ 4표준편차

50 어느 은행이 100억원의 대출을 하고 있다. 대출의 부도율은 5%이고, 회수율은 70%일 때 기대손실은 얼마인가?

① 1.5억원

② 2.6억원

③ 2.7억원

④ 3.5억원

■ **제3과목(직무윤리 및 법규/투자운용 및 전략 Ⅰ/ 거시경제 및 분산투자): 51번~100번(50문항)**

51 직무윤리 적용대상자에 대한 설명으로 적절하지 않은 것은?

① 투자 관련 회사와 정식 고용관계에 있지 않은 자는 제외된다.

② 투자 관련 직무에 무보수로 일하는 자를 포함한다.

③ 전문자격은 없지만 투자 관련 업무에 실질적으로 종사하는 자를 포함한다.

④ 잠재적 고객에 대해서도 직무윤리를 준수해야 한다.

52 신의성실의 원칙에 대한 설명으로 적절하지 않은 것은?

① 신의성실의 원칙은 윤리적인 의무일 뿐이다.
② 신의성실의 원칙을 위반하는 것은 강행법규의 위반이다.
③ 금융투자업 종사자로서 반드시 지켜야 할 2대 기본원칙에 포함된다.
④ 금융투자업종사자의 직무수행에 있어 가장 기본적이고 중요한 원칙이다.

53 이해상충의 발생원인과 거리가 먼 것은?

① 금융투자업자가 회사의 공적 업무영역에서 사적 업무영역의 정보를 이용하는 경우
② 금융투자업 간 겸영 업무의 허용범위 확대
③ 투자중개업자가 자신이 판매하는 집합투자증권을 매수하는 경우
④ 금융투자업자와 금융소비자 간 정보의 비대칭성

54 자본시장법상 적합성의 원칙에 대한 설명으로 적절하지 않은 것은?

① 전문투자자에게는 적용되지 않는다.
② 과잉권유는 적합성의 원칙을 위반한 것이다.
③ 투자권유 없이 고위험 상품을 판매하고자 할 때, 이를 적용한다.
④ 일반투자자에게 적합하지 않다고 인정되는 투자권유를 하여서는 안 된다.

55 다음 중 회사에 대한 윤리로 적절하지 않은 것은?

① 상호존중
② 정보보호
③ 대외활동
④ 사적이익의 추구금지

56 다음 중 금융투자상품으로 적절한 것은?

① 원화표시 양도성 예금증서
② 관리신탁의 수익권
③ 주식매수선택권
④ 신주인수권

57 자본시장법상 인가대상 금융투자업과 거리가 먼 것은?

① 신탁업
② 집합투자업
③ 전문사모집합투자업
④ 투자매매업

58 다음 중 적기시정조치에 따른 경영개선 계획의 이행기간으로 적절하지 않은 것은?

① 경영개선 권고: 경영개선 계획의 승인일로부터 6개월 이내
② 경영개선 요구: 경영개선 계획의 승인일로부터 1년 이내
③ 경영개선 명령: 경영개선 계획의 승인일로부터 2년 이내
④ 경영개선 계획의 승인을 받은 경우: 매 분기 말부터 10일 이내 동 계획의 분기별 이행실적을 감독원장에게 제출

59 투자권유 시 부당권유 금지행위와 거리가 먼 것은?

① 불확실한 사항에 대하여 단정적 판단을 제공하는 것
② 투자자에게 투자권유의 요청을 받지 않고 장외 파생상품을 권유하는 행위
③ 신용공여 경험이 있는 일반투자자로부터 금전의 대여나 그 중개 주선 대리의 요청을 받지 않고 이를 조건으로 투자권유를 하는 행위
④ 투자권유를 거부한 투자자에게 7일 경과 후 다시 투자권유를 하는 행위

60 집합투자업자의 자산운용의 제한사항과 거리가 먼 것은?

① 국채, 통화안정증권 및 정부보증채는 집합투자재산의 50%를 초과하여 투자할 수 없다.
② 각 집합투자기구 자산 총액의 10%를 초과하여 동일 종목의 증권에 투자하는 행위는 금지된다.
③ 각 집합투자기구 자산 총액의 50%를 초과하여 동일 집합투자업자가 운용하는 집합투자증권에 투자하는 행위는 금지된다.
④ 전체 집합투자기구에서 동일 법인 등이 발행한 지분증권 총수의 20%를 초과하여 투자하는 행위는 금지된다.

61 집합투자업자의 금전차입특례에 대한 설명으로 적절하지 않은 것은?

① 집합투자재산으로 부동산을 취득하는 경우 예외적으로 허용된다.
② 차입 상대방에는 은행, 보험회사, 기금, 다른 부동산 집합투자업자가 포함된다.
③ 차입한도는 부동산 집합투자기구 총자산의 100%까지 가능하다.
④ 차입금은 불가피한 사유 발생 시 일시적으로 현금성자산에 투자 가능하다.

62 금융투자업의 인가와 등록에 대한 설명으로 적절하지 않은 것은?

① 투자자문업과 투자일임업, 온라인소액투자중개업은 등록 대상이다.
② 인가요건을 유지하지 못할 경우 영업정지 조치가 취해질 수 있다.
③ 금융위는 인가신청서 접수 후 3개월 이내에 인가 여부를 결정하여 신청인에게 통지한다.
④ 매 회계연도 말 기준 자기자본이 인가업무 단위별 최저 자기자본의 70% 이상을 유지해야 자기자본 요건을 충족한 것으로 본다.

63 조사분석자료 공표 후 매매금지 적용의 예외 사유로 적절하지 않은 것은?

① 공표된 조사분석자료의 내용을 이용하며 매매하지 아니하였음을 증명하는 경우
② 조사분석자료의 공표로 인한 매매유발이나 가격 변동을 의도적으로 이용하였다고 볼 수 없는 경우
③ 조사분석자료 공표 후 12시간이 경과한 이후 조사분석자료의 대상이 된 금융투자상품을 자기의 계산으로 매매한 경우
④ 조사분석자료가 이미 공표한 조사분석자료와 비교하여 새로운 내용을 담고 있지 않은 경우

64 금융투자업자는 대주주가 발행한 증권을 소유할 수 없다. 다만 예외적으로 인정되는 사유와 거리가 먼 것은?

① 담보권의 실행 등 권리행사에 필요한 경우
② 차익거래 등 투자위험회피거래에 필요한 경우
③ 인수와 관련하여 해당 증권을 취득하는 경우
④ 특수채증권을 취득하는 경우

65 장외거래에 대한 설명으로 적절하지 않은 것은?

① 대차거래 시 예외 없이 대상증권의 인도와 담보의 제공을 동시에 이행해야 한다.

② 금융기관 등 상호 간에 투자중개업자를 통하여 환매조건부매매를 한 경우 금융위가 정하여 고시하는 방법에 따라 그 대상증권과 대금을 동시에 결제해야 한다.

③ 기업어음증권의 장외거래는 둘 이상의 신용평가업자로부터 신용평가를 받은 기업어음증권이어야 한다.

④ 비상장주권의 장외거래 시 당사자 간의 매도호가와 매수호가가 일치하는 경우 그 가격으로 매매 계약을 체결시켜야 한다.

66 증권신고서제도에 대한 설명으로 적절하지 않은 것은?

① 증권신고서 제출의무가 없는 모집 또는 매출의 경우에도 발행인은 투자자 보호를 위하여 재무상태에 관한 사항 등을 기재한 일정한 사항을 공시해야 한다.

② 증권신고서 제출 시 예비투자설명서를 함께 제출하였다면 증권신고서의 효력이 발생하기 전에 예비투자설명서를 이용한 청약의 권유행위는 가능하다.

③ 금융위(금감원장)의 증권신고서 정정요구가 있음에도 불구하고 3개월 내에 발행인이 정정신고서를 제출하지 않은 경우 증권신고서의 효력은 정지된다.

④ 증권신고를 철회할 경우 증권철회신고서를 작성하여 증권신고서에 기재된 증권의 취득 또는 매수의 청약일 전일까지 금융위에 제출해야 한다.

67 다음 중 파생상품 등에 대한 특례의 내용으로 적절한 것은?

① 금융투자협회는 파생상품 등 거래 시 자본시장법상 적정성 원칙을 준수하도록 의무화하였다.

② 금융투자회사가 파생상품에 대한 투자권유를 한 경우에만 면담·질문 등을 통해 일반투자자의 투자자 정보를 파악해야 한다.

③ 금융투자업자는 파생상품 등의 투자권유 시 일반투자자 모두에게 적용되는 투자권유준칙을 마련해야 한다.

④ 금융투자업자는 일반투자자와 장외파생상품의 거래를 할 수 없다.

68 다음 중 신상품 보호에 관한 규정으로 적절하지 않은 것은?

① 신상품이란 새로운 비즈니스 모델을 적용한 금융투자상품 또는 이에 준하는 서비스를 포함한다.

② 배타적 사용권이란 신상품을 개발한 금융투자회사가 일정 기간 동안 독점적으로 신상품을 판매할 수 있는 권리이다.

③ 배타적 사용권을 부여받은 금융투자회사는 배타적 사용권에 대한 직접적인 침해가 발생하는 경우 금융투자협회에 침해배제를 신청할 수 있다.

④ 심의위원회 위원장은 침해배제 신청 접수일로부터 14영업일 이내 심의위원회를 소집하여 배타적 사용권 침해배제 신청에 대하여 심의해야 한다.

69 금융투자회사의 약관운용에 관한 협회규정으로 적절하지 않은 것은?

① 외국 집합투자증권의 매매거래에 관한 표준약관을 제외한 금융투자협회의 표준약관은 수정하여 사용하는 것을 금지한다.

② 금융투자업 영위와 관련하여 약관을 변경하는 경우 약관 변경 후 7일 이내 금융투자협회에 보고해야 한다.

③ 투자자의 권리나 의무에 중대한 영향을 미칠 우려가 있는 경우에는 약관의 제정 또는 변경 전에 미리 금융위원회에 신고해야 한다.

④ 금융투자협회는 약관내용의 변경 필요 사유를 금융투자회사에 통보할 수 있고 통보받은 금융투자회사가 해당 약관의 내용을 변경하지 않을 경우 금융위원회에 보고한다.

70 자산집단의 기대수익률을 추정하는 방법과 거리가 먼 것은?

① 내부수익률법

② 시나리오 분석법

③ 근본적 분석방법

④ 시장공통 예측치 사용방법

71 근본적 분석방법에 의한 주식집단의 기대수익률은 얼마인가?

실질금리	물가상승률	채권리스크 프리미엄	주식리스크 프리미엄
1.5%	2.0%	1.5%	5.5%

① 5%

② 8.5%

③ 9%

④ 10.5%

72 고정비율을 이용한 포트폴리오 보험(CPPI) 전략에서 최초 투자금액과 보장수준이 100억(완전보장)이며, 무위험수익률은 연 4%이다. 이때 투자기간이 1년, 승수가 1이라면 주식투자금액은 얼마인가?

① 1억원

② 3.85억원

③ 4억원

④ 10억원

73 인덱스펀드 구성방법에 대한 적절한 설명으로 모두 묶인 것은?

> ㉠ 현물 포트폴리오를 이용하는 방법과 선물을 이용한 방법이 흔히 이용된다.
> ㉡ 완전복제법은 벤치마크를 거의 완벽하게 추종할 수 있지만 수익률은 벤치마크보다 낮게 나타난다.
> ㉢ 표본추출법으로 벤치마크의 핵심을 반영한 포트폴리오를 만들 수 있지만 관리비용과 거래비용이 높아진다.
> ㉣ 최적화법은 완전복제법이나 표본추출법에 비해 훨씬 많은 종목을 반영하여 포트폴리오를 구성하게 된다.

① ㉠

② ㉠, ㉡

③ ㉡, ㉢

④ ㉣

74 다음 〈보기〉에서 액티브 운용 투자 스타일에 대한 적절한 설명은 모두 몇 개인가?

> ─┤ 보기 ├─
> ㉠ 가치투자 스타일에는 저 PER 투자, 역행투자, 고배당수익률 투자 방식 등이 포함된다.
> ㉡ 성장투자 스타일에는 단기간에 높은 이익을 나타내는 이익의 탄력성에도 투자한다.
> ㉢ 혼합투자 스타일은 내재가치보다 주가가 낮다고 판단되는 종목을 매입하려는 경향을 보인다.
> ㉣ 시장가치에 의한 투자 스타일은 상대강도지표(RIS)와 같은 주가 탄력성을 이용하여 단기적인 투자에 활용한다.

① 1개

② 2개

③ 3개

④ 4개

75 준액티브 운용전략 중 계량분석방법에 대한 설명으로 적절하지 않은 것은?

① 기술적 분석의 한계점을 동일하게 가진다.

② 과거 데이터의 관점에서 최적인 전략을 확인할 수 있다.

③ 주가는 평균으로 회귀한다는 이론적 배경을 가진다.

④ 주식의 내재가치를 발견하여 그것보다 저평가된 섹터나 종목을 선택하는 방식이다.

76 다음 중 채권의 종류와 분류 방식의 연결이 적절하지 않은 것은?

① 특수채: 발행주체에 따른 분류

② 단기채: 상환기간에 따른 분류

③ 외화표시 채권: 통화 표시에 따른 분류

④ 변동금리채권: 이자지급방법에 따른 분류

77 다음 중 전환사채에 대한 적절한 설명으로만 모두 묶인 것은?

> ⊙ 발행자 측면에서 일반사채보다 높은 금리로 발행된다.
> ⓛ 주식으로 전환 시 고정부채가 자기자본이 되므로 재무구조 개선효과를 지닌다.
> ⓒ 패리티가 100을 초과하면 주가가 전환사채시장 가격을 변동시키는 큰 요인이 된다.
> ⓔ 괴리율이 양(+)의 값이면 전환사채에 투자한 후 곧바로 전환하여 전환차익을 볼 수 있음을 의미한다.

① ⊙, ⓒ
② ⓛ, ⓒ
③ ⓛ, ⓔ
④ ⓛ, ⓒ, ⓔ

78 다음 중 국채를 발행하는 방법과 거리가 먼 것은?

① 교부발행
② 경쟁입찰
③ 첨가소화
④ 공모발행

79 다음 〈보기〉는 말킬의 채권가격변동성의 특성에 대한 설명이다. 빈칸 (⊙)~(ⓒ)에 들어갈 내용을 순서대로 나열한 것은?

┤ 보기 ├
- (⊙)은/는 낮을수록 채권의 변동성은 커진다.
- (ⓛ)은/는 길어질수록 채권의 변동성은 커진다.
- (ⓒ)은/는 낮을수록 채권의 변동성은 커진다.

① 만기수익률, 채권만기, 표면이율
② 표면이율, 잔존만기, 만기수익률
③ 시장이율, 만기수익률, 잔존만기
④ 잔존만기, 시장이율, 만기수익률

80 유동성 프리미엄 이론에 대한 설명으로 적절하지 않은 것은?

① 수익률 곡선은 유동성 프리미엄의 영향으로 우상향하는 형태를 가진다.
② 모든 투자자들은 미래의 이자율을 확실하게 예측할 수 있다고 가정한다.
③ 유동성 프리미엄은 만기까지의 기간이 길어질수록 체감적으로 증가한다.
④ 장기채권의 수익률은 기대 현물 이자율에 유동성 프리미엄을 가산한 값의 기하평균이다.

81 표면이자 연 8%, 액면가 10,000원인 3년 만기채권(1년 단위 후급 이표채)의 현재 채권수익률이 6%인 경우, 이 채권의 가격은 9,700원이며 듀레이션은 2.78년이다. 만약 채권수익률이 1% 하락할 경우 듀레이션을 이용하여 계산한 채권가격 상승분은 얼마인가?

① 254.14원
② 258.54원
③ 278.14원
④ 288.54원

82 다음 중 선물거래의 특징과 거리가 먼 것은?

① 만기 전이라도 언제든지 포지션을 청산할 수 있다.
② 일일정산제도는 실현손익만이 존재한다.
③ 콘탱고 상태에서 선물 가격은 시간의 경과에 따라 하락하게 된다.
④ 개시증거금 200만원, 유지증거금 140만원일 때 일일정산 후 증거금이 100만원이 되었다면 변동증거금으로 최소 40만원 이상을 납부해야 한다.

83 옵션의 내재가치와 옵션가격에 대한 설명으로 적절하지 않은 것은?

① 권리행사 시 손실이 났다면 외가격 옵션이다.

② 권리행사 시 이익이 났다면 내가격 옵션이다.

③ 풋옵션에서 행사가격이 기초자산 가격보다 크다면 외가격 옵션이다.

④ 콜옵션의 내재가치는 기초자산 가격 − 행사가격이며 기초자산 가격이 클수록 내재가치도 커진다.

84 현물환율 1,200원/달러, 1년 만기 선물환 가격 1,230원, 원화이자율 4%, 달러이자율 연 2%일 때 차익거래 포지션에 대한 설명으로 적절하지 않은 것은?

① 1년 만기 균형선물환율은 1,224원이다.

② 현재 선물환율은 균형가격 대비 고평가 상태이다.

③ 매도차익거래가 발생한다.

④ 현물달러를 매수하고 선물환시장 달러를 매각한다.

85 다음 중 스프레드 거래에 대한 설명으로 적절하지 않은 것은?

① 만기 또는 종목이 서로 다른 두 개의 선물을 이용한다.

② 시간 스프레드는 동일한 품목 내에서 만기가 서로 다른 선물계약에 동일한 포지션을 취하는 전략이다.

③ 단기재무성채권과 유로달러 금리 선물에 서로 반대의 포지션을 취함으로써 두 금리선물의 움직임 폭의 차이에서 오는 이익을 향유하는 것은 상품 간 스프레드전략이다.

④ 근월물 가격이 원월물 가격보다 오를 것으로 예상될 때 근월물을 매도하고 원월물을 매수하는 전략을 강세 스프레드(Bull spread)라고 한다.

86 다음 중 변동성이 감소할수록 유리한 전략은?

① 롱 스트랭글

② 숏 스트래들

③ 콜불 스프레드

④ 풋불 스프레드

87 옵션 민감도 지표의 부호가 다른 하나는?

① 콜옵션 매수의 델타

② 풋옵션 매수의 감마

③ 콜옵션 매수의 베가

④ 풋옵션 매수의 로우

88 다음 중 시간가중수익률에 대한 적절한 설명으로만 모두 묶인 것은?

> ㉠ 투자자금의 유출입에 따른 수익률 왜곡현상을 해결한 방법이다.
>
> ㉡ 펀드매니저의 운용능력을 측정한다.
>
> ㉢ 측정기간 동안 얻은 수익금액을 반영하는 성과지표이다.
>
> ㉣ 투자자가 얻는 수익성을 측정한다.

① ㉠, ㉡

② ㉠, ㉣

③ ㉡, ㉢

④ ㉢, ㉣

89 다음 〈보기〉에서 설명하는 위험지표는 무엇인가?

보기
• 투자위험을 측정할 때 가장 일반적으로 사용되는 것으로 투자수익률이 평균으로부터 얼마나 떨어져 있는가를 나타내는 통계지표이다. • 운용 목표를 절대적인 수익률의 안정성에 둔다면 바람직한 위험지표로 사용된다.

① 표준편차
② 베타
③ VaR
④ 공분산

90 GIPS의 수익률 계산규칙에 대한 설명으로 적절하지 않은 것은?

① 총수익률이 사용되어야 한다.
② 추정 매매비용까지 반영하여 수익률을 계산해야 한다.
③ 외부 현금흐름을 감안한 시간가중수익률을 계산해야 한다.
④ 최소한 월간으로 포트폴리오 수익률을 계산해야 한다.

91 A펀드의 벤치마크수익률은 12%, 무위험수익률은 5%, 베타는 1.2, 펀드의 수익률은 16%일 때 젠센알파는 얼마인가?

① 0.026
② 0.03
③ 0.032
④ 0.04

92 불편기대이론에 대한 설명으로 적절하지 않은 것은?

① 장·단기 채권 간 완전한 대체관계를 가정한다.
② 장기금리는 단기예상금리들의 평균으로 결정된다.
③ 수익률 곡선의 이동과 대체로 우상향한다는 사실을 잘 설명한다.
④ 수익률 곡선은 미래 시장금리의 움직임에 대한 투자자들의 예상에 의해 결정된다.

93 다음 중 구축효과와 유동성 함정에 대한 설명으로 적절하지 않은 것은?

① 확대재정정책은 이자율을 상승시켜 민간투자를 위축시키는 구축효과를 발생시킨다.
② 확대재정정책을 시행하면 IS−LM 모형에서 IS 곡선은 우측으로 이동한다.
③ 유동성 함정 구간에서 화폐수요의 이자율 탄력성은 완전비탄력적이다.
④ 유동성 함정 구간에서 통화정책은 아무런 효과가 없게 되고, 재정정책의 효과가 극대화된다.

94 다음 중 경기변동의 요인과 거리가 먼 것은?

① 실물요인
② 불규칙요인
③ 추세요인
④ 순환요인

95 다음 〈보기〉에서 설명하는 주요경제변수는 무엇인가?

┤ 보기 ├
한 나라의 국민이 생산활동에 참여한 대가로 받은 소득의 합계로서 해외로부터 국민(거주자)이 받은 소득(국외수취 요소소득)은 포함되고 국내총생산 중에서 외국인에게 지급한 소득은 제외된다.

① 국내총생산(GDP)
② 국민순생산(NNP)
③ 국민소득(NI)
④ 국민총소득(GNI)

96 포트폴리오 A의 기대수익률은 12%, 포트폴리오 B의 기대수익률은 10%일 때, 포트폴리오 A와 B의 표준편차와 베타가 동일할 경우 단일요인 모형의 차익거래 전략으로 적절하지 않은 것은?

① 표준편차와 베타가 동일하므로 무위험 차익거래는 불가능하다.
② 투자금액 1억원으로 200만원의 차익을 실현할 수 있다.
③ 포트폴리오 A를 매수한다.
④ 포트폴리오 B를 공매도한다.

97 다음 중 자본자산 가격결정모형의 가정으로 적절하지 않은 것은?

① 투자자는 상대적으로 높은 평균, 상대적으로 낮은 분산을 가진 자산을 선택한다.
② 자본시장은 수요와 공급이 불일치하는 불균형 상태에 있다.
③ 투자자들은 동일한 무위험이자율 수준으로 얼마든지 자금을 차입하거나 빌려줄 수 있다.
④ 투자자는 동일한 단일 투자기간을 갖고 이 단일 투자기간 이후에 발생하는 결과는 무시한다.

98 A주식의 무위험이자율은 4%, 시장포트폴리오의 기대수익률은 15%, 분산은 0.02, A주식과 시장포트폴리오와의 공분산은 0.03일 때 A주식의 요구수익률은?

① 14.8%
② 15.0%
③ 17.5%
④ 20.5%

99 A주식의 베타는 1.2, B주식의 베타는 0.8일 경우, 주식 A에 70%, 주식B에 30%를 투자할 때 포트폴리오 베타는 얼마인가?

① 0.8
② 0.9
③ 1.08
④ 1.18

100 다음 중 단일지표 모형에 대한 설명으로 적절하지 않은 것은?

① 뮤추얼펀드 등의 자금운용에 적절히 활용되고 있다.
② 개별증권의 가격움직임은 시장공통요인과 개별기업 고유요인의 두 가지로 단순화한다.
③ 시장수익률 변동에 대한 개별주식 수익률 변동의 민감도를 나타내는 지표로 σ를 사용한다.
④ 증권수익률의 변동을 시장지수라는 단일지표와의 선형적 관계에서 설명하고자 한다.

투자자산운용사 실전 모의고사

| 제 4 회 |

투자자산운용사
실전 모의고사

| 수험번호 | | 이름 | |

시작 시간: _____시 _____분   **종료 시간:** _____시 _____분   **총 소요 시간:** _____분 / 120분

〈 응시자 유의사항 〉

1. 답안은 반드시 검정색 필기구(컴퓨터용 사인펜 권장, 연필 불가)를 사용하여 아래 보기와 같이 해당란 안에 완전히 표기할 것

[올바른 표기]	[잘못된 표기]
●	⊙ ◐ ◑ ⊘

2. 본 문제지는 시험종료 후 답안지와 함께 반드시 제출할 것(수험번호, 성명 기재)

3. 시험시간 종료 후의 문제풀이 및 답안지 표기는 부정행위로 간주
   *부정행위자는 소속 기관 통보 및 본회 주관 모든 시험의 응시제한 등 불이익을 받을 수 있음

- 「금융소비자 보호에 관한 법률」을 이하 소비자보호법이라 한다.
- 「자본시장과 금융투자법에 관한 법률」은 이하 자본시장법이라 한다.

■ 제1과목(금융상품 및 세제): 01번~20번(20문항)

01 다음 중 각 세목별 납세의무와 성립시기가 올바르게 연결되지 않은 것은?

① 소득세: 과세기간이 끝나는 때
② 증여세: 증여계약일
③ 인지세: 과세문서를 작성한 때
④ 종합부동산세: 과세기준일

02 다음 중 우리나라 소득세 제도에 대한 설명으로 적절하지 않은 것은?

① 퇴직소득과 양도소득은 분류과세한다.
② 소득세를 원천징수함으로써 과세를 종결하는 것을 분리과세라 한다.
③ 구체적으로 열거한 소득만을 과세대상으로 하는 열거주의 과세방법을 채택했다.
④ 종합소득세 납세의무자는 과세기간의 다음 연도 2월에 연말정산으로 과세표준을 확정신고함으로써 소득세 납세의무가 확정된다.

03 다음 중 소득세법상 과세기간에 대한 적절한 설명으로만 모두 묶은 것은?

㉠ 원칙적으로 과세기간은 5월 1일부터 5월 31일까지이다.
㉡ 거주자가 사망하는 경우 1월 1일부터 사망한 날까지를 과세기간으로 본다.
㉢ 거주자가 출국하는 경우 1월 1일부터 출국일까지를 과세기간으로 본다.
㉣ 우리나라 소득세법은 과세기간을 임의로 설정하는 것이 허용되지 않는다.

① ㉠, ㉡
② ㉡, ㉣
③ ㉡, ㉢, ㉣
④ ㉢, ㉣

04 다음 중 (가)~(다)의 설명에 대한 배당소득으로 적절한 것은?

(가) 내국법인으로부터 받는 이익이나 잉여금의 배당 또는 분배금
(나) 형식상 배당이 아니더라도 회사의 이익이 주주 등에게 귀속되는 경우의 배당
(다) 법인세법에 따라 배당으로 처분된 금액

	(가)	(나)	(다)
①	집합투자기구의 이익	인정배당	이익배당
②	이익배당	의제배당	인정배당
③	의제배당	인정배당	집합투자기구의 이익
④	인정배당	이익배당	의제배당

05 의제배당의 수입시기로 적절하지 않은 것은?

	구분	수입시기
①	감자 등의 경우	감자 결의일, 퇴사·탈퇴일
②	해산의 경우	해산일
③	합병의 경우	합병등기일
④	잉여금의 자본전입	자본전입 결의일

06 양도소득 과세대상으로 적절하지 않은 것은?

① 특정시설물 이용권을 양도하는 경우
② 주가지수 관련 파생상품을 양도하는 경우
③ 소액주주가 비상장법인의 주식을 양도하는 경우
④ 소액주주가 벤처기업의 주식을 장외매매거래(K-OTC)에서 양도하는 경우

07 증권거래세 과세대상 증권으로 적절하지 않은 것은?

① 유가증권시장에서 양도되는 주권
② 코스닥시장에서 양도되는 주권
③ 코넥스시장에서 양도되는 주권
④ 뉴욕증권시장에 상장된 주권의 양도

08 자본시장법 시행 이후 금융투자업의 분류로 적절하지 않은 것은?

① 증권업
② 투자중개업
③ 집합투자업
④ 투자자문업

09 소득공제 장기펀드에 대한 설명으로 적절하지 않은 것은?

① 실적배당형 상품으로 원금보장이 되지 않는다.
② 가입 후 최대 10년까지 소득공제 혜택을 받을 수 있다.
③ 소득공제를 받기 위해서는 최소 5년 이상 가입해야 한다.
④ 납입 한도 없이 납입금액의 40%의 소득공제 혜택을 받을 수 있다.

10 요구불예금의 종류로 적절하지 않은 것은?

① 보통예금
② 당좌예금
③ 가계당좌예금
④ MMDA

11 목돈마련 예금상품으로 적절하지 않은 것은?

① 기업어음
② 표지어음
③ 환매조건부채권(RP)
④ 양도성 예금증서(CD)

12 신탁상품의 특징에 대한 설명으로 적절하지 않은 것은?

① 위탁자는 수익자의 지위를 겸할 수 없다.
② 신탁재산은 법인격이 없지만 수탁자로부터 독립되어 있다.
③ 수탁자는 원칙적으로 수익자 및 위탁자의 지위를 동시에 겸할 수 없다.
④ 위탁자는 수탁자에 대해 지시는 가능하나 스스로 신탁재산의 권리를 행사할 수 없다.

13 다음 〈보기〉에서 설명하는 신탁상품의 종류로 적절한 것은?

┤ 보기 ├
투자자는 자신이 맡긴 돈의 운용대상, 운용방법 및 운용조건 등을 은행에 지시하고, 은행은 고객이 지시한 내용대로 운용하고 운용수익에서 일정한 비용(신탁보수 등)을 차감한 후 실적배당하는 상품이다.

① 재산신탁
② 특정금전신탁
③ 불특정금전신탁
④ 금전채권신탁

14 생명보험 상품의 보험료 산출방식으로 적절하지 않은 것은?

① 영업보험료 = 순보험료 + 부가보험료
② 순보험료 = 위험보험료 + 저축보험료
③ 부가보험료 = 신계약비 + 유지비 + 수금비
④ 순보험료는 예정사업비율에 의해 결정되는 보험료이다.

15 다음 〈보기〉에서 설명하는 파생결합증권의 종류로 적절한 것은?

> ┤ 보기 ├
> 2년 이내 XX산업이 발행한 무보증회사채에 대해 지급불이행 및 채무조정이 일어나지 않는다면 연 7%의 수익률을 지급한다.

① 주가연계증권(ELS)
② 주가연계워런트(ELW)
③ 파생결합증권(DLS)
④ 신용연계채권(CLN)

16 부동산 등기법상 본등기의 효력과 거리가 먼 것은?

① 물권 변동적 효력
② 순위 확정적 효력
③ 청구권 보전의 효력
④ 권리존재 추정력

17 부동산의 경기변동에 대한 설명으로 적절하지 않은 것은?

① 부동산 경기변동은 확장, 후퇴, 수축, 회복의 네 가지 국면으로 구성된다.
② 부동산 경기는 일반경기의 변동에 비해 저점과 정점이 높다.
③ 부동산 경기는 일반경기보다 시간적으로 뒤지는 경향이 있다.
④ 부동산 경기는 지역적·국지적으로 나타난 후 전국적·광역적으로 확대되는 경향이 있다.

18 PF(Project Financing) 사업의 시공업체를 통한 채권보전 수단과 거리가 먼 것은?

① 책임분양
② 책임준공 약정
③ 부동산 담보신탁
④ 차주에 대한 자금 보충

19 시장접근법(비교방식)에 대한 설명으로 적절하지 않은 것은?

① 대상 부동산과 동일성 또는 유사성이 있는 부동산의 거래를 찾는 것이 중요하다.
② 토지와 같이 재생산이 불가능한 자산에 적용하기 어렵다.
③ 거래사례의 보정방법으로 비율수정법을 많이 사용한다.
④ 사례자료의 정상화를 위해 사정보정과 시점수정의 과정을 거친다.

20 부동산 투자회사는 부동산을 취득한 후 일정기간 동안은 부동산을 처분하면 안 된다. 다음 중 부동산 취득 후 처분 제한 기간으로 적절하지 않은 것은?

① 국내에 있는 주택: 1년
② 국내에 있는 주택 외 부동산: 1년
③ 국외에 있는 부동산: 정관에서 정한 기간
④ 부동산 개발사업으로 조성하거나 설치한 건축물 등의 분양: 정관에서 정한 기간

■ 제2과목(투자운용 및 전략 II/투자분석): 21번~50번(30문항)

21 프로젝트 금융(PF; Project Financing)에 대한 설명으로 적절한 것은?

① 대부분 장기의 만기구조를 가진다.
② 프로젝트의 출자자나 차주에 대한 상환청구권을 갖게 된다.
③ 프로젝트와 관련하여 차주 및 대주로 구성되어 프로젝트 관리가 수월하다.
④ 차주의 담보 혹은 신용에 근거하여 자금을 조달하는 새로운 금융기법이다.

22 다음 〈보기〉 중 PEF(Private Equity Fund)의 재산운용에 대한 적절한 설명으로만 모두 묶인 것은?

┤ 보기 ├
㉠ 장외 파생상품에 대한 투자는 불가능하다.
㉡ 기업경영권 참여를 목적으로한 전환사채 및 신주인수권부사채 등에 대한 투자가 가능하다.
㉢ 특수목적회사를 설립하여 투자할 수 있다.
㉣ PEF에 대한 차입은 예외 없이 금지된다.

① ㉠, ㉢
② ㉠, ㉣
③ ㉡, ㉢
④ ㉢, ㉣

23 헤지펀드 운용전략 중 방향성 전략과 거리가 먼 것은?

① 주식시장 중립형(Equity Market Neutral)
② 글로벌 매크로(Global Macro)
③ 이머징마켓 헤지펀드(Emerging Mark Hedge Fund)
④ 선물거래(Managed Future Fund)

24 다음 〈보기〉에서 설명하는 합병차익거래 유형은 무엇인가?

┤ 보기 ├
• 피인수 합병회사 주식을 매수한다.
• 인수회사의 주식을 매도한다.
• 교환비율에 의해 Long / Short ratio가 결정된다.

① Cash Merger
② Stock Swap Mergers
③ Stock Swap Mergers With Collar
④ Convertible Arbitrage

25 특별자산펀드의 투자대상인 실물자산의 특징으로 적절하지 않은 것은?

① 모두 달러로 표시된다.
② 미래 현금흐름의 순자산가치로 평가된다.
③ 물가가 오르면 동반 상승하는 인플레이션 헤징 효과가 있다.
④ 이자율은 실물자산의 가격을 결정하는 데 큰 영향을 주지 않는다.

26 다음 〈보기〉 중 분산투자로 제거할 수 없는 위험은 모두 몇 개인가?

┤ 보기 ├
ⓐ 경쟁회사와의 관계
ⓑ 외환정책
ⓒ 최고경영자의 특성
ⓓ 산업 특유의 요인

① 1개
② 2개
③ 3개
④ 4개

27 다음 〈보기〉 중 해외 주식발행에 대한 적절한 설명으로만 모두 묶인 것은?

┤ 보기 ├
ⓐ 한국거래소에 상장된 주식을 해외시장에 상장하기 위해서 대부분 DR 형태로 상장한다.
ⓑ 한국거래소에 상장된 주식을 달러 표시로 미국 이외의 시장에 상장하는 것은 GDR 발행을 통해 가능하다.
ⓒ 한국거래소에 상장된 주식은 ADR 발행을 통해 뉴욕거래소에 상장할 수 있다.
ⓓ 한국거래소에 상장된 주식을 EDR 발행을 통해 뉴욕거래소와 런던거래소에 동시 상장할 수 있다.

① ⓐ
② ⓐ, ⓒ
③ ⓒ
④ ⓒ, ⓓ

28 국제 채권상품의 분류에서 단기채권과 거리가 먼 것은?

① CP
② CD
③ T-bill
④ T-bond

29 해외투자의 공격적 전략에 대한 설명으로 적절하지 않은 것은?

① 헤지펀드를 활용하여 공격적인 투자가 가능하다.
② 벤치마크보다 높은 수익률을 추구하면서 거래비용을 줄이는 것이 중요한 과제이다.
③ 환율 예측에 따른 국가 비중의 조정은 성공적인 해외 투자의 중요한 결정요인이다.
④ 포트폴리오의 구성 비중을 결정하는 자산배분이 가장 중요한 의사결정 사항이다.

30 해외 포트폴리오 자산배분 결정을 위한 하향식 접근(Top-down Approach) 방법에 대한 특징으로 적절하지 않은 것은?

① 국가 분석을 중요하게 생각한다.
② 세계경제는 분리된 각국 경제의 결합체로 본다.
③ 국가의 비중은 산업 및 기술분석이 연구의 중심이 된다.
④ 거시경제지표의 변화를 예측하고 낙관적으로 전망되는 국가의 투자비중을 높인다.

31 A기업의 전년도 주당배당금은 4,000원이며 내년부터 순이익의 40%를 배당금으로 지급한다. 자기자본이익률이 8%이고 요구수익률이 12%라면 A기업의 적정주가는?

① 28,222원
② 38,222원
③ 48,222원
④ 58,222원

32 다음 〈보기〉는 재무비율의 계산식이다. 올바른 것을 모두 고른 것은?

┌ 보기 ┐
⊙ 총자산이익률 = 순이익 ÷ 총자산
ⓛ 이자보상비율 = 영업이익 ÷ 이자비용
ⓒ 총자산회전율 = 순매출 × 총자산
ⓔ 유동비율 = 유동자산 × 유동부채
└────────────────────┘

① ⊙, ⓛ
② ⊙, ⓒ
③ ⓛ, ⓔ
④ ⓒ, ⓔ

33 다음 〈보기〉에서 설명하는 지표와 재무비율의 종류가 올바르게 연결된 것은?

┌ 보기 ┐
현재 기업이 부담하고 있는 재무적 부담을 이행할 수 있는 능력을 측정하고자 한다.
└────────────────────┘

① 유동성 지표: 유동비율, 당좌비율, 현금비율
② 보상비율: 배당성향, 이자보상비율, 고정비용보상비율
③ 수익성비율: 매출액영업이익률, 총자산이익률, 자기자본이익률
④ 안정성 지표: 부채비율, 부채 · 자기자본비율

34 다음 중 레버리지분석에 대한 설명으로 적절하지 않은 것은?

① 고정적 비용의 존재로 나타나는 손익 확대 효과를 분석하는 것이다.
② 영업고정비용과 이자비용이 존재하는 한 결합레버리지는 항상 0보다 크다.
③ 영업이익이 클수록, 이자비용은 낮을수록 재무레버리지도(DFL)는 작게 나타난다.
④ 타인자본의 의존도가 크면 재무레버리지 효과는 더욱 커진다.

35 PER(주가이익비율) 이용 시 유의할 사항으로 적절하지 않은 것은?

① 1주당 가격은 현재 주가를 사용하는 것이 적절하다.
② EPS는 이론적으로 미래에 예측된 주당이익을 이용하는 것이 합당하다.
③ EPS 계산 시 발행주식수에는 전환증권 발행 등으로 희석되는 주식을 제외시켜야 한다.
④ PER은 경기에 매우 민감하게 반응하는 문제점이 있다.

36 다음 설명 중 옳지 않은 것은?

① PBR은 ROE와 (+)의 관계, 위험(K)과는 (−)의 관계에 있다.
② Tobin's Q 비율이 1보다 크다는 것은 기업경영을 효율적으로 하고 있다는 것이다.
③ EV/EBITDA 비율은 PBR의 장부가평가 문제를 보완한 것이다.
④ EVA는 자본비용까지 고려한 진정한 경영성과지표로 평가된다.

37 다음 중 다우이론의 한계점으로 볼 수 없는 것은?

① 추세전환을 시점을 너무 늦게 확인하게 되어 투자에 도움을 주지 못한다.
② 주추세와 중기추세를 명확하게 구분하기 어렵다.
③ 증권시장의 추세를 예측하는 것으로 분산투자의 방법을 알려주는 단서가 될 수 없다.
④ 시장의 변동에만 집착하기 때문에 시장이 변화하는 원인을 분석할 수 없다.

38 이동평균선의 특징과 거리가 먼 것은?

① 주가가 이동평균선을 돌파하는 시점이 의미 있는 매매시점
이다.

② 이동평균 분석기간이 길수록 이동평균선은 가팔라지는 경
향이 있다.

③ 강세국면에서 주가가 이동평균선 위에 움직일 경우 상승세
가 지속될 가능성이 높다.

④ 상승하고 있는 이동평균선을 주가가 하향 돌파할 경우 추
세는 조만간 하락 반전할 가능성이 높다.

39 경제발전에 따른 요소경쟁력 변화에 대한 설명으로 적
절하지 않은 것은?

① 성장기에는 단순요소와 고급요소의 경쟁력 모두 성장한다.

② 1차 전환점 이후 단순요소경쟁력은 더 이상 상승하지 못한
다.

③ 구조조정기에 고급요소경쟁력의 상승이 가속화된다.

④ 성숙기에 단순요소경쟁력의 하락이 멈춘다.

40 다음 중 산업경쟁력 분석에 대한 설명으로 적절하지 않
은 것은?

① 산업경쟁력은 기업차원의 분석이 중요하다.

② 각 국가의 개별 산업에서의 경쟁력 수준이 국제무역의 전
제가 된다.

③ Porter의 경쟁우위론은 산업경쟁력 분석에 중요한 개념
이다.

④ 분석모형은 경쟁자산 – 시장구조 – 산업성과의 세 가지
기본 틀로 구성된다.

41 다음 중 산업경쟁력 분석모형에서 경쟁자산으로 볼 수
없는 것은?

① 기술력

② 해외진출

③ 수요조건

④ 국가경쟁력

42 A산업에는 7개의 기업이 있고, 1위 기업의 시장점유율
은 30%, 2위 기업의 시장점유율은 20%, 나머지 5개 기
업의 시장점유율은 동일하다고 할 경우, 시장집중률은
얼마인가?

① 50%

② 60%

③ 70%

④ 80%

43 메탈게젤샤프트사 파산사건과 관련된 리스크 요인과 거
리가 먼 것은?

① 운용리스크

② 자금조달리스크

③ 갱신리스크

④ 신용리스크

44 일반적으로 VaR을 측정하는 방법 중 부분가치평가법으로 적절한 것은?

① 사후검증
② 델타분석법
③ 역사적 시뮬레이션
④ 몬테카를로 시뮬레이션

45 리스크 요소(Risk factor)들이 독립항등분포(IID ; Identically Independently Distributed)를 가정할 경우, 1일 보유기간의 VaR이 1억원일 때 22일 보유기간의 VaR은 얼마인가?

① 2.29억원
② 2.79억원
③ 4.69원원
④ 5.59억원

46 다음 〈보기〉 중 역사적 시뮬레이션법에 대한 적절한 설명으로만 모두 묶인 것은?

┤ 보기 ├
㉠ 정규분포의 가정이 필요 없다.
㉡ 수익률의 정규분포와 같은 가정이 필요 없다.
㉢ 옵션과 같은 비선형의 수익구조를 가진 상품의 VaR을 오차 없이 측정 가능하다.
㉣ 부분가치평가법으로 가치평가모형이 필요하다.

① ㉠, ㉡
② ㉡, ㉢
③ ㉠, ㉣
④ ㉠, ㉡, ㉢

47 주식투자에 대한 개별 VaR은 300억원이고, 채권 투자에 대한 개별 VaR은 400억원이다. 두 포지션 간의 상관계수가 0.7이면, 두 포지션으로 구성된 포트폴리오의 VaR은 얼마인가?

① 100억원
② 500억원
③ 646억원
④ 700억원

48 등가격에 가까운 콜옵션과 풋옵션을 동시에 매도한 스트래들매도 포지션을 델타분석법에 의해 VaR을 계산했을 때 그 값은 얼마인가?

① −1에 가깝다.
② −1에 가깝다고 볼 수 없다.
③ 0에 가깝다.
④ 0에 가깝다고 볼 수 없다.

49 AA등급 채권에 대한 투자금액이 100억원이고, 순수익은 0.5%, VaR은 2%일 때 채권에 대한 RAROC는 얼마인가?

① 5%
② 10%
③ 15%
④ 25%

50 다음 〈보기〉는 신용손실 분포의 특징에 대한 설명이다. 빈칸 (㉠)~(㉡)에 들어갈 말을 순서대로 바르게 나열한 것은?

┌ 보기 ┐
- 신용 리스크는 신용손실 분포로부터 예상 외 손실로서 정의가 된다. 즉, 예상되는 손실은 risk라고 하지 않는다.
- 신용손실 분포와 Credit VaR에서 금융기관은 기대손실은 (㉠)(으)로 대비하고, 기대치 못한 손실은 (㉡)(으)로 대비한다.
└─────────────────────────────┘

① 부채, 자기자본
② 충당금, 자기자본
③ 충당금, 비용
④ 부채, 비용

■ 제3과목(직무윤리 및 법규/투자운용 및 전략 I/ 거시경제 및 분산투자): 51번~100번(50문항)

51 이해상충의 방지의무에 대한 설명으로 적절하지 않은 것은?

① 임원 및 직원을 겸직하는 행위는 금지되는데 이는 정보교류의 차단의무를 준수하는 것이다.
② 금융투자회사와 투자정보이용자 사이에 생길 이익상충의 문제가 발생될 가능성이 있으므로 금융투자업자 자신이 발행한 조사분석 자료의 공표와 제공은 원칙으로 금지하고 있다.
③ 금융투자업자는 이해상충의 발생 가능성을 파악하고 내부통제기준이 정하는 방법에 따라 적절히 관리해야 한다.
④ 이해상충의 발생 가능성을 낮추는 것이 곤란할 경우 준법감시인의 승인을 받은 후 매매 또는 그 밖의 거래를 해야 한다.

52 다음 중 금융투자상품 판매 이후 금융소비자보호 내용으로 적절하지 않은 것은?

① Know your Customer Rule
② 정보의 누설 및 부당이용 금지
③ 보고 및 기록 의무
④ 공정성 유지 의무

53 투자권유를 받은 투자자가 이를 거부하는 취지의 의사를 표시한 경우에는 투자권유를 계속하여서는 안 된다. 다만 예외적으로 허용되는 경우로만 묶인 것은?

┌──────────────────────────────┐
㉠ 투자성 있는 보험계약에 대하여 다시 권유를 하는 경우
㉡ 다른 종류의 금융투자상품에 대하여 다시 권유하는 경우
㉢ 장외파생상품을 다시 권유하는 경우
㉣ 투자권유를 거부하는 취지의 의사를 표시한 후 1개월이 지난 후에 다시 투자권유하는 경우
└──────────────────────────────┘

① ㉠, ㉡
② ㉢, ㉣
③ ㉡, ㉣
④ ㉠, ㉢, ㉣

54 금융소비자에게 중요 사실에 대한 정확한 표시의무를 준수할 때 고려해야 할 사항과 가장 거리가 먼 것은?

① 정보를 제공받는 대상의 지식 및 이해수준
② 당해 정보가 불필요한 오해를 유발할 소지가 있는지 여부
③ 투자정보가 정밀한 조사 및 분석에 의해 작성된 자료인지 여부
④ 정보의 전달방법이 상대방에게 정확하게 전달될 수 있는지 여부

55 준법감시인에 대한 설명으로 적절하지 않은 것은?

① 준법감시업무의 위임은 불가능하다.
② 준법감시인을 임면하기 위해서는 이사회의 의결을 거쳐야 한다.
③ 준법감시인은 이사회 및 대표이사의 지휘를 받아 금융투자회사 전반의 내부통제 업무를 수행한다.
④ 금융투자회사가 준법감시인을 임면한 때에는 임면일로부터 7영업일 이내에 금융위원회에 보고해야 한다.

56 금융투자업에 대한 설명으로 적절하지 않은 것은?

① 투자매매업자는 자기의 계산으로 금융투자상품을 매매한다.
② 투자중개업자는 타인의 계산으로 금융투자상품을 매매한다.
③ 집합투자업자는 투자자의 운용지시를 받고 자산을 취득 · 운용 · 처분한다.
④ 투자일임업은 투자자로부터 금융투자상품에 대한 투자판단의 전부 또는 일부를 일임받아 금융투자상품을 운용한다.

57 금융투자상품에 대한 설명으로 적절한 것은?

① 증권은 원본 초과 손실 가능성이 존재한다.
② 원본 대비 손실률이 100% 이하인 경우 파생상품으로 분류한다.
③ 회수금액 산정 시 판매수수료, 환매수수료, 각종 세금이 포함된다.
④ 증권의 발행주체는 내국인은 물론 외국인을 모두 포함한다.

58 투자매매업자 및 투자중개업자의 불건전 영업행위 금지에 대한 설명으로 적절하지 않은 것은?

① 인수업무와 관련된 조사분석자료의 작성자는 성과보수를 지급받을 수 없다.
② 증권시장과 파생상품 시장 간의 가격차이를 이용한 차익거래는 선행매매에 해당하지 않는다.
③ 조사분석자료의 내용이 사실상 확정된 때부터 공표 후 24시간이 경과하기 전까지 조사분석자료의 대상 금융투자상품을 자기의 계산으로 매매할 수 없다.
④ 전환사채의 모집 또는 매출 관련 계약을 체결한 날부터 그 증권이 증권시장에 상장된 후 14일 이내에 그 증권에 대한 조사분석자료를 특정인에게 제공할 수 없다.

59 집합투자업자가 자산운용보고서를 제공하지 않아도 되는 사유와 거리가 먼 것은?

① 투자자가 서면 등으로 수령거부 의사를 밝힌 경우
② MMF의 자산운용보고서를 3개월에 1회 이상 공시하는 경우
③ 상장된 환매금지형 집합투자기구의 자산운용보고서를 3개월에 1회 이상 공시한 경우
④ 집합투자규약에 10만원 이하의 투자자에게 제공하지 않는다는 내용을 정한 경우

60 동일종목 증권에 집합투자자산 총액의 100% 투자 가능한 경우와 거리가 먼 것은?

① 부동산 개발회사 발행증권
② 부동산 투자목적회사가 발행한 지분증권
③ 지방채, 특수채, 파생결합증권
④ 사업수익권

61 투자설명서의 사용방법으로 가장 거리가 먼 것은?

① 증권신고서를 제출한 이후 투자설명서를 사용할 수 있다.
② 증권신고서가 수리된 후 신고의 효력이 발생하기 전에 예비투자설명서를 사용할 수 있다.
③ 증권신고서가 수리된 후 전자전달매체를 통하여 간이설명서를 사용할 수 있다.
④ 집합투자증권은 투자자가 투자설명서의 사용을 별도로 요청하는 경우를 제외하고 간이투자설명서만을 사용할 수 있다.

62 집합투자업자의 이해관계인과 거래제한의 예외와 거리가 먼 것은?

① 공개시장을 통한 거래
② 집합투자기구에게 유리한 거래
③ 이해관계인이 되기 전에 체결한 계약에 따른 거래
④ 집합투자재산의 10% 이내에서의 단기대출 또는 RP 매수

63 증권신고서 제출이 면제되는 증권으로 적절하지 않은 것은?

① 국가가 지급 보증하는 채무증권
② 한국주택금융공사의 주택저당증권
③ 주권 관련 사채권 및 이익참가부사채권
④ 만기 3개월 이내인 전자단기사채

64 투자광고에 대한 설명으로 적절하지 않은 것은?

① 금융투자협회 및 금융지주회사의 투자광고는 금지된다.
② 투자광고 시 최대 수익을 표기하는 경우 그 최소 수익을 포함해야 한다.
③ 투자광고문에 협회 심사필 또는 준법감시인 심사필을 표시해야 한다.
④ 투자광고계획신고서와 투자광고안을 협회에 제출하여 심사를 받아야 한다.

65 금융투자업자의 이해상충 규제체계 중 일반 규제로 적절한 것은?

① 선관주의의무
② 선행매매금지
③ 과당매매금지
④ 임직원 겸직금지

66 신탁재산의 독립성에 대한 설명으로 적절하지 않은 것은?

① 수탁자의 채권자는 신탁재산에 대해 강제집행할 수 없다.
② 신탁재산은 위탁자의 채권자에 의한 강제집행위험으로부터 자유로워진다.
③ 신탁재산에 속한 채권과 채무는 상계처리할 수 없다.
④ 신탁재산은 수탁자의 상속재산에 속하지 않는다.

67 다음 중 핵심설명서에 대한 금융투자협회의 규정으로 적절하지 않은 것은?

① 투자설명서의 교부를 핵심설명서로 대체할 수 없다.
② 간이투자설명서를 교부한 경우 핵심설명서를 별도로 교부하지 않아도 된다.
③ 일반투자자가 고난도금융투자상품을 거래하고자 할 때 핵심설명서를 추가로 교부해야 한다.
④ 일반투자자가 신용융자거래를 할 경우 핵심설명서의 추가 교부의무가 면제된다.

68 금융투자회사의 직원 채용 및 복무 기준에 대한 설명으로 적절하지 않은 것은?

① 직원 채용 시 채용예정자의 징계면직 전력 등 여부를 채용 결정 전에 협회에 조회해야 한다.

② 본인의 계산으로 금융투자상품의 매매거래를 체결함에 있어 타인의 명의나 주소를 사용하는 행위는 금지된다.

③ 투자자가 자신의 자산을 관리하는 직원의 징계내역을 열람하기 위해 해당 직원에게 동의서를 요청했으나 거절당한 경우에는 금융투자협회에 징계내역 열람신청을 하면 된다.

④ 감봉 이상의 징계로 금융투자전문인력 자격제재를 부과받은 임직원은 제재의 기산일로부터 1개월 내에 자율규제위원장이 정하는 준법교육을 이수해야 한다.

69 투자광고 시 주요매체별 위험고지 표시기준과 거리가 먼 것은?

① 바탕색과 구별되는 색상으로 선명하게 표시할 것

② 신문에 전면으로 게재하는 광고물의 경우 9포인트 이상의 활자체로 표시할 것

③ 인터넷 배너를 이용한 투자광고의 경우 위험고지 내용이 3초 이상 보일 수 있도록 할 것

④ 영상매체를 이용한 투자광고의 경우 1회당 투자광고 시간의 3분의 1 이상을 충분한 면적에 걸쳐 위험고지 내용을 표시할 것

70 자산집단의 기본적인 성격과 그 내용의 연결이 적절하지 않은 것은?

① 동질성: 자산집단 내의 자산들은 경제적 관점에서 비슷한 속성을 가져야 한다.

② 배타성: 자산집단은 서로 겹치는 부분이 없어야 한다.

③ 분산 가능성: 자산집단 전체는 투자 가능한 대부분의 자산을 포함하는 것이 좋다.

④ 충분성: 실제 투자대상이 되는 개별 자산의 수도 충분히 많아야 한다.

71 전략적 자산배분의 실행단계를 순서대로 나열한 것은?

> ㉠ 자산집단의 선택
> ㉡ 투자자의 투자 목적 및 투자제약조건의 파악
> ㉢ 자산종류별 기대수익, 위험, 상관관계의 추정
> ㉣ 최적 자산 구성의 선택

① ㉠ − ㉡ − ㉢ − ㉣

② ㉡ − ㉠ − ㉢ − ㉣

③ ㉡ − ㉢ − ㉠ − ㉣

④ ㉢ − ㉣ − ㉠ − ㉡

72 전술적 자산배분에 대한 설명으로 적절하지 않은 것은?

① 자산배분의 변경으로 인한 운용성과에 대한 책임은 모두 투자자에게 귀속된다.

② 이미 정해진 자산배분을 운용담당자의 자산 가격에 대한 예측하에 투자비중을 변경한다.

③ 중단기적인 가격 착오(mis−pricing)를 적극적으로 활용하여 고수익을 지향하는 운용전략이다.

④ 투자자산의 과대 또는 과소 평가 여부를 판단할 수 없다면, 최초 수리된 전략적 자산배분을 그래도 유지해야 한다.

73 포트폴리오 보험 전략을 선호하는 투자자의 특성과 거리가 먼 것은?

① 일반적 투자자들보다 하락 위험을 더 싫어한다.

② 위험자산에 대한 투자를 하지 않는다.

③ 정기적인 이자소득을 목표로 하면서 기대수익률이 높은 투자자들이 선호한다.

④ 내부규정에 의해 최저투자 수익률을 달성해야 하는 기금에서 활용한다.

74 주가지수를 벤치마크로 구성할 때 종목별 가중치에 대한 설명으로 적절하지 않은 것은?

① 주가가중, 시가가중, 유동주식 시가가중, 동일가중 등이 이용되며 최근에는 유동시가 가중방식을 인덱스 포트폴리오를 위한 표준으로 인식한다.

② 동일가중방식은 모든 종목을 동일하게 취급하므로 거래비용이 발생하지 않으며 소형기업의 지수 영향력이 커진다.

③ 주가가중방식은 종목별로 1주씩만 보유하면 지수의 성과를 얻을 수 있는 단순함이 장점이다.

④ 성숙기에 있는 기업의 주가가 과대평가됨에 따라 가중치가 높아지는 시가 가중방식의 문제점을 유동시가 가중방식으로 보완한다.

75 주식 포트폴리오 구성과정을 순서대로 올바르게 나열한 것은?

┌─────────────────────────┐
│ ㉠ 트레이딩   │
│ ㉡ 실제 포트폴리오 구성   │
│ ㉢ 투자유니버스 선정   │
│ ㉣ 모델 포트폴리오 구성   │
│ ㉤ 성과측정 및 재조정   │
└─────────────────────────┘

① ㉣ — ㉠ — ㉡ — ㉢ — ㉤
② ㉢ — ㉣ — ㉡ — ㉠ — ㉤
③ ㉣ — ㉡ — ㉢ — ㉠ — ㉤
④ ㉢ — ㉣ — ㉠ — ㉡ — ㉤

76 채권액면 10,000원, 표면이율 10%, 만기가 3년인 3개월 단위 이자지급 금융복리채의 만기상환금액은 얼마인가?

① 12,899원
② 12,449원
③ 13,899원
④ 13,449원

77 변동금리채권에 대한 설명으로 적절하지 않은 것은?

① 변동금리채권의 가치는 시장이자율의 변화에 민감하지 않다.

② 액면이자율은 기준금리에 연동되어 매 기간 초마다 정해진다.

③ 기준금리가 상승하면 현금흐름이 감소하도록 설계되었다.

④ 기준금리는 LIBOR, prime rate, 우리나라 91일 CD수익률을 적용한다.

78 다음 중 수의상환채권의 특징과 거리가 먼 것은?

① 발행자가 중도상환 권리를 보유한다.

② 일반사채보다 액면이자율 및 만기수익률이 높다.

③ 시장금리가 하락할 때 채권투자자에게 불리하다.

④ 수의상환채권의 가치는 일반채권 가치에 풋옵션의 가치가 더해진다.

79 채권유통시장에 대한 설명으로 적절하지 않은 것은?

① 채권의 거래는 대부분 한국거래소에서 이루어진다.

② 장내시장은 경쟁매매, 장외시장은 상대매매 방식으로 거래가 이루어진다.

③ 유통시장의 가격은 발행시장의 가격결정지표 역할을 한다.

④ 채권의 담보력을 높여주고 투자자에게 투자원본 회수와 이익실현을 가능하게 한다.

80 이자율이 10%인 영구채권의 듀레이션은 얼마인가?

① 알 수 없다.
② 10년
③ 11년
④ 12년

81 액면 100,000원, 표면금리 12%, 연단위 후급 이표채인 A기업의 회사채 만기와 만기수익률이 다음과 같을 때 2년 만기 현물이자율은?

만기(년)	채권가격(원)	현물이자율(%)
1	103,000	8.74
2	102,000	?

① 9.16%
② 9.36%
③ 10.26%
④ 10.96%

82 선물거래 전략에 대한 설명으로 적절하지 않은 것은?

① 투기적 거래는 방향성 베팅이 중요하다.
② 헤지를 위해서는 현물 포지션과 동일한 선물 포지션을 취해야 한다.
③ 랜덤 베이시스 헤지는 시장 리스크를 피하기 위해 베이시스 리스크를 취하는 전략이다.
④ 베이시스 위험으로 인해 완전헤지는 현실적으로 불가능하다.

83 KOSPI200 지수 선물가격 3월물과 9월물의 스프레드가 앞으로 줄어들 것으로 예상된다면 바람직한 전략은?

① 3월물 매수 + 9월물 매수
② 3월물 매수 + 9월물 매도
③ 3월물 매도 + 9월물 매수
④ 3월물 매도 + 9월물 매도

84 현재 KOSPI200 지수가 205Point, 행사가격이 200Point인 풋옵션의 프리미엄이 2.5Point일 경우, 풋옵션의 시간가치와 현재 가격 상태를 올바르게 나열한 것은?

① 시간가치 2.5, 외가격 상태
② 시간가치 2.5, 내가격 상태
③ 시간가치 5.0, 외가격 상태
④ 시간가치 5.0, 외가격 상태

85 다음 중 속성이 다른 옵션전략은?

① 콜옵션 매수
② 풋옵션 매도
③ 강세콜스프레드
④ 풋옵션 매수

86 다음 〈보기〉는 스트래들매수에 관한 설명이다. 빈칸 (㉠)~(㉡)에 들어갈 내용을 올바르게 연결한 것은?

┌ 보기 ┐

행사가격이 200Point인 콜과 풋옵션을 동시에 매수할 경우 콜옵션의 프리미엄이 3, 풋옵션의 프리미엄이 2일 때 이 포지션을 구축한 투자자는 200Point를 기준으로 기초자산의 가격이 (㉠)Point 이상으로 상승하거나 (㉡) Point 이하로 하락했을 때 이익을 볼 수 있다.

① 197, 195
② 203, 198
③ 205, 195
④ 210, 190

87 어느 투자자가 콜옵션 매수 포지션일 때 민감도지표에 대한 설명으로 적절하지 않은 것은?

① 기초자산이 상승하면 이익이다.
② 다른 변화 없이 시간만 경과할 경우 이익은 극대화된다.
③ 변동성이 증가하면 이익이다.
④ 이자율이 상승하면 이익이다.

88 다음 자료를 참고하여 시간가중수익률(산술평균수익률, 기하평균수익률)을 계산한 값을 순서대로 나열한 것은? (2년 말 시점에 투자자금은 전액 매도하여 회수함)

시점(기간 말)	1주당 시장가격	1주당 배당금
0	10,000원	–
1	12,000원	200원
2	13,000원	250원

① 15.00%, 14.02%
② 14.02%, 15.00%
③ 17.35%, 16.06%
④ 16.06%, 17.35%

89 다음 〈보기〉에서 설명하는 내용은 무엇인가?

┌ 보기 ┐

성과측정 시점에 운용 중인 펀드만을 대상으로 성과를 측정하는 것은 운용사의 실제 운용능력보다 더 좋은 성과를 보인 것처럼 나타날 가능성이 높다. 이러한 오류를 피하기 위해서는 성과평가 기간 동안 운용되었던 모든 펀드를 평가대상으로 해야 한다.

① 대표 펀드의 문제
② 생존계정의 오류 문제
③ 성과의 이전 가능성
④ 시간에 따른 성과 변동의 문제

90 다음 중 벤치마크의 특성에 대한 설명으로 적절하지 않은 것은?

① 벤치마크는 평가기간이 시작되기 전에 미리 정해져야 한다.
② 공식적으로 알려지지 않은 비공개 정보로부터 계산할 수 있어야 한다.
③ 실행 가능한 투자대안이어야 한다.
④ 기준 지표는 매니저의 운용스타일이나 성향에 적합해야 한다.

91 GIPS(Global Investment Performance Standards)의 회계기준의 주요 내용과 거리가 먼 것은?

① 회사는 벤치마크 개요를 공시해야 한다.
② 회사는 추정된 매매비용을 사용하지 않아야 한다.
③ 회사는 모의실험된 성과를 실제성과와 연결하여 비교 공시해야 한다.
④ 1년 미만의 기간에 대한 수익률은 연환산되지 않아야 한다.

92 다음 중 유동성 함정에 대한 설명으로 적절하지 않은 것은?

① 경기가 호황일 때 주로 발생한다.
② 통화정책은 아무런 효과가 없게 된다.
③ 재정정책의 효과가 극대화된다.
④ 확대재정정책을 시행하면 이자율은 불변인 채로 국민소득을 크게 증가시킬 수 있다.

93 다음 중 이자율결정이론에 대한 설명으로 적절하지 않은 것은?

① 케인즈의 이론에서 이자율은 화폐적 현상으로 설명한다.
② 고전학파는 이자율이 생산성과 검약 등 실물적 요인에 의해 결정된다고 본다.
③ 고전학파는 이자율 수준이 통화량의 영향을 받는다고 본다.
④ 현대적 대부자금설은 고전학파와 케인즈의 저량분석을 유량변수로 통합한 이론이다.

94 다음 〈보기〉는 통화량과 이자율에 대한 설명이다. 빈칸 (㉠)~(㉢)에 들어갈 내용을 순서대로 나열한 것은?

┤ 보기 ├
• 정책당국이 이자율을 일정한 수준으로 조절하기 위해 통화량을 증가시키면 단기적으로 명목이자율은 하락하게 되는데 이를 (㉠) 효과라고 한다.
• 그러나 이자율 하락은 투자를 증가시키므로 국민소득이 증대되고 이는 화폐수요를 증가시켜 명목이자율은 다시 상승하게 된다. 이를 (㉡) 효과라고 부른다.
• 또한 통화량이 증가하여 기대인플레이션 이율이 상승하고 물가가 상승하면 명목이자율이 상승하는데 이를 (㉢) 효과라고 한다.

① 유동성, 피셔, 소득
② 유동성, 소득, 피셔
③ 소득, 유동성, 피셔
④ 피셔, 소득, 유동성

95 다음 빈칸에 공통으로 들어갈 내용으로 적절한 것은?

• ( )은/는 국민경제 전체의 물가압력을 측정하는 지수로 사용된다.
• 통화량 목표설정에 있어서도 ( ) 기준 물가상승률을 사용한다.

① GDP 디플레이터
② 생산자물가지수
③ 소비자물가지수
④ 수출입물가지수

96 다음 중 포트폴리오 위험 분산 효과에 대한 설명으로 적절하지 않은 것은?

① 분산투자를 통해 체계적 위험을 줄일 수 있다.
② 기대수익률을 희생하지 않고 위험을 줄일 수 있다.
③ 포트폴리오의 위험 감소는 상관계수가 작은 증권 간의 결합을 통해 이루어진다.
④ 포트폴리오에 편입된 주식수가 늘어나더라도 줄일 수 없는 위험이 존재한다.

97 A주식의 시장포트폴리오의 기대수익률은 12%, 무위험이자율은 6%, A주식의 추정된 기대수익률은 12.5%, 베타가 1.25일 때 자본자산 가격결정(CAPM) 모형을 이용한 주식A에 대한 설명으로 적절하지 않은 것은?

① A주식의 요구수익률은 13.5%이다.
② A주식은 과대평가되어 있다.
③ A주식의 알파는 1%이다.
④ A주식의 베타값이 1.1로 변경된다면 A주식의 알파는 −0.1%로 과소평가되어 있다.

98 다음 중 시장포트폴리오에 대한 설명으로 적절하지 않은 것은?

① 증권선택 결정과 자본 배분의 결정은 서로 별개의 문제로 본다.

② 모든 위험자산을 포함하는 완전 분산투자된 포트폴리오이다.

③ 이성적 투자자는 위험선호도와 관계없이 시장포트폴리오에 대한 투자비중은 동일하다.

④ 이성적 투자자는 자신들의 위험선호도와 관계없이 모두 동일하게 시장포트폴리오를 선택한다.

99 다음 중 포뮬러 플랜에 대한 설명으로 적절하지 않은 것은?

① 비율계획법이다.

② 적극적인 투자전략이다.

③ 일정한 규칙에 따라 기계적으로 자산배분을 하는 방법이다.

④ 주가가 떨어질 때 주식을 매도하고 주가가 상승할 때 주식을 매입하는 역투자전략이다.

100 다음 〈보기〉에서 설명하는 포트폴리오 수정방법은 무엇인가?

┤ 보기 ├

원하는 투자목표를 위하여 투자비율이 높아진 주식을 매각하여 투자비율이 낮아진 주식을 매입하게 되면 원래의 포트폴리오 구성과 같은 투자비율이 된다. 이를 고정목표 수정전략이라 하는데, 자금의 재배분을 통해서 자본이득의 가능성이 사라진 주식에서 앞으로 그 가능성이 큰 주식으로 옮겨가게 되는 이점이 있다.

① 포트폴리오 자산배분

② 포트폴리오 리밸런싱

③ 포트폴리오 업그레이딩

④ 포트폴리오 보험전략

투자자산운용사
실전 모의고사

| 제 5 회 |

투자자산운용사 실전 모의고사

수험번호

이름

시작 시간: _____시 _____분　　**종료 시간:** _____시 _____분　　**총 소요 시간:** _____분 / 120분

〈 응시자 유의사항 〉

■ 제1과목(금융상품 및 세제): 01번~20번(20문항)

01 국세기본법상 수정신고를 할 수 있는 사유로 적절하지 않은 것은?

① 세액을 미달하게 신고한 경우
② 결손금 또는 환급세액을 과다하게 신고한 경우
③ 근로소득자의 연말정산 과정에서 소득을 누락한 경우
④ 과세표준 및 세액을 과다하게 신고한 경우

02 우리나라 소득세에 대한 설명으로 적절하지 않은 것은?

① 현행 소득세법은 기본적으로 순자산증가설의 입장을 취하고 있다.
② 현행 소득세법은 과세소득을 8가지로 구분하여 제한적으로 열거하고 있다.
③ 원칙적으로 법령에 열거되지 않은 소득에 대해서는 과세하지 않는다.
④ 예외적으로 이자, 배당소득은 법령에 열거되지 않더라도 유사한 소득에 대해서 과세한다.

03 거주자와 비거주자의 판단 여부에 대한 설명으로 적절하지 않은 것은?

① 국내의 주소를 두면 거주자로 본다.
② 183일 이상 거소를 둔 개인은 거주자로 본다.
③ 국외에서 근무하는 공무원은 비거주자로 본다.
④ 외국을 항해하는 선박 또는 항공기의 승무원은 그 승무원과 생계를 같이하는 가족이 거주하는 장소로 거주자 여부를 판단한다.

04 다음 〈보기〉는 소득세 계산구조이다. (가)에 들어갈 내용으로 적절한 것은?

┤ 보기 ├
종합소득금액
　－ 종합소득공제
　＝ 과세표준
　× 세율
　＝ (가)

① 산출세액
② 결정세액
③ 기납부세액
④ 차감납부할 세액

05 소득세법상 이자소득금액의 계산방법에 대한 설명으로 적절하지 않은 것은?

① 비과세되는 이자소득은 종합소득금액에 합산하지 않는다.
② 분리과세되는 이자소득은 종합소득금액에 합산하지 않는다.
③ 이자소득금액은 당해연도의 이자소득 총수입금액에 필요경비를 차감하여 계산한다.
④ 이자소득이 2천만원을 초과하는 경우 종합과세된다.

06 이중과세 조정대상 배당소득의 요건으로 적절하지 않은 것은?

① 내국법인으로부터 받은 배당소득
② 외국법인으로부터 받은 배당소득
③ 법인세가 과세되는 소득에서 지급되는 배당소득
④ 종합과세되는 배당소득으로서 기본세율을 적용받는 배당소득

07 금융소득 종합과세 시 금융거래 통보내용으로 적절하지 않은 것은?

① 소득자의 인적사항
② 소득지급내역
③ 원천징수내역
④ 금융자산에 투자한 원금

08 절세금융상품의 종류와 절세 유형의 연결이 적절하지 않은 것은?

① ISA : 비과세
② 연금저축: 세액공제
③ 주택청약종합저축: 세액공제
④ 조합예탁금: 세금우대

09 비과세종합저축의 가입대상으로 적절하지 않은 것은?

① 만 60세 이상 거주자
② 장애인
③ 독립유공자
④ 국민기초생활 보장법에 따른 수급자

10 ELS(주가연계증권)에 대한 설명으로 적절하지 않은 것은?

① ELS의 발행은 인가받은 증권사에 한한다.
② 중도해지가 가능하나 원금손실 가능성이 있다.
③ 원금비보장형으로만 발행된다.
④ 예금자보호가 되지 않는다.

11 금전신탁과 예금을 비교한 내용으로 적절하지 않은 것은?

① 돈을 맡긴다는 의미에서 유사하다.
② 금전신탁과 예금 모두 운용방법에 제한이 없다.
③ 이익분배에 있어 금전신탁은 실적배당을 예금은 약정이자를 지급한다.
④ 금전신탁은 원칙적으로 원금 및 수익에 대해 보장할 의무가 없으나 예금은 지급의무가 있다.

12 다음 중 예금자보호대상에서 제외되는 금융상품으로 적절한 것은?

① 표지어음
② 증권계좌 예수금
③ 주택청약종합저축
④ 종금형 CMA

13 생명보험 분류에 대한 설명으로 적절하지 않은 것은?

① 피보험자의 수가 2인 이상인 보험을 연생보험이라 한다.
② 의사의 진단이 필요 없는 보험을 무진단보험이라 한다.
③ 보험금 정액 유무에 따라 정액보험과 증액보험으로 분류된다.
④ 이익을 분배하지 않는 보험을 무배당보험이라고 한다.

14 장기손해보험의 보험료 구성에 대한 설명으로 적절하지 않은 것은?

① 순보험료와 위험보험료로 구성된다.
② 저축보험료는 만기 또는 해지환급금의 재원이 된다.
③ 위험보험료는 사고 발생 시 보험금 지급의 재원이 된다.
④ 부가보험료는 사용용도에 따라 신계약비, 유지비, 수금비로 구분한다.

15 집합투자기구의 구성형태로 적절하지 않은 것은?

① 투자신탁
② 투자회사
③ 투자증권
④ 투자조합

16 부동산에 관한 권리에 대한 설명으로 적절한 것은?

① 물건을 사실상 지배하는 자에 대해 인정해주는 물권은 소유권이다.
② 점유권은 특정 물건에 대하여 배타적, 포괄적으로 사용, 수익, 처분할 수 있는 권리이다.
③ 유치권은 타인의 물건 또는 유가증권의 점유를 필요로 하지 않는다.
④ 저당권은 점유를 필요로하지 않으며 반드시 등기를 해야 한다.

17 부동산 경기의 측정 지표에 대한 설명으로 적절하지 않은 것은?

① 건축의 착공량은 측정지표로 매우 빈번하게 사용된다.
② 건물 공실률의 동향은 부동산 경기의 선행지표가 될 수 있다.
③ 부동산 가격 변동을 경기변동의 유일한 지표로 삼는 것은 바람직하지 않다.
④ 부동산 투기현상은 지가의 상승을 유발하므로 부동산 경기가 호황임을 나타낸다.

18 투자의 타당성 분석방법에 대한 설명으로 적절하지 않은 것은?

① 간편법에서 투자이율은 순소득 승수의 역수이다.
② 요구수익률은 순현재가치를 0으로 만드는 할인율로 내부수익률과 비교하여 그 값이 작으면 투자안은 채택된다.
③ 감정평가에 의한 가격이 최초의 부동산 투자액보다 큰 부동산의 경우 투자안은 채택된다.
④ 수익성지수는 순현재가치가 투자규모의 차이를 충분히 고려하지 못한다는 단점을 보완하는 투자 결정의 기준이 된다.

19 부동산 가치추계 원칙 중에서 가장 중추적인 기능을 담당하고 있는 것은?

① 예측의 원칙
② 수요·공급의 원칙
③ 최유효이용의 원칙
④ 외부성의 원칙

20 부동산투자회사법상 부동산 투자회사(REITs)의 종류와 거리가 먼 것은?

① 자기관리 부동산 투자회사
② 위탁관리 부동산 투자회사
③ 기업구조조정 부동산 투자회사
④ 개발관리 부동산 투자회사

21 PEF(Private Equity Fund)의 설립요건에 대한 설명으로 적절하지 않은 것은?

① 불특정 다수를 대상으로 한 사원모집을 금지한다.

② 설립등기일로부터 2주 이내에 금융위원회 등록을 해야 한다.

③ 유한책임사원과 무한책임사원을 등기·등록의 대상으로 규정한다.

④ PER 지분의 양도는 사원의 수가 49인을 초과하지 않는 범위 내에서 가능하다.

22 다음 〈보기〉는 PEF(Private Equity Fund)의 재산운용 방법에 대한 설명이다. 빈칸에 들어갈 내용으로 적절한 것은?

┤ 보기 ├

PEF 재산운용은 다음 세 가지 방법을 이용하여 투자하는 금액이 (㉠) 이내에 (㉡) 이상이어야 한다. 첫째, 다른 회사 지분의 10% 이상 투자, 둘째, 다른 회사 지분의 10% 미만인 경우 임원의 선임 등 기업의 주요 경영사항에 대하여 사실상 지배력 행사가 가능하도록 하는 투자, 셋째, 사회간접자본시설에 대한 투자이다.

① ㉠ 1년, ㉡ 30%

② ㉠ 1년, ㉡ 50%

③ ㉠ 2년, ㉡ 40%

④ ㉠ 2년, ㉡ 50%

23 다음 〈보기〉는 헤지펀드 운용전략과 그에 대한 설명이다. 빈칸에 들어갈 헤지펀드 운용전략으로 올바른 것은?

┤ 보기 ├

• (㉠) 전략은 두 개의 서로 다른 주식을 동시에 매수하고 매도함으로써 이익을 추구하는 전략이다.

• (㉡) 전략의 가장 큰 장점은 분산투자효과가 크다는 점이다.

• (㉢)은/는 파생상품이나 차입을 이용하므로 수익률과 위험이 다른 전략에 비해 크다.

• (㉣) 전략은 예상대로 주식 가격이 하락하면 이익이 발생하지만 주식 가격이 상승하면 손실이 발생한다.

① ㉠ 매도전문 펀드

② ㉡ Long - Short

③ ㉢ 글로벌 매크로 전략

④ ㉣ 펀드 오브 헤지펀드

24 전환증권 차익거래자가 선호하는 전환사채와 거리가 먼 것은?

① 기초자산의 변동성이 크고 볼록성(Convexity)이 큰 전환사채

② 기초자산인 주식에서 배당률이 높은 전환사채

③ 낮은 전환프리미엄(Conversion premium)을 가진 전환사채

④ 낮은 내재변동성(Implied volatility)으로 발행된 전환사채

25 특별자산 펀드의 투자유형에 대한 설명으로 적절하지 않은 것은?

① 실물자산에 대한 직접 투자는 저장비용 등의 문제가 발생한다.

② 천연자원 기업에 대한 투자는 실물자산의 가격 움직임에 높은 베타를 가지고 있다.

③ 실물자산의 가격에 투자하는 가장 쉬운 방법은 선물계약이다.

④ 선물스왑은 투자자들이 원하는 실물투자를 제공해주는 반면 유동성이 적은 단점이 있다.

26 다음 중 각 나라와 주가지수의 연결이 올바르지 않은 것은?

① 미국: MSCI
② 일본: TOPIX
③ 독일: DAX
④ 영국: FTSE100

27 다음 중 기업의 입장에서 복수상장의 효과와 거리가 먼 것은?

① 인지도 상승
② 자본비용 절감
③ 거래비용의 절감
④ 외화자금의 조달 용이

28 해외 직접 주식투자 시 발생하는 세금문제에 대한 적절한 설명으로만 모두 묶인 것은?

┌─ 보기 ─────────────────────────────┐
│ ㉠ 해외 주식 양도소득 계산 시 기본공제 250만원이 적용된 │
│   다. │
│ ㉡ 해외 주식에 대한 양도소득세는 양도소득 과세표준의 │
│   16.5%(지방소득세 포함)이다. │
│ ㉢ 주식투자한 해당 국가에서 이미 세금을 원천징수했다면 │
│   국내에서는 양도소득세를 과세하지 않는다. │
│ ㉣ 국내 거주자가 해외 비상장 외국법인의 주식을 매매하고 │
│   발생한 양도차익은 양도소득세 과세대상에서 제외된다. │
└──────────────────────────────────┘

① ㉠
② ㉠, ㉣
③ ㉡, ㉣
④ ㉢

29 다음 중 딤섬본드에 대한 설명으로 적절하지 않은 것은?

① 외국기업이 홍콩에서 위안화 표시 채권을 발행하는 것이다.
② 표면이율이 위안화 가치의 방향성보다 중요하다.
③ 신용등급이 높은 회사채로 채권수익률이 낮은 편이다.
④ 만기가 2~3년 정도의 단기채가 많아 만기보유 전략이 선호되므로 회사채의 신용도가 중요하다.

30 해외 투자 시 환노출 헤지 방법으로 적절하지 않은 것은?

① 통화 파생상품을 이용한다.
② 아무런 헤지도 하지 않는다.
③ 투자대상국 통화로 단일화시킨다.
④ 투자대상 증권과 환율 간의 상관관계를 이용한 내재적 헤지를 한다.

31 재무활동으로 인한 현금흐름 중 현금유입 항목과 거리가 먼 것은?

① 차입금 차입
② 차입금 상환
③ 유상증자
④ 자기주식처분

32 A기업의 올해 총자산이익률(ROA)은 20%이다. 만약 총자산회전율이 2일 경우 매출액순이익률은 얼마인가?

① 2%
② 4%
③ 10%
④ 40%

33 안정성 지표에 대한 설명으로 적절하지 않은 것은?

① 기업이 활용하고 있는 레버리지의 크기를 나타낸다.
② 부채비율이 50%를 상회하면 지나친 레버리지를 사용하고 있는 것으로 간주된다.
③ 부채-자기자본비율은 주주들의 기대수익률과 음(-)의 관계이다.
④ 부채-자기자본비율은 100%를 초과할 수 있다.

34 다음 중 자기자본이익률(ROE)을 결정하는 구성요소와 거리가 먼 것은?

① $\dfrac{\text{영업이익}}{\text{매출액}}$

② $\dfrac{\text{순이익}}{\text{매출액}}$

③ $\dfrac{\text{매출액}}{\text{총자산}}$

④ $\dfrac{\text{총자산}}{\text{자기자본}}$

35 사내유보율이 40%, 요구수익률(K)은 12%, 자기자본이익률(ROE)이 20%일 경우, 항상성장모형을 이용한 PER은 얼마인가?

① 5
② 10
③ 15
④ 20

36 어느 기업의 투하자본이익률(ROIC)은 20%, 타인자본은 50억원, 자기자본은 50억원, 타인자본의 조달비용은 8%, 자기자본의 기회비용은 12%, 투하자본(IC)은 100억원일 때, EVA는 얼마인가?

① 4억원
② 6억원
③ 8억원
④ 10억원

37 다음 중 이동평균선을 이용한 분석방법과 거리가 먼 것은?

① 이격도 분석
② 방향성 분석
③ 저항선 분석
④ 거래량 분석

38 다음 〈보기〉에서 설명하는 지속형 패턴의 종류로 적절한 것은?

┌ 보기 ┐
• 그래프상 가장 빈번하게 나타나는 지속형 패턴 중 하나이다.
• 최소한 4번 이상 주가의 등락이 있어야 한다.
• 고점이 저항에 직면하지만 저점을 높이면서 매수세가 강화되는 패턴이다.
└─────┘

① 삼각형
② 깃발형
③ 직사각형
④ 다이아몬드형

39 다음 중 추세반전형 지표에서 매수신호로 볼 수 없는 것은?

① ROC가 1선을 중심으로 1선을 상향 돌파할 때
② 스토캐스틱의 %K선이 %D선을 상향 돌파하여 상승할 때
③ 스토캐스틱이 30% 이하로 내려갔다가 다시 재상승할 때
④ RSI가 25% 수준에서 하한선을 나타내는 경계신호로 약세장이 지속되어 하향 돌파할 때

40 다음 중 산업연관분석에 대한 설명으로 적절하지 않은 것은?

① 산업 간의 연관관계를 회귀분석 모형을 이용하여 파악한다.

② 국민소득통계에서 제외된 중간 생산물의 산업 간 거래를 포괄한다.

③ 각 산업의 경제성과와 경기변동의 시차를 분석하여 투자성과를 극대화하는 데에 유용하다.

④ 전·후방 산업의 수요와 공급 및 가격의 변화가 개별산업에 미치는 파급효과의 예측이 가능하다.

41 경제가 발전하여 고급요소 경쟁력의 상승이 두드러지게 나타나지만 국민들의 욕구가 높아지고 임금 상승이 급속히 이루어져 단순요소 경쟁력이 빠르게 하락하는 시기는 경제발전 단계 중 어디에 속하는가?

① 성장기

② 2차 전환점

③ 구조조정기

④ 성숙기

42 다음 〈보기〉의 내용 중 (   )에 공통으로 들어갈 내용으로 적절한 것은?

┤ 보기 ├

(   )은/는 집중률과 달리 산업 내 모든 기업의 시장점유율을 포함하므로 기업분포에 관한 정보를 정확히 내포하고 있다. 특히 대기업의 규모가 변화할 때 집중률은 불변이지만 (   )은/는 이러한 분포변화를 반영한다. 따라서 (   )은/는 기업규모 간의 불균등도와 대규모 소수기업의 집중도의 복합된 영향을 잘 반영하는 지수이다.

① 시장집중률지수

② HHI

③ 신무역이론

④ Petty의 법칙

43 다음 중 시장위험과 거리가 먼 것은?

① 상품가격위험

② 신용위험

③ 주식위험

④ 환위험

44 특정 회사의 거래포지션을 측정한 결과 신뢰수준 95% 하에서 계산한 1일 VaR이 10억원일 때 의미하는 바는?

① 향후 1일 동안 10억원을 초과하여 손실을 보게 될 확률이 5%이다.

② 향후 1일 동안 10억원을 초과하여 손실을 보게 될 확률이 95%이다.

③ 향후 1일 동안 10억원을 초과하여 이익을 보게 될 확률이 5%이다.

④ 향후 1일 동안 10억원을 초과하여 이익을 보게 될 확률이 95%이다.

45 옵션과 같은 비선형상품의 VaR을 오차 없이 측정할 수 있는 방법과 거리가 먼 것은?

① 델타분석법

② 스트레스 검증법

③ 역사적 시뮬레이션

④ 몬테카를로 시뮬레이션

46 옵션의 VaR을 델타−노말 방법으로 측정한 경우, 적절한 설명으로만 모두 묶인 것은?

> ㉠ 델타중립에 가까운 포지션을 취한 경우의 델타분석법에 의한 VaR은 1에 가깝다.
> ㉡ 오차를 줄이기 위해 델타−감마 근사치에 근거한 VaR을 구한다.
> ㉢ 감마가 (+)인 옵션 매입 포지션의 VaR 값은 과대 측정된다.

① ㉠
② ㉠, ㉡
③ ㉡, ㉢
④ ㉠, ㉡, ㉢

47 A자산의 개별 VaR은 3억원이고, B자산의 개별 VaR은 2억원이다. A자산과 B자산으로 구성된 포트폴리오를 보유하고 있을 때 포트폴리오 VaR에 대한 적절한 설명으로만 모두 묶인 것은?

> ㉠ 상관계수가 +1일 때 포트폴리오 VaR은 5억원이다.
> ㉡ 상관계수가 −1일 때 포트폴리오 VaR은 1억원이다.
> ㉢ 상관계수가 0(제로)일 때 포트폴리오 VaR은 3.6억원이다.

① ㉠, ㉡
② ㉡, ㉢
③ ㉠, ㉢
④ ㉠, ㉡, ㉢

48 어느 투자자가 A주식에 100억원을 투자한다고 가정할 때, 이 주식의 1일 수익률이 정규분포를 하고 1일 수익률의 표준편차가 3%이며, 95% 신뢰도 1일 VaR이 3억원이다. 이 경우 99% 신뢰도 1일 VaR과 99% 신뢰도 10일 VaR의 합은 얼마인가?

① 약 11.62억원
② 약 13.39억원
③ 약 17.62억원
④ 약 22.39억원

49 VaR의 한계점에 대한 설명으로 적절하지 않은 것은?

① VaR 측정이 과거와 현재의 데이터에 의존하여 추정된다는 사실이다.
② VaR 측정 시 모든 상품의 가격 자료를 필요로 하므로 이용에 제한이 있을 수 있다.
③ VaR을 어떤 모형에 사용하는가에 따라 그 측정치가 차이가 난다.
④ VaR은 보유기간에 따라서도 달라지게 된다.

50 스트레스 검증법에 대한 설명으로 적절하지 않은 것은?

① 과거 데이터가 없는 경우에도 사용할 수 있다.
② 과학적으로 VaR을 계산하지 못한다.
③ 다른 VaR 측정법의 대체방법이다.
④ 포트폴리오 리스크의 기본적인 구성요소인 상관관계를 제대로 계산하지 못한다.

■ 제3과목(직무윤리 및 법규/투자운용 및 전략 I/ 거시경제 및 분산투자): 51번~100번(50문항)

51 고객바로알기제도(Know Your Customer−Rule)에 대한 설명으로 적절한 것은?

① 모든 투자자를 대상으로 한다.
② 금융소비자 보호의무 중 금융상품판매 이전 단계에 해당한다.
③ 고객의 투자목적, 재산상황, 투자경험 등의 정보를 파악하고 반드시 서면으로 그 내용을 확인받아야 한다.
④ 고객바로알기제도(KYC)에 의하여 얻어진 금융소비자의 정보를 토대로 적합한 투자권유를 해야 한다.

52 설명의무에 대한 내용으로 적절하지 않은 것은?

① 투자자의 이해수준에 따라 설명의 정도를 달리하는 것은 설명의무 위반이다.

② 정보의 비대칭성으로 발생할 수 있는 불공정한 거래를 막기 위한 것이다.

③ 설명의무의 위반으로 일반투자자에게 손해가 발생한 경우 손해를 배상할 책임이 있다.

④ 설명의무를 위반하여 계약을 체결한 때에는 해당 약관을 계약의 내용으로 주장할 수 없다.

53 손실보전 등의 금지원칙과 가장 거리가 먼 것은?

① 투자자에게 일정한 이익을 사후에 제공하는 행위

② 투자자가 입은 손실의 전부 또는 일부를 사후에 보전하여 주는 행위

③ 투자자에게 일정한 이익을 보장할 것을 사전에 약속하는 행위

④ 회사가 자신의 위법 행위 여부가 불명확한 경우 사적 화해의 수단으로 손실을 보상하는 행위

54 다음 중 금융투자상품 판매 이후 단계의 금융소비자 보호 관련 제도에 대한 설명으로 적절하지 않은 것은?

① 보고 및 기록의무: 매매가 체결된 날의 다음 달 20일까지 월간 매매내역·손익내역, 월말 현재 잔액현황 및 미결제약정현황 등을 통지해야 한다.

② 판매 후 모니터링 제도: 금융소비자와 판매계약을 맺은 날로부터 7영업일 이내에 판매직원이 금융소비자와 통화하여 설명의무 이행 여부를 확인해야 한다.

③ 불완전판매 배상제도: 불완전판매행위가 발생하였을 경우 금융투자상품 가입일로부터 15일 이내 금융투자회사에 배상을 신청할 수 있다.

④ 판매수수료 반환 서비스: 금융소비자가 5영업일 이내에 환매, 상환 또는 계약의 해지를 요청하는 경우 판매수수료를 반환해야 한다.

55 영업장에 금융소비자를 위하여 전용 공간을 제공하는 경우 준수해야 할 사항으로만 모두 묶인 것은?

㉠ 고객 전용 공간은 직원과 분리되어야 한다.

㉡ 사이버룸의 경우 반드시 '사이버룸'임을 명기(문패 부착)하고 외부에서 내부를 볼 수 없도록 해야 한다.

㉢ 사이버룸을 이용할 때 고객의 편의를 위해 개별 직통전화 등을 사용할 수 있도록 제공해야 한다.

㉣ 고객 전용 공간에서 이루어지는 매매거래의 적정성을 모니터링해야 한다.

① ㉠, ㉣

② ㉠, ㉢

③ ㉡, ㉢

④ ㉢, ㉣

56 자산건전성의 분류에 대한 설명으로 적절한 것은?

① 금융투자업자는 매 분기마다 보유자산에 대해 '정상 – 요주의 – 고정 – 추정손실'의 4단계로 분류한다.

② 금융투자업자는 매 분기 말 '고정' 이하로 분류된 채권에 대하여 조기 대손상각하여 자산의 건전성을 확보해야 한다.

③ 금융투자업자는 자산건전성 분류기준의 설정 및 변경, 동 기준에 따른 자산건전성 분류 결과 및 대손충당금 등 적립 결과를 감독원장에게 보고해야 한다.

④ 금융투자업자는 '추정손실'로 분류된 부실자산에 대하여 적정한 회수예상가액을 산정해야 한다.

57 영업용 순자본비율 규제에 대한 설명으로 적절하지 않은 것은?

① 금융투자업자는 순자본비율을 100% 이상 유지해야 한다.

② 영업용 순자본비율이 100% 미만이 된 경우 지체 없이 금감원장에게 보고해야 한다.

③ 총위험액은 시장위험액과 신용위험액 그리고 운영위험액의 합으로 계산한다.

④ 순자본비율이 50% 미만인 경우 경영개선 조치를 요구한다.

58 다음 〈보기〉 중 투자자예탁금에 대한 적절한 설명으로만 모두 묶인 것은?

┤ 보기 ├
ⓐ 은행, 한국산업은행, 중소기업은행, 보험회사의 투자자의 예탁금은 신탁업자에게 신탁할 수 없다.
ⓑ 어떠한 경우에도 투자자예탁금을 양도하거나 담보로 제공할 수 없다.
ⓒ 예치 금융투자업자의 인가가 취소된 경우 투자자예탁금을 투자자에게 우선 지급해야 한다.
ⓓ 투자자예탁금을 장외파생상품에 운용하는 것은 불가능하다.

① ⓐ
② ⓑ, ⓒ
③ ⓒ, ⓓ
④ ⓓ

59 투자자문업자와 투자일임업자의 공통 금지행위로 적절하지 않은 것은?

① 선행매매
② 계약으로 정해진 수수료 이외의 대가를 추가로 받는 행위
③ 투자자의 자산을 집합하여 운용하는 행위
④ 금융투자인력이 아닌 자에게 투자권유나 투자일임을 수행하는 행위

60 투자일임업자의 투자일임보고서에 대한 설명으로 적절하지 않은 것은?

① 투자일임수수료를 부과하는 경우 그 시기 및 금액에 대하여 기재해야 한다.
② 투자일임보고서 작성대상 기간이 지난 후 2개월 이내에 직접교부해야 한다.
③ 3개월마다 1회 이상 일반투자자에게 투자일임보고서를 교부해야 한다.
④ 일반투자자가 전자우편을 통하여 투자일임보고서를 받는다는 의사표시를 한 경우 전자우편을 통하여 보낼 수 있다.

61 대주주와의 거래제한에 대한 설명으로 적절하지 않은 것은?

① 원칙적으로 금융투자업자는 대주주가 발행한 증권을 소유할 수 없다.
② 대주주 및 대주주의 특수관계인은 금융투자업자로부터 신용공여를 받는 것이 금지된다.
③ 대주주의 계열회사가 발행한 주식, 채권, 약속어음은 자기자본의 8%를 초과하여 소유할 수 없다.
④ 금융투자업자는 계열회사발행 증권을 한도 내에서 예외적으로 취득한 경우 재직이사 과반수의 찬성에 의한 이사회의 결의를 거쳐야 한다.

62 집합투자업자의 금전차입과 대여에 대한 설명으로 적절하지 않은 것은?

① 대량 환매청구 발생 시 순자산 총액의 10%까지 차입이 가능하다.
② 집합투자재산으로 부동산을 취득하는 경우 순자산의 200%까지 차입이 가능하다.
③ 부동산 금전차입 특례에 의한 차입금은 부동산을 운용하는 방법 이외의 투자는 금지된다.
④ 부동산 개발사업을 영위하는 법인에 대해 예외적으로 순자산 총액의 100%까지 금전대여가 가능하다.

63 신탁업자의 자산보관·관리보고서의 교부의무가 면제되는 경우와 거리가 먼 것은?

① 상장지수집합투자기구의 경우
② 환매금지형 집합투자기구인 경우
③ 투자자가 수령거부의사를 서면으로 표시한 경우
④ 투자자가 소유한 집합투자증권의 평가금액이 50만원 이하인 경우

64 금융투자업자의 경영공시 사유로 적절하지 않은 것은?

① 임직원의 형사처벌
② 회계감사를 받은 경우
③ 경영개선권고의 적기시정조치를 받은 경우
④ 직전 분기 말 자기자본의 100분의 10을 초과하는 부실채권이 발생한 경우

65 투자매매업자 또는 투자중개업자가 증권의 대차거래를 할 경우 준수할 사항과 거리가 먼 것은?

① 차입자로부터 담보를 받아야 한다.
② 증권의 대차거래 내역을 협회를 통하여 T+2일 이내 공시해야 한다.
③ 담보비율 관리·대차거래의 공시방법 등에 관한 필요 사항은 금융위가 정하여 고시한다.
④ 외국인 간의 대차거래 시 대상증권의 인도와 담보 제공을 동시에 이행하지 않아도 되는 예외가 인정된다.

66 시장질서 교란행위 규제에 대한 설명으로 적절하지 않은 것은?

① 정보이용 및 시세관여 교란행위로 구분된다.
② 시장질서 교란행위에 대해 5억원 이하의 과징금을 부과할 수 있다.
③ 매매유인이나 부당이득의 목적이 없다면 규제 대상에서 제외된다.
④ 풍문을 유포하여 상장증권 등의 수급 및 가격에 대해 오해를 유발하는 행위는 규제 대상이 된다.

67 다음 중 설명의무에 대한 금융투자협회 규정으로 적절하지 않은 것은?

① 설명의무는 일반투자자에게 적용된다.
② 일반투자자가 설명서의 수령을 거부한다면 교부하지 않아도 된다.
③ 금융투자회사는 협회의 권고안을 참고로 자율적으로 정한 설명서를 사용할 수 있다.
④ 투자자가 주식워런트증권 및 상장지수증권을 매매하는 경우 핵심설명서를 추가로 교부하고 그 내용을 충분히 설명해야 한다.

68 조사분석자료의 작성원칙에 대한 설명으로 적절하지 않은 것은?

① 금융투자회사의 임직원을 제외한 제3자의 작성은 금지된다.
② 조사분석자료가 타인의 부당한 압력이나 간섭 없이 작성되었음을 명시해야 한다.
③ 조사분석자료는 금융투자분석사의 확인 없이 공표하거나 제3자에게 제공해서는 안 된다.
④ 조사분석의 대가로 이해관계인으로부터 부당한 재산적 이득을 제공받으면 안 된다.

69 증권 인수업무 등에 관한 협회규정으로 적절하지 않은 것은?

① 금융투자회사는 대표주관계약을 체결할 경우 계약체결일로부터 5영업일 이내에 협회에 신고해야 한다.
② 기업공개를 위한 주식의 공모가격 산정 방법은 금융투자협회가 제시하는 가격평가모형에 의해 결정한다.
③ 기업공개를 위한 주식의 인수회사는 일반청약자에게 배정하는 전체 수량의 10% 이내에서 1인당 청약 한도를 설정한다.
④ 유가증권시장 상장을 위한 기업공개의 경우 우리사주조합원에게 공모주식의 20%를 배정한다.

70 다음 〈보기〉에서 설명하는 효율적 시장가설로 가장 적절한 것은?

> ┤ 보기 ├
>
> 어떤 투자자라도 정보가 공개되면 즉각적으로 주가에 반영되기 때문에 공개된 정보는 종목을 선정하는 데 아무런 도움이 되지 않는다. 따라서 공개된 정보로부터 이익을 얻는 것은 불가능하다.

① 비효율 시장가설
② 약형 효율적 시장가설
③ 준강형 효율적 시장가설
④ 강형의 효율적 시장가설

71 다음 중 전략적 자산배분의 실행방법 중 보편적으로 사용되고 있는 방법은?

① 시장가치 접근방법
② 위험수익 최적화 방법
③ 투자자별 특수상황을 고려하는 방법
④ 다른 유사한 기관투자가의 자산배분을 모방하는 방법

72 보험자산배분 전략에 대한 설명으로 적절하지 않은 것은?

① 미리 설정한 최소한의 수익률을 보장한다.
② 풋옵션을 결합하여 포트폴리오 보험의 수익구조를 만든다.
③ 최저 보장수익률 또는 목표수익률은 반드시 무위험자산수익률 이하로 결정해야 한다.
④ 미래 시장 상황에 대한 견해와 투자성과에 대한 예측을 반영하여 위험자산과 무위험자산의 투자자금의 비중을 결정한다.

73 다음 〈보기〉에서 설명하는 주가지수의 종목별 가중치로 적절한 것은?

> ┤ 보기 ├
>
> • 많은 거래비용이 발생한다.
> • 소형기업의 가중치가 높아지는 경향이 있다.
> • 각 종목의 상승률이 동일하지 않으면 가중치를 일치시키기 위하여 주기적으로 가중치를 조절해야 한다.

① 주가 가중방식
② 시가 가중방식
③ 유동시가 가중방식
④ 동일 가중방식

74 인핸스드 인덱스펀드에서 초과수익을 내는 방법으로 적절하지 않은 것은?

① 거래를 통한 초과수익을 추구한다.
② 시장 전체를 대상으로 하는 지수를 이용한다.
③ 더 나은 성과를 낼 수 있는 지수를 만들어 사용한다.
④ 매매 신호가 발생하더라도 일정기간 동안 유예기간을 줌으로써 회전율을 낮춘다.

75 델타헤징 전략의 단점이 아닌 것은?

① 투자기간에 대한 제한이 없다.
② 매매수수료가 과다하게 발생한다.
③ 사전에 수익·위험구조가 확정되지 않는다.
④ 실제의 모수가 미래의 모수보다 불리한 경우 수익률이 낮아질 수 있다.

76 다음 〈보기〉를 참고하여 전환사채 가격지표를 계산한 값과 거리가 먼 것은?

보기

- 액면가 10,000원인 전환사채의 전환가격은 20,000원이다.
- 전환사채 발행기업의 주가는 18,000원이다.
- 전환사채 시장가격은 11,000원이다.

① 패리티 가격 9,000원
② 패리티 90%
③ 괴리 1,000원
④ 괴리율 22.2%

77 다음 〈보기〉에서 설명하는 전환사채의 용어로 적절한 것은?

보기

주식적 측면에서 본 전환사채의 이론가치로서 현재의 주가가 전환가격을 몇 % 상회하고 있는가를 나타낸다.

① 전환가치
② 패리티
③ 괴리
④ 괴리율

78 전환권 행사 후 발행회사의 사채권이 존속하는 합성채권은?

① 교환사채
② 신주인수권부사채
③ 전환사채
④ 이익참가부사채

79 채권 가격결정에 대한 설명으로 적절하지 않은 것은?

① 이표율 < 수익률인 경우 액면가보다 싸게 거래된다.
② 시간이 지날수록, 만기가 짧아질수록 채권의 가격은 발행가격에 수렴한다.
③ 가격결정요인에는 요구수익률, 채권만기, 액면가 및 표면이율, 원리금지급방식 등이 있다.
④ 채권가격과 수익률은 역의 관계에 있고 볼록한 형태를 가진다.

80 맥컬레이 듀레이션의 특징으로 적절한 것을 모두 고르면?

㉠ 만기가 길수록 듀레이션은 길어진다.
㉡ 무액면금리채권의 만기와 듀레이션은 일치한다.
㉢ 이표채권은 액면금리가 낮을수록 듀레이션이 길어진다.
㉣ 듀레이션은 채권가격의 민감도를 나타낸다.

① ㉠
② ㉠, ㉡
③ ㉠, ㉡, ㉢
④ ㉠, ㉡, ㉢, ㉣

81 다음 중 채권운용전략에 대한 적절한 설명으로만 모두 묶인 것은?

㉠ 수익률 상승이 예상되면 현금보유비중을 늘리거나, 상대적으로 듀레이션이 짧고 표면금리가 높은 금리연동부채권 등을 매입하면 투자손실을 줄일 수 있다.
㉡ 잔존기간이 단축됨에 따라 수익률이 하락하는 효과를 이용하는 전략은 숄더효과이다.
㉢ 단기채권과 장기채권은 매도하고 중기채권만을 보유하는 전략을 블릿전략이라고 한다.
㉣ 미래상황의 예측에 따라 상대적으로 저평가된 다른 성격의 채권으로 교체하는 전략이 이종채권 교체전략이다.

① ㉠, ㉢, ㉣
② ㉠, ㉣
③ ㉡, ㉢
④ ㉢, ㉣

82 선물시장이 콘탱고 상태일 때 이를 이용한 차익거래 포지션은? (이론선물가격이 선물가격보다 낮은 상태를 가정)

① 현물 매수 + 선물 매도
② 현물 매도 + 선물 매수
③ 현물 매수 + 선물 매수
④ 현물 매도 + 선물 매도

83 현재 100억원의 주식 포트폴리오를 보유하고 있는 투자자가 KOSPI200 선물을 이용하여 헤지거래를 하고자 한다. 보유한 주식 포트폴리오의 베타는 1.2, KOSPI200 선물가격이 250pt일 때 선물계약수와 포지션은? (단, KOSPI200 선물의 거래승수는 25만원)

① 160계약 매수
② 160계약 매도
③ 192계약 매수
④ 192계약 매도

84 KOSPI200 현물지수가 206pt, 행사가격이 206pt인 콜옵션의 현재 가격이 10pt인 경우 만기와 행사가격이 동일한 유럽형 풋옵션의 가격은 얼마인가? (잔존만기 1년, 이자율은 연 4%)

① 1.98pt
② 2.00pt
③ 2.07pt
④ 2.10pt

85 풋-콜 패리티가 성립할 때 '콜옵션 매수 + 채권 매수' 포지션과 동등한 포지션은?

① 풋옵션 매도 + 주식 매도
② 풋옵션 매도 + 주식 매수
③ 풋옵션 매수 + 주식 매도
④ 풋옵션 매수 + 주식 매수

86 다음 〈보기〉는 옵션을 이용한 차익거래전략에 대한 설명이다. 빈칸 (㉠)~(㉢)에 들어갈 내용이 올바르게 연결된 것은?

| 보기 |

(㉠) 전략은 합성 매도 포지션과 현물 매수 포지션을 병행하는 전략이다. 여기서 합성 매도는 동일한 행사가격의 풋옵션 (㉡) + 콜옵션 (㉢)를 통해서 기초자산 가격의 하락 시 이익을 보도록 포지션을 구축하는 방법이다.

① 컨버전, 매도, 매수
② 컨버전, 매수, 매도
③ 리버설, 매도, 매수
④ 리버설, 매수, 매도

87 다음 중 옵션의 민감도 지표인 감마에 대한 설명으로 적절하지 않은 것은?

① 옵션 프리미엄의 기초자산 가격에 대한 2차 미분치라고 정의할 수 있다.
② 감마는 만기가 짧고 내가격 옵션일수록 크다.
③ 기초자산 변화에 따른 옵션 프리미엄 변화의 가속도로 해석할 수 있다.
④ 옵션의 만기가 다가올수록 감마는 점점 더 커진다.

88 펀드의 회계처리에 대한 설명으로 적절하지 않은 것은?

① 신뢰할 만한 시장가격이 없다면 공정가격으로 평가한다.
② 이익창출 활동과 관련하여 결정적 사건 또는 거래가 발생될 때 수익을 인식한다.
③ 유가증권 거래는 결제일을 기준으로 회계장부에 기록한다.
④ 현금의 수입 및 지출과 무관하게 거래가 발생한 시점에서 손익을 인식한다.

89 다음 중 기준지표에 대한 설명으로 적절한 것은?

① 시장지수는 일반성이 적은 펀드를 평가할 때 적합하다.
② 정상포트폴리오는 채권형 BM으로 많이 활용된다.
③ 맞춤 포트폴리오는 자산유형 중 특정한 분야나 특정한 성격을 지니는 대상만을 평가할 때 적합하다.
④ 섹터/style 지수는 운용에 특이한 제약조건이 없는 경우에 적합하다.

90 다음 중 위험조정성과지표의 종류와 거리가 먼 것은?

① 젠센알파
② 샤프지수
③ 트레이너지수
④ 잔차위험

91 다음 중 스타일분석에 대한 설명으로 적절하지 않은 것은?

① 펀드의 특징과 성과 원인을 가장 명확하게 설명해 준다.
② 펀드 내 자산의 배분비율 및 배분비율 변화 추이를 분석하는 것이다.
③ 다양한 투자스타일에 대한 노출 정도를 판단하기 위해 사용된다.
④ 샤프의 방법은 포트폴리오에 포함된 종목구성에 대한 정보 없이 포트폴리오와 스타일 지수의 수익률만을 이용하여 분석한다.

92 구축효과에 대한 설명으로 적절하지 않은 것은?

① LM곡선이 수평일 때 구축효과는 발생하지 않는다.
② 확대통화정책이 이자율을 상승시켜 민간투자를 위축시키는 현상이다.
③ 완전 구축효과가 발생한다면 정부지출의 증가에 의한 국민소득 증가효과는 없게 된다.
④ 구축효과에 의해 재정정책의 효과는 반감하게 된다.

93 다음 〈보기〉에서 설명하는 합리적 기대학파의 주장은 무엇인가?

┤ 보기 ├
합리적 경제주체는 현재 세금의 감소를 미래 세금의 증가로 인식하기 때문에 세금 감소는 민간의 저축을 증가시킬뿐 총수요에는 변동이 없다는 것이다. 합리적 기대학파는 정부 공채를 부(wealth)로 간주하지 않음으로써 소비가 증가하지 않아 총수요가 변동하지 않게 된다고 주장했다.

① 피구효과
② 피셔효과
③ 리카르도 불변 정리
④ 고전학파의 정책무용성 정리

94 경기종합지수(CI)를 구성하는 지표 중 선행지표와 거리가 먼 것은?

① 재고순환지표
② 코스피지수
③ 경제심리지수
④ 생산자제품재고지수

95 경기확산지수(DI)에 대한 설명으로 적절하지 않은 것은?

① 경기확산지수가 40일 때 경기는 하강국면으로 판단한다.
② 경기확산지수가 50일 때 경기의 전환점으로 본다.
③ 경기확산지수가 90에서 60으로 하락했다면 이는 하강국면으로 판단한다.
④ 경기변동의 진폭이나 속도의 측정은 불가능하다.

96 A주식의 차기 배당금(D_1)이 1,500원, 연간 성장률은 10%로 일정할 것이라고 예상되고 있다. 한편 무위험이자율(R_F)은 8%, 시장포트폴리오의 기대수익률과 분산은 각각 15%, 0.02, A주식과 시장포트폴리오의 공분산은 0.03이다. A주식의 요구수익률과 내재가치는 얼마인가?

① 16.5%, 23,076원
② 18.5%, 17,647원
③ 20.5%, 14,285원
④ 22.5%, 12,000원

97 다음 중 체계적 위험에 대한 적절한 설명으로만 모두 묶은 것은?

> ⊙ 충분한 분산투자로 제거 가능한 위험이다.
> ⓒ 시장수익률 변동과 관련된 위험이다.
> ⓒ 개별기업 고유 요인에 의해 발생되는 위험이다.
> ⓒ 시장수익률과의 공분산을 나타낸 것이다.

① ⊙, ⓒ
② ⊙, ⓒ
③ ⓒ, ⓒ
④ ⓒ

98 다음 설명 중 적절하지 않은 것은?

① 증권시장선(SML)은 개별 증권의 기대수익률과 위험의 관계를 나타낸다.
② 베타는 균형 상태에서 투자자들이 요구하는 개별증권에 대한 체계적 위험을 말한다.
③ 자본시장선(CML)상의 모든 점들은 효율적 포트폴리오를 나타내고 있다.
④ 어느 자산의 요구수익률이 13%, 기대수익률이 15%라면 증권시장선(SML) 위에 위치하므로 과대평가된 상태이다.

99 투자자금의 30%를 A주식에 투자하고 나머지 70%를 무위험자산에 투자하는 포트폴리오를 구성하였다. A주식의 베타가 1.2일 때 포트폴리오의 베타는 얼마인가?

① 알 수 없다.
② 0.25
③ 0.36
④ 0.58

100 다음 중 소극적 투자전략에 대한 설명으로 적절하지 않은 것은?

① 증권시장이 효율적인 것을 전제로 한다.

② 단순매입 · 보유전략은 비체계적 위험만 부담하게 된다.

③ 평균분할투자전략으로 탄력적인 자산배분을 실행하면 점차 적극적 투자관리 성향을 갖게 된다.

④ 증권시장 전망에 따라 주식시장지수펀드의 비중을 조절한다면 정보비용과 거래비용이 많아지게 된다.

투자자산운용사 실전 모의고사

정답과 해설

┃ 투자자산운용사 출제 유형 분석 ┃

과목	세부과목	주제	키워드
제1과목 **금융상품 및 세제** [20문항]	세제 관련 법규 / 세무전략 [7문항]	금융투자세제	국세기본법 / 소득세법 / 이자소득, 배당소득 및 양도소득 / 증권거래세법 / 기타금융세제
		절세전략	세무전략: 금융자산 / TAX-PLANNING
	금융상품 [8문항]	금융상품 개론	금융회사의 종류 / 금융상품의 개요
		예금 및 신탁 상품	예금의 구분 / 예금의 종류 / 신탁상품의 개념과 특징 / 신탁상품의 종류
		보장성 금융상품	생명보험상품 / 손해보험상품
		투자성 금융상품	금융투자상품의 개념 및 종류 / 펀드상품 / 기타 금융투자상품
		자산유동화증권의 구조와 사례	자산유동화증권(ABS)의 기본개념 / 자산유동화증권의 구조 / 자산유동화 사례
		주택저당증권	주택저당증권(MBS)
		퇴직연금	퇴직연금제도
	부동산 관련 상품 [5문항]	부동산 개론	부동산 투자의 기초 / 부동산 투자의 이해 / 부동산의 이용 및 개발
		부동산 투자상품의 이해	부동산 투자 구분 / 부동산 펀드의 이해 / 부동산 포트폴리오 / 부동산 가치평가 / 부동산 투자가치 분석 / 부동산 개발사업 사업타당성 평가
		리츠업무	부동산 간접투자제도 이해 / 부동산 투자회사법 이해
제2과목 **투자운용 및 전략Ⅱ /** **투자분석** [30문항]	대안투자운용 / 투자전략 [5문항]	대안투자운용 및 투자전략	대안투자상품 / 부동산 투자 / PEF(Private Equity Fund) / 헤지펀드 / 특별자산 펀드 / Credit Structure
	해외증권 투자운용 / 투자전략 [5문항]	해외증권 투자운용 및 투자전략	해외 투자에 대한 이론적 접근 / 국제 증권시장 / 해외 증권투자전략
	투자분석기법 [12문항]	투자분석기법 – 기본적 분석	증권분석의 개념 및 기본체계 / 유가증권의 가치평가 / 기업분석(재무제표 분석) / 주식투자
		투자분석기법 – 기술적 분석	기술적 분석 / 추세분석 / 패턴분석 / 캔들차트분석 / 지표분석 / 엘리어트 파동이론
		투자분석기법 – 산업분석	산업분석 개요 / 산업구조 변화분석 / 산업연관분석(Input-Output Analysis) / 라이프사이클 분석 / 경기순환 분석 / 산업경쟁력 분석 / 산업정책 분석
	리스크관리 [8문항]	리스크관리	리스크와 리스크관리의 필요성 / 시장 리스크(Market Risk)의 측정 / 신용 리스크 (Credit Risk)의 측정
제3과목 **직무윤리 및 법규 /** **투자운용 및 전략Ⅰ /** **거시경제 및** **분산투자** [50문항]	직무윤리 [5문항]	직무윤리	직무윤리 일반 / 금융투자업 직무윤리
	자본시장과 금융투 자업에 관한 법률 [7문항]	자본시장과 금융투자업에 관한 법률 / 금융위원회 규정	직무윤리의 준수절차 및 위반 시의 제재 / 총설 / 금융투자상품 및 금융투자업 / 금융투자업자에 대한 규제 · 감독 / 투자매매업자 및 투자중개업자에 대한 영업행위 규제 / 집합투자업자의 영업행위 규칙 / 투자자문업자 및 투자일임업자의 영업행위 규칙 / 신탁업자의 영업행위 규칙 / 증권 발행시장 공시제도 / 증권 유통시장 공시제도 / 기업의 인수합병(M&A) 관련 제도 / 집합투자기구(총칙) / 집합투자기구의 구성 등
	금융위원회 규정 [4문항]	금융위원회 규정	집합투자기구 관련 금융위원회 규정 / 장외거래 및 주식 소유제한 / 불공정거래행위에 대한 규제 / 금융기관 검사 및 제재에 관한 규정 / 자본시장조사업무규정
	한국금융투자협회 규정 [3문항]	한국금융투자협회 규정	금융투자회사의 영업 및 업무에 관한 규정 / 금융투자전문인력과 자격시험에 관한 규정 / 증권 인수업무 등에 관한 규정 / 금융투자회사의 약관운용에 관한 규정
	주식투자운용 / 투자전략 [6문항]	주식투자운용 및 투자전략	운용과정과 주식투자 / 자산배분 전략의 정의 및 준비사항 / 전략적 자산배분 / 전술적 자산배분 / 보험자산배분 / 주식 포트폴리오 운용전략 / 주식 포트폴리오 구성의 실제
	채권투자운용 / 투자전략 [6문항]	채권투자운용 및 투자전략	채권의 개요와 채권시장 / 채권 가격결정과 채권수익률 / 듀레이션과 볼록성 / 금리체계 / 채권운용전략
	파생상품투자운용 / 투자전략 [6문항]	파생상품투자운용 및 투자전략	파생상품 개요 / 선도거래와 선물거래의 기본 메커니즘 / 선물 총론 / 옵션 기초 / 옵션을 이용한 합성전략 / 옵션 프리미엄과 풋–콜 패리티 / 옵션 가격결정 / 옵션 및 옵션 합성 포지션의 분석
	투자운용결과분석 [4문항]	투자운용결과분석	서론 / 성과평가 기초사항 / 기준지표 / 위험조정 성과지표 / 성과 특성 분석 / 성과 발표 방법
	거시경제 [4문항]	거시경제분석	경제모형과 경제정책의 분석: IS-LM모형 / 이자율의 결정과 기간구조 / 이자율의 변동요인 분석 / 경기변동과 경기예측
	분산투자기법 [5문항]	분산투자기법	포트폴리오 관리의 기본체계 / 포트폴리오 관리 / 자본자산 가격결정 모형 / 단일 지표 모형 / 차익거래 가격결정이론 / 포트폴리오 투자전략과 투자성과평가

학습 전략	취약 과목 분석

전략 1 세제 관련 법규/세무전략은 이해보다는 암기가 필요한 과목이다. 국세기본법에서는 조세의 분류와 납세의무, 수정신고와 경정청구 관련 내용을, 소득세법에서는 소득세의 특징과 원천징수 및 소득의 구분을, 금융소득에서는 이자소득의 범위와 배당소득의 범위 및 금융소득 과세방법을, 양도소득에서는 양도소득의 범위와 개념을, 증권거래세에서는 과세대상과 납세의무자를 중심으로 학습을 해야한다. 또한 증여세와 금융소득종합과세 절세전략을 알아두어야 한다.

전략 2 금융상품은 예금 및 신탁, 보장성, 투자성 금융상품을 중심으로 종류 및 특징과 차이점을 학습해야 한다. 특히 자산유동화증권의 기본개념과 구조, 주택저당증권의 개념, 퇴직연금제도 또한 자주 출제되므로 각 제도의 이해 및 암기가 필요하다.

전략 3 부동산 관련 상품은 부동산 개론의 개념과 특성을 학습하고 부동산 가치평가와 투자분석을 이해하는 것이 중요하다. 또한 부동산 리츠업무와 부동산투자회사의 주요 내용에 대한 학습이 필요하다.

1회 ＿＿＿＿＿＿＿ 문항 /20문항

2회 ＿＿＿＿＿＿＿ 문항 /20문항

3회 ＿＿＿＿＿＿＿ 문항 /20문항

4회 ＿＿＿＿＿＿＿ 문항 /20문항

5회 ＿＿＿＿＿＿＿ 문항 /20문항

전략 1 대안투자상품과 전통적 투자상품의 특징을 구분하는 것이 중요하며, 부동산 투자와 PEF, 헤지펀드, 특별자산펀드 및 신용파생상품의 기본 개념과 특징을 학습해야 한다. 또한 해외투자의 효과와 환위험, 국제분산투자의 동기와 효과를 학습하고 국제주가지수의 종류와 특징을 정리해야 한다.

전략 2 기본적 분석에서는 항상성장모형에 의한 이론 주가 계산 및 재무제표 분석, 상대가치평가모형 등 계산문제를 대비해야 한다. 기술적 분석에서는 갭의 종류별 특징, 지표의 구분, 다우이론과 엘리어트 파동이론이 자주 출제된다. 산업분석에서는 산업의 분류, 페티의 법칙과 호프만의 법칙, 단순요소와 고급요소의 구분이 자주 출제된다.

전략 3 리스크관리는 VaR을 측정하는 계산 공식을 반드시 암기하여 계산문제에 대비하는 것이 중요하다. 또한 델타분석법, 역사적 시뮬레이션법, 스트레스 검증법, 몬테카를로법의 차이점을 구분할 수 있어야 한다.

1회 ＿＿＿＿＿＿＿ 문항 /30문항

2회 ＿＿＿＿＿＿＿ 문항 /30문항

3회 ＿＿＿＿＿＿＿ 문항 /30문항

4회 ＿＿＿＿＿＿＿ 문항 /30문항

5회 ＿＿＿＿＿＿＿ 문항 /30문항

전략 1 직무윤리의 적용대상과 금융투자업 직무윤리의 기본적의 의무를 암기해야 한다. 사례를 예시로 직업윤리의무를 연결하는 형태의 문제가 출제될 가능성이 높다. 또한 고객에 대한 의무와 소속회사에 대한 의무 및 직무윤리 준수절차 및 위반 시 제재에 대한 학습이 필요하다.

전략 2 '자본시장과 금융투자업에 관한 법률'과 '금융위원회의 규정'은 별도로 구분하여 학습하는 것이 어려우며 광범위하게 출제되므로 개념 중심의 반복 학습이 중요하다. 특히 각종 규제에 대한 이해와 증권의 발행 공시제도, 기업의 인수합병 등의 내용을 정리할 필요가 있다. 한국금융투자협회 규정은 출제문항수와 그 내용이 많지 않은 단순 암기과목으로 투자권유, 조사분석자료, 투자광고와 표준약관 및 수정약관과 분쟁조정 절차의 결정을 중심으로 학습해야 한다.

전략 3 주식투자운용 및 투자전략은 전략적, 전술적 자산배분전략의 이론적 배경과 실행방법이 중요하다. 또한 보험 자산배분의 전략, PF 보험의 특징과 포트폴리오에 대한 학습이 필요하다. 채권투자운용 및 투자전략은 암기보다는 채권 시장에 대한 이해가 필요한 부분이므로 정확한 개념정리와 전략에 대한 이해가 중요하다.

전략 4 투자운용 분석결과는 펀드와 GIPS의 회계처리 및 수익률 계산과 투자위험의 내용, 각종 지표와 포트폴리오 및 스타일 분석 등에 대한 학습이 중요하다. 거시경제는 기본개념 중심의 학습이 필요하며 IS곡선과 LM곡선, 구축효과, 유동성함정 등 자주 출제되는 개념에 집중하는 것이 좋다. 또한 이자율의 결정과 기간구조, 경제변수의 변화에 따른 이자율의 변동 방향과 주요경제변수, 경기변동요인과 경기예측이 중요하다. 분산투자기법에서는 포트폴리오의 기대수익률과 위험의 계산, 투자자의 위험에 대한 태도와 무차별효용곡선의 이해, 자본자산가격 결정모형의 비교가 중요하다.

1회 ＿＿＿＿＿＿＿ 문항 /50문항

2회 ＿＿＿＿＿＿＿ 문항 /50문항

3회 ＿＿＿＿＿＿＿ 문항 /50문항

4회 ＿＿＿＿＿＿＿ 문항 /50문항

5회 ＿＿＿＿＿＿＿ 문항 /50문항

투자자산운용사 실전 모의고사

| 제1회 |

빠른 채점표

01	②	02	③	03	①	04	①	05	④	06	①	07	①	08	③	09	④	10	①
11	①	12	④	13	①	14	②	15	③	16	③	17	①	18	②	19	②	20	①
21	①	22	④	23	②	24	③	25	②	26	③	27	③	28	②	29	①	30	③
31	②	32	④	33	③	34	③	35	④	36	③	37	②	38	②	39	④	40	③
41	③	42	①	43	①	44	②	45	②	46	③	47	①	48	②	49	③	50	②
51	④	52	③	53	③	54	②	55	①	56	②	57	①	58	④	59	②	60	④
61	④	62	②	63	②	64	①	65	②	66	②	67	②	68	①	69	③	70	①
71	②	72	②	73	②	74	①	75	②	76	③	77	④	78	③	79	④	80	②
81	③	82	②	83	②	84	③	85	②	86	①	87	①	88	④	89	④	90	②
91	③	92	②	93	①	94	③	95	②	96	②	97	③	98	③	99	③	100	③

전 문항 해설특강 바로보기

제1과목 (01~20)

제2과목(1) (21~35)

제2과목(2) (36~50)

제3과목(1) (51~62)

제3과목(2) (63~81)

제3과목(3) (82~100)

01~07 │ 세제 관련 법규/세무전략

01 ② 출제빈도 중

출제영역 금융투자세제 > 국세기본법 > 조세의 정의와 분류

세율의 구조에 따라 비례세와 누진세로 구분한다.

02 ③ 출제빈도 중

출제영역 금융투자세제 > 국세기본법 > 수정신고, 경정청구 및 기한 후 신고

법정신고기한까지 과세표준신고서를 제출하지 않은 자는 관할 세무서장이 신고하지 않은 과세표준과 세액을 결정하여 통지하기 전까지 기한 후 과세표준신고서를 제출할 수 있다. 이 경우 납부해야 할 세액과 가산세를 신고와 함께 납부해야 한다. 또한 과세표준신고서를 법정신고기한이 지난 후 6개월 이내에 기한 후 신고를 한 경우에는 그 경과기간에 따라 해당 가산세액의 일부를 경감받을 수 있다.

03 ① 출제빈도 상

출제영역 금융투자세제 > 소득세법 > 우리나라 소득세 제도의 특징

ⓒ 정부부과제도 → 신고납세제도
ⓒ 부부단위과세제도 → 개인단위과세제도

┌─ │ 핵심 개념 │ 우리나라 소득세 제도의 특징 ─
│ 1. 종합과세제도: 소득을 그 종류에 관계없이 일정한 기간을 단위로 합산하
│   여 과세하는 방식
│ 2. 신고납세제도: 납세의무자의 신고에 의하여 조세채권이 확정되는 방식
│ 3. 개인단위과세제도: 현행 소득세법의 원칙으로 개인별 소득을 기준으로
│   과세하는 방식
│ 4. 6~45%의 초과누진세율: 부담능력에 따른 과세와 소득 재분배 기능을
│   강조하기 위한 방식
└─────────────────────────────

04 ① 출제빈도 상

출제영역 금융투자세제 > 이자소득, 배당소득 및 양도소득 > 이자소득과 배당소득

채권의 매매차익은 이자소득이 아니다. 다만, 채권 또는 증권의 환매조건부 매매차익의 경우 이자소득으로 본다.

┌─ │ 핵심 개념 │ 채권 또는 증권의 환매조건부 매매차익 ─
│ 금융기관이 시장가격에 의하지 않고 환매기간에 따른 사전 약정이율을 적용
│ 하여 결정된 가격으로 환매수 또는 환매도하는 조건으로 매매하는 채권 또
│ 는 증권의 매매차익을 말한다. 일반적인 채권의 매매차익은 이자소득에 해
│ 당되지 않지만 환매조건부 매매차익은 이자소득으로 본다.
└─────────────────────────────

05 ④ 출제빈도 상

출제영역 금융투자세제 > 이자소득, 배당소득 및 양도소득 > 금융소득에 대한 과세방법

ISA(개인종합자산관리계좌)의 비과세 한도 초과 이자·배당소득은 9%의 세율로 분리과세된다.

06 ① 출제빈도 상

출제영역 절세전략 > 세무전략: 금융자산 TAX-PLANNING > 증여세 절세전략

증여세는 증여자별·수증자별로 과세되므로 한 사람의 수증자에게 같은 금액을 증여하더라도 증여자를 여러 명으로 하면 증여세를 줄일 수 있다.

07 ① 출제빈도 하

출제영역 절세전략 > 세무전략: 금융자산 TAX-PLANNING > 절세할 수 있는 올바른 투자방법

금융소득 종합과세가 적용되면 모든 금융소득을 합하여 세금을 부과하기 때문에 여러 군데의 금융기관을 이용하면 어느 금융기관에서 얼마의 금융소득이 발생하였는지 일일이 관리해야 하고 때로는 금융소득 일부를 감안하지 못하여 세금상 불이익을 받는 경우도 생길 수 있다. 따라서 개인도 기업처럼 주거래은행을 정해 놓고 일괄적으로 금융자산을 관리하는 것이 필요하다. 금융기관은 고객에게 금융자산 전반에 관한 조언이나 관리를 해 줄 수 있는 곳을 선택하는 것이 중요하다.

08~15 │ 금융상품

08 ③ 출제빈도 중

출제영역 금융상품 개론 > 금융회사의 종류 > 금융회사의 종류

중소기업은행은 특수은행이다.

┌─ │ 핵심 개념 │ 비은행 금융회사 ─
│ 1. 상호저축은행
│ 2. 신용협동기구: 신용협동조합, 새마을금고, 농업협동조합, 수산업협동조합
│   및 산림조합의 상호금융 등
│ 3. 우체국예금
└─────────────────────────────

09 ④ 출제빈도 중

출제영역 금융상품 개론 > 금융회사의 종류 > 금융회사의 종류

금융투자상품의 운용은 투자매매업자의 업무로 적절하지 않다. 투자매매업자는 누구의 명의로 하든지 자기의 계산으로 금융투자상품의 매도·매수 증권의 발행·인수 또는 그 청약의 권유, 청약, 청약의 승낙을 영업으로 하는 금융투자업자를 말한다.

10 ①

출제영역 투자성 금융상품 > 펀드상품 > 집합투자기구 관계회사

집합투자재산의 보관 및 관리를 담당하는 회사는 신탁업자이다.

| 오답 해설 |

② 집합투자업자: 집합투자재산의 운용을 담당
③ 일반 사무관리회사, 집합투자기구 평가회사, 채권평가회사:
투자회사의 위탁을 받아 투자회사의 주식의 발행 및 명의개
서, 투자회사의 재산 계산, 법령 또는 정관에 의한 통지 및 공
고, 이사회 및 주주총회의 소집과 개최 의사록 작성 등에 관
한 업무를 수행
④ 투자매매업자·투자중개업자: 집합투자증권의 판매를 담당

11 ①

출제영역 투자성 금융상품 > 펀드상품 > 환매, 평가 및 회계

투자자는 그 집합투자증권을 판매한 투자매매업자 또는 투자중
개업자에게 환매를 청구해야 한다. 다만, 해산 인가취소 또는 업
무정지, 천재지변 등으로 인한 전산장애, 그 밖에 이에 준하는
사유로 인하여 정상적 업무가 곤란하다고 금융위원회가 인정한
경우 등 투자매매업자 또는 투자중개업자가 환매청구에 응할 수
없는 경우에는 해당 집합투자기구의 집합투자업자에게 직접 청
구할 수 있다.

12 ④

출제영역 투자성 금융상품 > 기타 금융투자상품 > 주식워런트증권(ELW)

주식과 달리 ELW(주식워런트증권)는 높은 가격 변동성을 고려
하여 가격제한폭을 적용하지 않는다.

┌ | 핵심 개념 | ELW(주식워런트증권)
│ • 특정 주식이나 주가지수 등 기초자산을 미리 정한 조건에 따라 미래에 사
│   거나 팔 수 있는 권리가 붙은 증권(상품)이다.
│ • 살 수 있는 권리가 부여된 상품을 콜 워런트, 팔 수 있는 권리가 부여된 상
│   품을 풋 워런트라 한다.
│ • 기초자산이 오를수록, 행사가격이 낮을수록 콜 워런트는 상승(↑) 풋 워런
│   트는 하락(↓)한다.

13 ①

출제영역 자산유동화증권의 구조와 사례 > 자산유동화증권(ABS)의 기본
개념 > 자산유동화의 기본개념

자산보유자의 신용도와 분리되어 자산 자체의 신용도로 발행된다.

┌ | 핵심 개념 | ABS(자산유동화증권)의 의미
│ 자산유동화증권이란 기업이나 금융기관이 보유하고 있는 자산을 표준화하
│ 고 특정 조건별로 집합(Pooling)하여 이를 유동화 회사에 양도하고, 해당 유
│ 동화 전문회사가 이러한 자산을 기초로 하여 증권을 발행하고 기초자산의
│ 현금흐름을 이용하여 증권을 상환하는 일련의 행위를 의미한다.

14 ②

출제영역 주택저당증권 > 주택저당증권(MBS) > 저당대출시장

MBS(주택저당증권)는 만기가 20~30년인 장기금융상품으로 조
기상환 리스크에 노출될 가능성이 크다.

15 ③

출제영역 퇴직연금 > 퇴직연금제도 > 퇴직연금제도 유형

장기근속을 유도하고자 하는 기업에 적합한 제도는 확정급여형
(DB형) 퇴직연금제도이다.

┌ | 핵심 개념 | 퇴직연금제도별 적합한 기업
│ 1. 확정급여형(DB형) 퇴직연금제도
│   • 임금상승률이 높은 기업
│   • 장기근속을 유도하고자 하는 기업
│   • 연공급 임금체계, 누진제 적용 기업
│   • 경영이 안정적이고 영속적인 기업
│ 2. 확정기여형(DC형) 퇴직연금제도
│   • 연봉제, 임금피크제 적용 기업
│   • 재무구조 변동이 큰 기업
│   • 근로자들의 재테크 관심이 높은 기업

▌제1과목(금융상품 및 세제)

16~20 | 부동산 관련 상품

16 ③

출제영역 부동산 개론 > 부동산 투자의 기초 > 부동산의 개념과 특성

용도의 다양성은 부동산의 인문적 특성이다.

┌ | 핵심 개념 | 부동산의 특성
│ 1. 부동산의 자연적 특성
│   • 부동성(지리적 위치의 고정성)
│   • 영속성(내구성·불변성·비소모성)
│   • 부증성(비생산성)
│   • 개별성(비동질성·비대칭성)
│ 2. 부동산의 인문적 특성
│   • 용도의 다양성
│   • 합병·분할의 가능성
│   • 사회적·경제적·행정적 위치의 가변성

17 ①

출제영역 부동산 개론 > 부동산 투자의 기초 > 부동산의 경제적 측면

부동산 시장은 부동산의 특성 때문에 일반재화의 시장과는 다른
특성을 가지는데 그 특성에는 시장의 국지성, 거래의 비공개성, 부
동산 상품의 비표준화성, 시장의 비조직성, 수요공급의 비조절성
등이 있다.

18 ②

출제영역 부동산 개론 > 부동산 투자의 이해 > 부동산 투자 개요

토지의 면적에 대해서는 토지대장을, 토지의 형상에 대해서는 지적도를, 토지의 용도지역지구제 적용에 따른 활용 가능성에 대해서는 토지이용계획확인서를 통해 확인할 수 있다. 이 외의 등기부등본은 소유권 및 기타 권리를 확인하는 서류이다.

19 ②

출제영역 부동산 투자상품의 이해 > 부동산 펀드의 이해 > 부동산 펀드의 유형별 특징

프로젝트 파이낸싱은 프로젝트로부터 발생하는 미래의 현금흐름을 담보로 하여 개발사업에 필요한 자금을 조달하는 금융기법이다. 하지만 복잡한 계약 및 금융절차, 상대적으로 높은 금융비용, 이해당사자간 조정의 어려움 등의 단점이 있다.

| **핵심 개념** | **부외금융**

재무재표상 부채에 나타나지 않고 자본을 조달하는 방법으로, 프로젝트 회사로 부채가 잡혀 사업주는 부채 부담이 없다.

20 ①

출제영역 부동산 투자상품의 이해 > 부동산 가치평가 > 부동산 감정평가 3방식

환원이율이 작을수록 부동산의 가치는 커진다.
예 • 순수익 10억원 ÷ 환원이율 10% = 부동산 가치 100억원
• 순수익 10억원 ÷ 환원이율 5% = 부동산 가치 200억원

| **핵심 개념** | **직접환원법에 의한 부동산 가치**

수익가격(부동산 가치) = 순영업소득 ÷ 자본환원율
직접환원법은 대상 부동산의 순수익을 환원이율로 직접 수익환원하여 수익가격을 구하는 방법이다. 이 방법은 내용연수가 무한하여 순수익이 영구적인 경우에 적용하므로 투하자본에 대한 회수가 불필요하다.

▌제2과목(투자운용 및 전략 II/투자분석)

21~25 | 대안투자운용/투자전략

21 ①

출제영역 대안투자운용 및 투자전략 > 부동산 투자 > 부동산 금융과 부동산 투자의 평가

부동산금융은 부동산을 대상으로 한 금융으로 주택금융과 수익형 부동산에 대한 금융으로 나눌 수 있다. 주택금융은 담보대출이 대표적이며, 수익형 부동산에 대한 금융은 부동산이 창출하는 현금흐름을 전제로 하여 자금을 조달하는 부동산증권과 부동산개발금융으로 구분된다.

| **핵심 개념** | **부동산금융**

1. 자산담보부증권(ABS): 보유하고 있는 자산을 담보로 발행된 증권
2. 주택저당증권(MBS): 주택자금으로부터 발생하는 채권과 채권의 변제를 위해 담보로 확보하는 저당권을 기초자산으로 발행하는 증권으로 자산담보부증권(ABS)과 달리 유동화 중개기관이 있음
3. 부동산투자회사(REITs): 다수의 투자자들로부터 모은 자금을 부동산 및 관련 사업에 투자한 후 투자자에게 배당을 통해 이익을 분배하는 회사(REITs의 지분은 증권시장에 상장됨으로써 유동성이 확보되고 일반투자자들도 소액의 자금으로 부동산 투자가 가능함)

22 ④

출제영역 대안투자운용 및 투자전략 > PEF(Private Equity Fund) > PEF(Private Equity Fund)의 개념

무한책임사원의 자기거래 금지 및 무효조항과 유한책임사원의 감독권 등은 무한책임사원의 도덕적 해이를 통제하는 보조적 수단으로 활용된다.

23 ②

출제영역 대안투자운용 및 투자전략 > 헤지펀드 > 헤지펀드의 개요

헤지펀드 운용자 자신이 고액의 자기 자금을 투자할 수 있다.

| **핵심 개념** | **헤지펀드의 주요 요소**

1. 통상적인 집합투자기구에 부과되는 차입(Leverage)규제를 받지 않아 높은 수준의 차입을 활용할 수 있다.
2. 운용보수 및 성과보수를 부과한다.
3. 분기, 반기 또는 연별로 정기적 펀드의 매각이 인정된다.
4. 헤지펀드 운용자 자신이 고액의 자기 자금을 투자할 수 있다.
5. 투기적 목적으로 파생상품을 활용할 뿐만 아니라 공매도(Short Stock Selling)도 가능하다.
6. 다양한 리스크 또는 복잡한 구조의 상품에 투자하는 요소를 지닌다.

24 ③

출제영역 대안투자운용 및 투자전략 > 헤지펀드 > 전환증권 차익거래

매도해야 하는 주식 수 = 전환사채 가격 ÷ 전환 가격 × 전환사채의 델타 = $\$1,000 ÷ \$75 × 0.65 = 8.6667$

| **핵심 개념** | **델타 헤징**

전환증권의 델타는 기초자산 주식 가격의 변동에 따른 전환증권의 가격의 변동으로 표현된다. 전환증권 차익거래는 전환증권의 매수와 델타만큼 매도되는 기초주식으로 구성되는데, 전환증권매수는 이론가에서 할인되어 거래되는 것에서 수익기회를 찾고, 주식 매도 포지션은 주식 시장의 노출을 줄여주는 역할을 한다. 이때 헤지비율은 델타중립을 구축하기 위하여 매도해야 하는 주식의 수를 말한다.

25 ②

출제빈도 중

출제영역 대안투자운용 및 투자전략 > Credit Structure > CDO의 이해

신용등급 평가요소에 해당하는 것은 기대 신용손실이다.

┌─ | **핵심 개념** | **신용등급 평가요소 및 기관** ─

1. CDO 신용등급 평가요소: 자산의 질, 기대 신용손실, 신용보강, 거래구조, 자산운용매니저, 법적위험, 거래감시
2. 신용평가기관: JP Morgan, Fitch, S&P, Moody's

▌제2과목(투자운용 및 전략 Ⅱ/투자분석)

26~30 │ 해외증권 투자운용/투자전략

26 ③

출제빈도 상

출제영역 해외증권 투자운용 및 투자전략 > 해외 투자에 대한 이론적 접근 > 해외 투자의 동기 및 효과

| 오답 해설 |

① MSCI 지수의 산출기준은 시가총액 방식이 아닌 '유동주식 방식'이다.
② MSCI 지수는 크게 미국, 유럽 등 선진국 중심의 세계지수(World Index)와 중국, 인도, 브라질 등의 신흥시장 지수(Emerging Markets Index)로 나눌 수 있다. 이 가운에 한국 시장이 포함되는 지수는 신흥시장 지수이다.
④ MSCI 한국지수는 주가의 등락뿐 아니라 환율의 변동도 반영되므로 주가가 오르더라도 원화가치가 크게 떨어졌다면 지수는 하락할 수도 있다. 이는 달러로 환산한 주가지수로 이해하면 된다.

┌─ | **핵심 개념** | **시가총액 방식과 유동주식 방식** ─

• 시가총액 방식: 정부 보유지분이나 계열사 간 상호 보유지분 등 시장에서 유통되지 않는 주식까지 합쳐서 계산하기 때문에 실제 공개시장에 대한 영향력을 정확히 반영하지 못한다는 단점이 있다.
• 유동주식 방식: 정부 보유 및 계열사 보유 지분 등 시장에서 유통되기 어려운 주식을 제외한 실제 유동주식을 기준으로 비중을 계산한다.

27 ③

출제빈도 상

출제영역 해외증권 투자운용 및 투자전략 > 해외 투자에 대한 이론적 접근 > 해외 투자와 환위험

외국의 주식에 투자하는 경우 투자대상 주식의 수익률은 대상국의 통화로 표시되는 반면 투자자의 투자수익률은 본국의 통화로 계산된다. 따라서 투자기간 동안 두 통화 간의 환율이 변하면 그로 인한 손익이 국제투자의 수익률에 큰 영향을 미친다.

28 ②

출제빈도 상

출제영역 해외증권 투자운용 및 투자전략 > 국제 증권시장 > 국제 주식시장의 의의와 변화

본국에 상장되지 않은 기업이 외국 거래소에 바로 상장하는 것은 직상장이다.

| 오답 해설 |

① DR(주식예탁증서): 해외주식이 당해 국가의 은행에 예탁되고, 예탁된 주식을 바탕으로 현지의 거래소에서 가장 거래되기 편리하고 유동성을 높일 수 있는 형태로 전환하여 상장한다.
③ 복수상장: 본국 상장 기업이 본국과 해외거래소에 주식을 상장시키는 것이다.
④ 원주상장: 외국주식이 DR 형태를 취하지 않고 원주(元株)가 그대로 상장되도록 하는 형태이다.

29 ①

출제빈도 상

출제영역 해외증권 투자운용 및 투자전략 > 국제 증권시장 > 국제 채권시장의 의의와 구조

한국기업이 미국에서 발행한 미달러 표시의 채권은 양키본드이다.

┌─ | **핵심 개념** | **유로채와 외국채** ─

해외자금조달 수단으로서 국제 채권은 유로채와 외국채로 나누어진다. 미국 달러 표시 채권이 미국 이외의 국가에서 발행될 경우 유로(달러)채가 되며 미국에서 비거주자에 의해서 발행될 경우 외국채가 된다. 외국채는 발행지 국가에 따라 별명이 붙어있는데 미국에서 발행되는 외국채를 양키본드, 일본에서 발행되는 외국채를 사무라이본드라고 하며 우리나라에서 발행되는 외국채를 김치본드라 한다.

30 ③

출제빈도 상

출제영역 해외증권 투자운용 및 투자전략 > 국제 증권시장 > 국제 채권시장의 의의와 구조

해외 주식 정보 습득은 해외 주식투자 시 매우 중요하지만, 반드시 체크해야 될 사항과는 거리가 멀다. 해외 주식투자에 있어서 직접 종목을 고르기는 매우 어렵다. 정보 습득의 한계와 정보의 적시성 등에서 문제가 발생할 수 있기 때문에 철저한 준비와 정보 습득의 루트 그리고 언어의 장벽을 뛰어 넘을 수 있는 훈련이 필요하다.

┌─ | **핵심 개념** | **직접 해외 주식투자 시 필수 체크 사항** ─

1. 온라인 또는 오프라인 거래 가능 여부
2. 거래 시간
3. 거래 수수료
4. 거래통화
5. 기타 제비용(인지세 부과 여부 등)
6. 해외 주식 투자 세금

31~42 | 투자분석기법

31 ②
출제빈도 중

출제영역 투자분석기법 – 기본적 분석 > 증권분석의 개념 및 기본체계 > 가치평가와 현금흐름

현금흐름은 세후 기준으로 추정되어야 한다.

| 핵심 개념 | **현금흐름 추정의 기본원칙**

1. 현금흐름은 증분 기준으로 추정되어야 한다.
2. 현금흐름은 세후 기준으로 추정되어야 한다.
3. 현금흐름의 추정에는 해당 투자안에 의한 모든 간접적 효과도 고려되어야 한다.
4. 현금흐름을 추정할 때 현금유입과 현금유출의 시점을 정확히 추정해야 한다.
5. 현금흐름을 추정할 때 매몰원가는 고려의 대상이 아니나 기회비용은 고려해야 한다.

32 ④
출제빈도 중

출제영역 투자분석기법 – 기본적 분석 > 증권분석의 개념 및 기본체계 > 증권분석을 위한 통계 기초

범위(Range)는 중심위치를 나타내는 대표치와 거리가 멀다.

| 핵심 개념 | **증권분석을 위한 통계 기초**

통계자료의 분포 특성을 하나의 수치로 요약하는 기준으로는 중심위치, 산포 경향 등이 있다.

1. 중심위치
   자료가 어떤 값을 중심으로 분포하는가를 나타내는 대표치로 산술평균, 최빈값, 중앙값 등이 자주 쓰인다.
   - 산술평균: 변수들의 총합을 변수의 개수 n으로 나눈 값
   - 최빈값: 빈도수가 가장 높은 관찰치
   - 중앙값: 관찰치의 크기를 순서대로 나열하였을 때 정 가운데 있는 값
2. 산포 경향
   자료가 중심위치로부터 어느 정도 흩어져 있는가를 나타내는 지표로 범위, 평균편차, 분산, 표준편차 등이 자주 쓰인다.
   - 범위: 최대값 – 최소값
   - 평균편차: 각각이 평균으로부터 떨어진 거리들의 평균
   - 분산: 각각이 평균으로부터 떨어진 거리의 제곱들의 평균
   - 표준편차: 분산의 제곱근

33 ③
출제빈도 상

출제영역 투자분석기법 – 기본적 분석 > 유가증권의 가치평가 > 보통주의 가치평가를 위한 성장모형

- 내년 주당순이익 $2,000$원$(EPS_1) \times 30\% = 600$원$(D_1)$
- 600원 $\div (12\% - 8\%) = 15,000$원

| 핵심 개념 | **항상성장모형 공식**

항상성장모형에 의한 주가 = $D_1 \div K - g$
- D_1 = 차기연도 배당금 = $D_0 \times (1 + g)$ 또는 $EPS_1 \times$ 배당성향(배당률)
- K = 요구수익률
- g = 성장률 = 내부유보율(RR) × 자기자본이익률(ROE)
   = RR(내부유보율) = 1 – 배당성향(배당률)
   = ROE(자기자본이익률) = 순이익 ÷ 자기자본

34 ③
출제빈도 하

출제영역 투자분석기법 – 기본적 분석 > 기업분석(재무제표 분석) > 기업분석의 개념

이자보상비율은 손익계산서 항목으로만 구성되어 있다.

| 핵심 개념 | **재무제표별 재무비율**

1. 재무상태표 항목으로 구성된 것: 유동비율, 당좌비율, 현금비율, 부채비율
2. 손익계산서 항목으로 구성된 것: 매출액순이익률, 매출액영업이익률, 이자보상비율
3. 재무상태표와 손익계산서 항목이 혼합된 것: 총자산이익률, 자기자본이익률, 총자산회전율, 재고자산회전율

35 ④
출제빈도 중

출제영역 투자분석기법 – 기본적 분석 > 기업분석(재무제표 분석) > 수익성 지표

'자기자본이익률=총자산이익률×(총자산 ÷ 자기자본)'의 공식에서 자기자본이익률이 총자산이익률의 4배가 되기 위해서는 '총자산 ÷ 자기자본=4'가 나오면 된다.
- 총자산 $4,000$원 ÷ 자기자본 $x = 4$
- 자기자본 $x = 4,000$원 ÷ $4 = 1,000$원
- 총자산 $4,000$원 – 자기자본 $1,000$원 = 총부채 $3,000$원

👆 **저자의 Tip**

위 문제에 대한 검증은 아래와 같습니다.
총자산이익률이 ROA가 4%이고 총부채가 3,000원, 총자산이 4,000원일 때 자기자본이익률(ROE)은 총자산이익률(ROA)의 몇 배인가?
ROA 4%×총자산 4,000원÷자기자본1,000원 = 0.16, ROE는 16%
따라서 ROE는 ROA의 4배이다.

| 핵심 개념 | **자기자본이익률(ROE)과 총자산이익률(ROA) 공식**

- 자기자본이익률(ROE) = 순이익÷자기자본
   = 순이익÷순매출×순매출÷총자산×총자산÷자기자본
   = ROA×총자산÷자기자본
- 총자산이익률(ROA) = 순이익÷순매출×순매출÷총자산 = 매출액이익률×총자산회전율

36 ③
출제빈도 상

출제영역 투자분석기법 – 기본적 분석 > 기업분석(재무제표 분석) > 레버리지 분석

재무레버리지도 3=영업이익 $4,500$원 ÷ (영업이익 $4,500$원 – 이자비용 x)

∴ 이자비용 $x = 3,000$원

┌─ | 핵심 개념 | **재무레버리지도** ─────────────
│ = (매출액 − 변동비 − 고정비)÷(매출액 − 변동비 − 고정비 − 이자비용)
│ = 영업이익÷(영업이익 − 이자비용)
└────────────────────────────────

37 ②

출제빈도 **상**

| 출제영역 | 투자분석기법 − 기본적 분석 > 기업분석(재무제표 분석) > 레버리지 분석

〈보기〉는 EV/EBITDA 비율에 대한 설명이다.

| 오답 해설 |

① PBR: 자기자본의 총시장가치를 총장부가치로 나누어 준 비율로 주식 1주를 기준으로 표시한 주가순자산 비율의 개념이다.

③ PEGR: 주식의 PER이 그 기업의 성장성에 비해 높은지 낮은지를 판단하기 위해 고안된 지표이다.
(PEGR = PER ÷ 연평균 EPS 성장률)

④ Tobin's Q: 기업의 시장가치를 자본의 대체비용으로 나눈 값으로 시장가치와 대체비용의 비율로 정의된다.

┌─ | 핵심 개념 | **EV/EBITDA 비율** ─────────────
│ 1. EV는 주주 가치와 채권자 가치의 합계 금액을 의미한다.
│ 2. EBITDA는 이자 및 세금, 상각비 차감 전 이익을 의미하며 영업이익에 감가상각비, 무형자산상각비를 더한 금액으로 계산된다.
│ 3. 상장기업의 시장가치 추정 시 유사기업의 EV/EBITDA를 산출하고 이를 상장기업의 EBITDA와 비교하여 추정할 수 있다.
│ 4. 장점
│   EV/EBITDA 방식에 의한 가치 추정은 당기순이익을 기준으로 평가하는 주가이익비율(PER) 모형의 한계점을 보완하고 있다. 즉 기업 자본구조를 감안한 평가방식이라는 점에서 유용성이 있으며 추정방법이 단순하다. 분석기준이 널리 알려져 있고 회사 간 비교 가능성이 높아 공시정보로서의 유용성이 크다.
│ 5. 단점
│   시가총액의 경우 분석기준 시점에 따라 변동되므로 추정 시점과 실제 성장 시의 시가변동에 대한 차이를 고려해야 한다.
└────────────────────────────────

38 ②

출제빈도 **하**

| 출제영역 | 투자분석기법 − 기술적 분석 > 기술적 분석 > 기술적 분석의 이해

추세 분석은 주가 움직임을 동적으로 관찰하여 주가 흐름의 방향을 예측하지만, 패턴 분석은 주식시장의 정적인 관찰에 역점을 둠으로써 주가의 전환 시점을 포착하는 데 목적이 있다고 할 수 있다.

┌─ | 핵심 개념 | **기술적 분석의 기본가정** ─────────────
│ 1. 증권의 시장가치는 수요와 공급에 의해서만 결정된다.
│ 2. 시장의 사소한 변동을 고려하지 않는다면 주가는 지속되는 추세에 따라 상당기간 동안 움직이는 경향이 있다.
│ 3. 추세의 변화는 수요와 공급의 변동에 의해 일어난다.
│ 4. 수요와 공급의 변동은 그 발생이유에 상관없이 시장의 움직임을 나타내는 도표에 의하여 추적될 수 있으며, 도표에 나타나는 주가모형은 스스로 반복하는 경향이 있다.
└────────────────────────────────

39 ④

출제빈도 **상**

| 출제영역 | 투자분석기법 − 기술적 분석 > 지표 분석 > 거래량 지표

RSI(Relaltive Strength Index)는 추세반전형 지표로 일정기간 동안 개별 종목과 개별 업종과의 주가 변화율을 대비한 것과 개별 업종과 종합주가지수의 주가 변화율로 대비한 종목별 상대강도지수와 업종별 상대강도지수가 있다.

┌─ | 핵심 개념 | **지표 분석** ─────────────
│ 1. 추세추종형 지표
│   • MACD(Moving Average Convergence & Divergence)
│   • MAO(Moving Average Oscillator)
│ 2. 추세반전형 지표
│   • 스토캐스틱(Stochastics)
│   • RSI(Relaltive Strength Index)
│   • ROC(Rate Of Change)
│ 3. 거래량 지표
│   • OBV(On Balance Volume)
│   • VR(Volume Ratio)
│   • 역시계 곡선(주가 − 거래량 상관곡선)
└────────────────────────────────

40 ③

출제빈도 **중**

| 출제영역 | 투자분석기법 − 기술적 분석 > 엘리어트 파동이론 > 엘리어트 파동의 개념

4번 파동의 저점은 1번 파동의 고점과 겹칠 수 없다.

41 ③

출제빈도 **중**

| 출제영역 | 투자분석기법 − 산업분석 > 라이프사이클 분석(Life Cycle Analysis) > 라이프사이클의 단계별 특징

성숙기에 대한 설명이다. 성숙기는 산업 내의 기업들이 안정적인 시장점유율을 유지하면서 매출은 완만하게 늘어나는 단계이다. 이익률은 시장점유율 유지를 위한 가격 경쟁과 판촉 경쟁 등으로 하락하고 기업별로 경영능력에 따른 영업실적의 차이가 크게 나타난다. 기업들은 원가 절감이나 철저한 생산관리로 이윤의 하락 추세를 만회하려 하기도 한다. 또한 제품 수명주기를 연장하기 위한 노력이나 새로운 제품 개발을 위한 연구개발비 지출의 증가가 필요하다.

42 ①

출제빈도 **상**

| 출제영역 | 투자분석기법 − 산업분석 > 산업정책 분석 > 산업정책의 개요

산업정책은 공급지향적 정책으로 경제성장을 직접적인 목적으로 하여 총공급관리에 초점을 맞추는 것이다.

제2과목(투자운용 및 전략 II/투자분석)

43~50 | 리스크관리

43 ①

출제영역 리스크관리 > 시장 리스크(Market Risk)의 측정 > VaR의 측정 방법

99% 신뢰도 1일 VaR: 100억원 × 2.33 × 0.05% × 2.7 = 0.3146억원(약 0.31억원)

저자의 Tip

델타를 이용하여 포지션의 가치 변동을 추정하는 과정은 다음과 같습니다.
정규분포를 가정하면 리스크 요인이 한쪽 방향으로 표준편차의 1.65배 이상 벗어날 확률은 5% 미만이고 2.33배 이상 벗어날 확률은 1% 미만임을 의미합니다. 따라서 리스크 요인의 변동 가능성을 확률로 표현할 수 있게 됩니다. 그러므로 99% 신뢰도에는 2.33을, 95% 신뢰수준에는 1.65를 반영하여 계산합니다.

44 ②

출제영역 리스크관리 > 시장 리스크(Market Risk)의 측정 > VaR의 측정 방법

- 연간 변동성 = 일별 변동성 × $\sqrt{\text{연간 거래일수}}$
- 일별 변동성 = 연간변동성 25% ÷ $\sqrt{260}$ × 100 = 1.55%

| 핵심 개념 | 보유기간별 VaR

경우에 따라 장기의 VaR를 측정할 필요가 있다. 이 경우 이들의 VaR은 주로 1일 VaR을 측정한 후 여기에 $\sqrt{\text{거래일수}}$를 곱하는 방법으로 측정한다. 이는 위험요소들의 I, I, D(Identically, Independently, Distributed)를 가정하는 것이다. 즉, 수익률의 분포가 시간에 따라 동일하고 시간에 따른 상관관계가 존재하지 않는다고 가정한다.
[예시]
- 2주간 VaR = 1일 VaR $\sqrt{10}$
- 1개월 VaR = 1일 VaR $\sqrt{22}$
- 1년 VaR = 1일 VaR $\sqrt{260}$

45 ④

출제영역 리스크관리 > 시장 리스크(Market Risk)의 측정 > VaR의 측정 방법

역사적 시뮬레이션은 과거 일정기간 동안의 위험요인의 변동을 향후에 나타날 변동으로 가정하여 현재 보유하고 있는 포지션의 가치 변동분을 측정한 후 그 분포로부터 VaR을 계산하는 방법이다. 이 방법은 과거의 가격 데이터만 있으면 비교적 쉽게 VaR을 측정할 수 있으나 한 개의 표본구간만 사용되므로 변동성이 임의적으로 증가한 경우에 측정치가 부정확하며, 결과의 질이 표본기간의 길이에 지나치게 의존한다는 단점이 있다. 또한 자료가 존재하지 않는 자산(예를 들면 상장된지 1개월밖에 안 된 기업의 주식)에 대한 추정이 어렵고 자료의 수가 적을 경우에는 추정치의 정확도가 떨어지게 된다.

46 ③

출제영역 리스크관리 > 시장 리스크(Market Risk)의 측정 > VaR의 측정 방법

분산, 공분산 등과 같은 모수(Parameter)에 대한 추정을 요구하지 않을 뿐 아니라 수익률의 정규분포와 같은 가정이 필요 없고, 옵션과 같은 비선형의 수익구조를 가진 상품이 포함된 경우에도 문제없이 사용할 수 있는 장점이 있는 측정방법은 '역사적 시뮬레이션'이다.

47 ①

출제영역 리스크관리 > 시장 리스크(Market Risk)의 측정 > VaR의 측정 방법

99% 신뢰수준 1일 VaR
$= 2.33 × \sqrt{(0.7 × 1.7)^2 + 0.5 × \{0.3 × 1.7^2\}^2} = 3.119$Point

| 핵심 개념 | VaR 공식

- 옵션 매입 포지션
 $= z\sqrt{(\text{델타} × \text{변동성})^2 - 0.5 × (\text{감마} × \text{변동성}^2)^2}$
- 옵션 매도 포지션
 $= z\sqrt{(\text{델타} × \text{변동성})^2 + 0.5 × (\text{감마} × \text{변동성}^2)^2}$
- 신뢰수준 95% = z값 1.65
- 신뢰수준 99% = z값 2.33

48 ②

출제영역 리스크관리 > 신용 리스크(Credit Risk)의 측정 > 부도율 측정 모형

부도거리는 기업의 자산가치가 채무불이행으로부터 떨어진 거리를 표준화하여 구하는 것으로 '부도거리(DD) = (기대자산가치 − 부채가치) ÷ 표준편차'로 계산한다.
부도거리(DD) = (50억원 − 35억원) ÷ 5억원 = 3표준편차

49 ③

출제빈도 중

출제영역 리스크관리 > 신용 리스크(Credit Risk)의 측정 > 신용손실 분포로부터 신용 리스크 측정모형

부도율은 신용 상대방이 일정기간 동안에 부도가 날 확률로서, 내부자료를 이용하거나 외부신용평가기관의 신용등급자료를 이용하여 산출한다.

- 손실률 40% = 1 − 회수율 60%
- 기대손실 6억원 = 신용리스크노출금액 500억원 × 부도율 (x) × 손실률 40%
- 부도율(x) = 기대손실 6억원 ÷ 200억원(신용리스크노출금액 500억 × 손실률 40%)

| **핵심 개념** | **예상손실과 손실률 공식**

- 기대손실(EL) = EAD(신용리스크노출금액) × 부도율 × LGD(손실률)
- 손실률(LGD) = 1 − 회수율

50 ②

출제빈도 중

출제영역 리스크관리 > 신용 리스크(Credit Risk)의 측정 > 신용손실 분포로부터 신용 리스크 측정모형

신용리스크는 신용손실의 분포로부터 예상 외 손실로서 정의된다. 즉, 예상되는 손실은 리스크라고 하지 않는다. EL은 일반적으로 대손충당금 등으로 대비하고 있어 리스크라기보다는 비용으로 인식되고 있기 때문이다.

제3과목(직무윤리 및 법규/투자운용 및 전략 I 등)

51~55 | 직무윤리

51 ④

출제빈도 상

출제영역 직무윤리 > 직무윤리 일반 > 직무윤리에 대한 이해

직무윤리를 준수하는 것은 투자자 및 금융투자업종사자들을 보호하는 안전 장치의 역할을 한다.

52 ③

출제빈도 중

출제영역 직무윤리 > 금융투자업 직무윤리 > 기본원칙

합리적 근거 없이 고객에게 투기적인 증권투자를 권유하는 과잉권유는 적합성 원칙에 반하는 것이다.

53 ③

출제빈도 상

출제영역 직무윤리 > 금융투자업 직무윤리 > 이해상충 방지 의무

일반투자자의 투자 성향에 적합한 금융투자상품인지의 여부는 과당매매를 판단하는 기준으로 적절하지 않다.

| **핵심 개념** | **과당매매를 판단하는 기준**

1. 일반투자자가 부담하는 수수료의 총액
2. 일반투자자의 재산상태 및 투자 목적에 적합한지 여부
3. 일반투자자의 투자지식이나 경험에 비추어 당해 거래에 수반되는 위험을 잘 이해하고 있는지 여부
4. 추가적으로 개별 매매거래 시 권유내용의 타당성 여부

54 ③

출제빈도 상

출제영역 직무윤리 > 금융투자업 직무윤리 > 금융소비자보호의무

고위험 금융투자상품인 장외파생상품의 경우 원본손실의 가능성이 매우 크고 그에 따른 분쟁의 가능성이 상대적으로 크기 때문에 요청하지 않은 투자권유를 해서는 안 된다. 다만, 고객의 요청이 있는 경우에는 가능하다.

55 ①

출제빈도 상

출제영역 직무윤리 > 직무윤리의 준수절차 및 위반 시의 제재 > 직무윤리의 준수절차

모든 금융투자업자는 반드시 내부통제기준을 두어야 한다.

제3과목(직무윤리 및 법규/투자운용 및 전략 I 등)

56~62 | 자본시장과 금융투자업에 관한 법률

56 ①

출제빈도 상

출제영역 자본시장과 금융투자업에 관한 법률/금융위원회 규정 > 금융투자상품 및 금융투자업 > 금융투자상품

선도(Forward), 옵션(Option)은 장내파생상품, 스왑(Swap)은 장외파생상품이다.

| **핵심 개념** | **금융투자상품 불인정 대상**

원화로 표시된 양도성 예금증서(CD), 수탁자에게 신탁재산의 처분권한이 부여되지 않은 관리형 신탁의 수익권은 금융투자상품에서 제외하며 추가로 주식매수선택권(스톡옵션)은 임직원의 성과에 대한 보상으로 취득 시 금전 등의 지급이 없고 유통 가능성도 없다는 점을 고려하여 금융투자상품으로 인정하지 않는다.

57 ①

출제빈도 상

출제영역 자본시장과 금융투자업에 관한 법률/금융위원회 규정 > 금융투자업자에 대한 규제·감독 > 건전성 규제

영업용순자본 차감 항목에 대하여는 원칙적으로 위험액을 산정하지 않는다.

1. 순자본비율의 기초가 되는 금융투자업자의 자산, 부채, 자본은 연결재무제표에 계상된 장부가액을 기준으로 한다.
2. 시장위험과 신용위험을 동시에 내포하는 자산에 대하여는 시장위험액과 신용위험액을 모두 산정한다.
3. 영업용순자본 차감 항목에 대하여는 원칙적으로 위험액을 산정하지 않는다.
4. 영업용순자본의 차감 항목과 위험액 산정대상 사이에 위험회피효과가 있는 경우에는 위험액 산정대상 자산의 위험액을 감액할 수 있다.
5. 부외자산과 부외부채에 대해서도 위험액을 산정하는 것을 원칙으로 한다.

58 ④

출제영역 자본시장과 금융투자업에 관한 법률/금융위원회 규정 > 금융투자업자에 대한 규제·감독 > 건전성 규제

금융위원회는 경영개선명령조치를 취할 수 있다.

┌─ | 핵심 개념 | 금융위원회 긴급조치 사유와 그 내용 ─

1. 긴급조치 사유
   • 발행한 어음 또는 수표가 부도되거나 은행과의 거래가 정지 또는 금지되는 경우
   • 유동성이 일시적으로 급격히 악화되어 투자예탁금 등의 지급불능 사태에 이른 경우
   • 휴업·영업의 중지 등의 돌발사태가 발생하여 정상적인 영업이 불가능하거나 어려운 경우
2. 긴급조치 내용
   • 투자자예탁금 등의 일부 또는 전부의 반환명령 또는 지급 정지
   • 투자자예탁금 등의 수탁금지 또는 다른 금융투자업자로의 이전
   • 채무변제행위의 금지
   • 경영개선명령조치
   • 증권 및 파생상품의 매매 제한 등

59 ①

출제영역 자본시장과 금융투자업에 관한 법률/금융위원회 규정 > 투자매매업자 및 투자중개업자에 대한 영업행위규제 > 투자자 재산보호를 위한 규제

예외적으로 투자자예탁금을 양도하거나 담보로 제공할 수 있다.

┌─ | 핵심 개념 | 예치금융투자업자의 투자자예탁금 양도·담보 제공 사유 ─

1. 예치금융투자업자가 다른 회사에 흡수합병되거나 다른 회사와 신설합병함에 따라 그 합병에 의하여 존속되거나 신설되는 회사의 예치기관에 예치 또는 신탁한 투자자예탁금을 양도하는 경우
2. 예치금융투자업자가 금융투자업의 전부나 일부를 양도하는 경우로서 양도내용에 따라 양수회사의 예치기관에 예치 또는 신탁한 투자자예탁금을 양도하는 경우
3. 자금이체업무와 관련하여 금융위원회가 정하여 고시하는 한도 이내 및 방법에 따라 예치금융투자업자가 은행의 예치기관에 예치 또는 신탁한 투자자예탁금을 담보로 제공하는 경우
4. 그 밖에 투자자 보호를 해칠 염려가 없는 경우로서 금융위원회가 정하여 고시하는 경우

60 ④

출제영역 자본시장과 금융투자업에 관한 법률/금융위원회 규정 > 기업의 인수합병(M&A) 관련 제도 > 공개매수제도

공개매수 공고를 한 자는 공개매수 공고일에 공개매수신고서를 금융위와 거래소에 제출해야 한다.

┌─ | 핵심 개념 | 공개매수 ─

1. 의의
   불특정 다수인에 대하여 의결권 있는 주식 등의 매수 또는 매도의 청약을 권유하고 증권시장 및 다자간매매체결회사 밖에서 그 주식 등을 매수하는 것을 말한다.
2. 공개매수 의무
   주식 등을 6개월 동안 증권시장 밖에서 10인 이상의 자로부터 매수 등을 하고자 하는 자는 그 매수 등을 한 후에 본인과 그 특별관계자가 보유하게 되는 주식 등의 수의 합계가 그 주식 등의 총수의 100분의 5 이상이 되는 경우에는 공개매수해야 한다.
3. 공고
   공개매수신고서 제출에 앞서 공개매수에 관한 사항을 일반 일간신문 또는 경제분야의 특수 일간신문 중 전국을 보급지역으로 하는 둘 이상의 신문에 공고해야 한다.
4. 신고서의 제출
   공개매수공고일에 금융위와 거래소에 공개매수기간, 가격, 결제일 등 공개매수조건을 기재한 공개매수신고서를 제출하고, 신고서 사본은 공개매수 대상 회사에 송부한다.
5. 공개매수의 철회
   원칙적으로 공개매수공고일 이후에는 공개매수를 철회할 수 없으나, 대항공개매수(공개매수기간 중 그 공개매수에 해당하는 공개매수)가 있는 경우, 공개매수자의 사망·해산, 파산한 경우, 그 밖에 투자자 보호를 해할 우려가 없는 경우에는 공개기간의 말일까지 철회할 수 있다.

🖐 저자의 Tip

용모주주란 공개매수대상 주식 등의 매수의 청약에 대한 승낙 또는 매도의 청약을 한 자를 뜻합니다.

61 ④

출제영역 자본시장과 금융투자업에 관한 법률/금융위원회 규정 > 증권발행시장 공시제도 > 투자설명서제도

투자설명서는 누구든지 증권신고서의 효력이 발생한 증권을 취득하고자 하는 자에게 교부해야 한다. 다만, 다음의 경우 투자설명서의 교부가 면제된다.

1. 전문투자자 등 일정한 전문가
2. 투자설명서 받기를 거부한다는 의사를 밝힌 자
3. 이미 취득한 것과 같은 집합투자증권을 계속하여 추가로 취득하려는 자(직전에 교부한 투자설명서의 내용과 같은 경우에만 해당)

62 ②

출제영역 자본시장과 금융투자업에 관한 법률/금융위원회 규정 > 집합투자기구(총칙) > 집합투자기구의 등록

법인격이 없는 투자신탁과 투자익명조합의 경우 집합투자업자가 등록주체가 되며, 법인격 또는 단체로서의 성격이 인정되는 투자회사, 투자유한회사, 투자합자회사, 투자유한책임회사 및 투자합자조합의 경우 집합투자기구 자체가 등록주체이다.

제3과목(직무윤리 및 법규/투자운용 및 전략 I 등)

63~66 | 금융위원회규정

63 ③

출제영역 자본시장과 금융투자업에 관한 법률/금융위원회 규정 > 집합투자업자의 영업행위 규칙 > 집합투자업자 행위 규칙

집합투자업자는 투자신탁의 효율적인 운용을 위하여 불가피한 경우로서 대통령령이 정하는 경우에는 자신의 명의로 직접 투자대상 자산의 취득과 처분이 가능하다.

> **| 핵심 개념 | 집합투자업자가 투자신탁재산을 직접 운용하는 경우**
>
> 국내 또는 해외 시장에 상장된 지분증권, 지분증권과 관련된 증권예탁증권, 수익증권 및 파생결합증권의 매매, 국채, 지방채, 특수채, 사채권 및 기업어음증권 또는 전자단기사채의 매매, 장내파생상품 매매, 단기대출, 어음 매매, CD 매매, 대외지급수단 매매, 헤지 목적의 장외파생상품 매매, 금리 또는 채권가격을 기초자산으로 하는 스왑거래, 환매조건부 매매 등

64 ①

출제영역 금융위원회규정 > 장외거래 및 주식 소유제한 > 장외거래

미공개 정보 이용(내부자거래) 규제 대상자에 모든 임직원 및 주주가 해당되는 것은 아니다. 임직원 및 대리인은 그 직무와 관련하여 미공개 중요 정보를 알게 되거나 주요 주주로서 그 권리를 행사하는 과정에서 미공개 중요 정보를 알게 된 자가 해당된다.

> **| 핵심 개념 | 미공개 중요 정보 이용행위 규제 대상자**
>
> 1. 미공개 중요 정보
>   투자자의 투자판단에 중대한 영향을 미칠 수 있는 정보로서 대통령령으로 정하는 방법에 따라 불특정 다수인이 알 수 있도록 공개되기 전의 정보를 의미한다.
> 2. 규제 대상자
>   ① 내부자
>   • 그 법인(계열사 포함) 및 그 법인의 임직원·대리인으로서 그 직무와 관련하여 미공개 중요 정보를 알게 된 자
>   • 그 법인(계열사 포함)의 주요 주주로서 그 권리를 행사하는 과정에서 미공개 중요 정보를 알게된 자
>   ② 준내부자
>   • 그 법인에 대하여 법령에 따른 허가·인가·지도·감독, 그 밖의 권한을 가지는 자로서 그 권한을 행사하는 과정에서 미공개 중요 정보를 알게 된 자

> • 그 법인과 계약을 체결하고 있거나 체결을 교섭하는 자로서 그 계약을 체결 교섭 또는 이행하는 과정에서 미공개 중요 정보를 알게 된 자
> • 대리인, 사용인 그 밖의 종업원으로서 그 직무와 관련하여 미공개 중요 정보를 알게 된 자
> ③ 정보수령자
> 내부자 및 준내부자로부터 미공개 중요 정보를 수령한 자(미공개 정보를 수령한 후 1년이 경과하지 아니한 자 포함)

65 ②

출제영역 금융위원회규정 > 불공정거래행위에 대한 규제 > 시장질서 교란행위 규제

기존 매공개 중요 정보이용 금지조항은 2차 이상 정보수령자, 상장법인 등의 외부정보(시장정보, 정책정보 이용 등)를 규제할 수 없었으나 2015년 7월부터 시장질서 교란행위 규제가 도입되면서 2차 이상 다차 정보수령자의 미공개 정보 이용, 외부정보 이용, 해킹 등 부정한 방법으로 취득한 정보이용 등이 규제된다. 또한 시장질서 교란행위 규제가 도입되면서 비록 매매유인이나 부당이득을 얻을 목적 등이 없다고 할지라도 허수성 주문의 대량 제출, 가장성 매매, 통정성 매매, 풍문 유포 등을 하여 시세에 부당한 영향을 주거나 줄 우려가 있다고 판단되면 해당 행위자에게 과징금을 부과할 수 있다.

66 ②

출제영역 자본시장과 금융투자업에 관한 법률/금융위원회 규정 > 기업의 인수합병(M&A) 관련 제도 > 공개매수제도

㉠ 5, ㉡ 5, ㉢ 1, ㉣ 5이므로 ㉠~㉣에 들어갈 숫자의 합은 16이다.

제3과목(직무윤리 및 법규/투자운용 및 전략 I 등)

67~69 | 한국금융투자협회규정

67 ③

출제영역 한국금융투자협회규정 > 금융투자회사의 영업 및 업무에 관한 규정 > 재산상 이익의 제공 및 수령

외부전문가로부터 작성된 조사분석자료는 재산상 이익에 해당된다. 다만 금융투자회사가 자체적으로 작성한 조사분석자료는 재산상의 이익으로 보지 않는다.

> **| 핵심 개념 | 재산상 이익으로 보지 않는 범위**
>
> 1. 금융투자상품에 대한 가치분석·매매정보 또는 주문의 집행 등을 위하여 자체적으로 개발한 소프트웨어 및 해당 소프트웨어의 활용에 불가피한 컴퓨터 등 전산 기기
> 2. 금융투자회사가 자체적으로 작성한 조사분석자료
> 3. 경제적 가치가 3만원 이하인 물품, 식사, 신유형 상품권, 거래실적에 연동되어 거래상대방에게 차별 없이 지급되는 포인트 및 마일리지

제1회 실전 모의고사 **15**

4. 20만원 이하의 경조비 및 조화·화환
5. 국내에서 불특정 다수를 대상으로 하여 개최되는 세무나 또는 설명회로서 1인당 재산상 이익의 제공금액을 산정하기 곤란한 경우 그 비용. 이 경우 대표이사 또는 준법감시인은 그 비용의 적정성 등을 사전에 확인해야 한다.

68 ①
출제빈도 상

출제영역 한국금융투자협회규정 > 금융투자회사의 영업 및 업무에 관한 규정 > 조사분석자료 작성 및 공표

금융투자분석사에 대한 이해상충 우려에 따라 일반적인 금융투자회사의 임직원은 금융투자상품 매매거래내역을 회사에 분기별로 보고하면 되지만 금융투자분석사는 매월 보고하도록 되어 있다.

69 ③
출제빈도 상

출제영역 한국금융투자협회규정 > 금융투자회사의 영업 및 업무에 관한 규정 > 투자광고

인터넷 배너를 이용한 투자광고의 경우 위험고지 내용이 3초 이상 보일 수 있도록 해야 한다. 또한 파생상품 그 밖에 투자위험성이 큰 거래에 관한 내용을 포함하는 경우 해당 위험고지 내용이 5초 이상 보일 수 있도록 해야 한다.

▌제3과목(직무윤리 및 법규/투자운용 및 전략 l 등)

70~75 ┃ 주식투자운용 / 투자전략

70 ①
출제빈도 상

출제영역 주식투자운용 및 투자전략 > 운용과정과 주식투자 > 주식투자의 중요성

효율적 시장가설은 액티브 운용을 반대하는 논거로 이용된다.

71 ②
출제빈도 상

출제영역 주식투자운용 및 투자전략 > 주식 포트폴리오 운용전략 > 패시브운용(Passive Management)

액티브 운용전략에 대한 설명이다. 액티브 운용은 주어진 위험범위와 주어진 제약조건 내에서 벤치마크의 성과에 대비해 가능한 한 가장 좋은 초과이익(Alpha)을 얻으려는 운용방식이다.

72 ②
출제빈도 중

출제영역 주식투자운용 및 투자전략 > 자산배분 전략의 정의 및 준비사항 > 자산배분 전략의 준비사항

이질성은 자산집단의 기본적인 성격과 거리가 멀다.

┌─ ┃핵심 개념┃ 자산집단의 기본적인 성격 ─

1. 동질성
   자산집단 내의 자산들은 경제적 또는 자본시장의 관점에서 상대적으로 동일한 특성을 가져야 한다.
2. 배타성
   자산집단이 서로 배타적이어서 겹치는 부분이 없어야 한다.
3. 분산 가능성
   각 자산집단은 분산투자를 통해 위험을 줄여 효율적 포트폴리오를 구성하는데 기여해야 한다. 이를 위해서는 각 자산집단이 서로 독립적이어야 한다(상관계수가 낮아야 한다).
4. 포괄성
   자산배분의 대상이 되는 자산집단들 전체는 투자 가능한 대부분의 자산을 포함하는 것이 좋다. 투자대상이 확대될수록 동일위험 수준에서 획득 가능한 수익률의 수준이 올라감으로써 효율적 투자기회선이 확대되는 결과를 낳는다.
5. 충분성
   자산집단 내에서 실제 투자할 대상의 규모와 수가 충분해야 함을 의미한다. 투자자의 투자활동에 따른 유동성 문제가 발생하지 않을 정도로 개별 자산집단의 규모가 충분히 커야 한다.

73 ②
출제빈도 중

출제영역 주식투자운용 및 투자전략 > 전략적 자산배분 > 전략적 자산배분의 정의

애초에 세웠던 자본시장에 대한 가정이 크게 변화된 경우 자산배분의 비중을 수정하게 된다.

┌─ ┃핵심 개념┃ 전략적 자산배분 정의 ─

1. 장기적인 기금 내 자산집단별 투자비중과 중기적으로 각 자산집단이 변화할 수 있는 투자비율의 한계를 결정하는 의사결정을 뜻한다.
2. 전략 수립에 사용된 각종 변수들에 대한 가정이 근본적으로 크게 변화되지 않는 이상 처음 구상하였던 자산배분을 변경하지 않고 계속하여 유지해 나가는 매우 장기적인 의사결정이다.

74 ①
출제빈도 상

출제영역 주식투자운용 및 투자전략 > 주식 포트폴리오 운용전략 > 패시브 운용(Passive Management)

완전복제법에 대한 설명이다. 완전복제법은 벤치마크를 구성하는 모든 종목을 벤치마크의 구성비율대로 사서 보유하는 것으로 가장 단순하고 직접적인 방법이다. 따라서 이 방법은 매우 간단하면서도 벤치마크를 거의 완벽하게 추종할 수 있다. 다만 운용 및 관리 보수, 포트폴리오 조정을 위한 거래비용 등으로 벤치마크에 비해 수익률이 낮게 나타난다.

75 ②
출제빈도 상

출제영역 주식투자운용 및 투자전략 > 주식 포트폴리오 운용전략 > 준액티브(Semi-Active) 운용

준액티브 운용전략(Semi-active Management) 중 계량분석방법에 대한 설명이다. 표본추출법, 최적화법, 완전복제법은 패시브 운용전략 중 인덱스펀드를 구성하는 방법이다.

76~81 | 채권투자운용/투자전략

76 ③
출제빈도 **상**

출제영역 채권투자운용 및 투자전략 > 채권의 개요와 채권시장 > 채권의 분류와 종류

주식으로 전환할 경우 자본금의 증가가 수반되지 않고 고정부채가 자기자본이 되므로 재무구조의 개선효과를 지닌다.

77 ④
출제빈도 **중**

출제영역 채권투자운용 및 투자전략 > 채권 가격결정과 채권수익률 > 채권 가격결정

$10,000$원 $\times (1.0225)^5$

$= 10,000$원 $\times 1.0225 \times 1.0225 \times 1.0225 \times 1.0225 \times 1.0225$

$= 11,176$원(원 미만 절사)

78 ③
출제빈도 **상**

출제영역 채권투자운용 및 투자전략 > 채권 가격결정과 채권수익률 > 채권수익률

실효수익률은 복리 방식으로 계산한 채권의 실제 연수익률을 의미하며 채권가격을 산출하기 위해 사용되는 할인율은 만기수익률이다.

79 ④
출제빈도 **상**

출제영역 채권투자운용 및 투자전략 > 채권 가격결정과 채권수익률 > 채권수익률

표면이자율이 높을수록 동일한 크기의 수익률 변동에 대한 가격변동률은 작아진다.

80 ②
출제빈도 **상**

출제영역 채권투자운용 및 투자전략 > 듀레이션과 볼록성 > 듀레이션

채권펀드 B와 C는 채권의 종류와 잔존만기가 동일하므로 표면이율이 낮은 C 채권펀드의 듀레이션이 더 크다. 또한 채권펀드 A와 D도 채권의 종류와 잔존만기가 동일하므로 표면이율이 낮은 D의 듀레이션이 더 크다. 따라서 듀레이션이 큰 순서대로 나열하면 'C-B-D-A'가 된다.

| 핵심 개념 | **이자지급 방식에 따른 채권 분류**
- 이표채: 표면이율로 이자지급
- 할인채: 액면금액을 할인하여 채권발행(이자지급 X)
- 복리채: 이자를 만기까지 재투자(원금과 이자 일시 지급)

81 ③
출제빈도 **상**

출제영역 채권투자운용 및 투자전략 > 채권운용전략 > 적극적 채권운용전략

스프레드(Spread) 운용전략에 대한 설명이다.

| 오답 해설 |

① Barbell형 운용전략: 단기채권(유동성 확보)과 장기채권(수익성 확보)만 보유하고 중기채권은 보유하지 않는 전략으로 단기채와 장기채에 비해 중기채의 수익률이 상대적으로 더 오르거나 덜 하락할 것으로 예상될 때 유용한 전략이다.

② Bullte형 운용전략: 중기채 중심의 채권 포트폴리오를 구성하는 것으로 단기채와 장기채에 비해 중기채의 수익률이 상대적으로 덜 오르거나 더 하락할 것으로 예상될 때 유용한 전략이다.

④ 순자산가치 면역전략: 자산과 부채의 듀레이션 갭을 최소화하여 순자산 가치의 변동성을 최소화하고자 하는 방법으로 자산의 시장가치와 듀레이션과 부채의 시장가치 가중 듀레이션을 일치시키는 것을 말한다.

| 핵심 개념 | **채권운용전략**
1. 적극적 채권운용전략
   - 금리예측전략(듀레이션 조절전략)
   - 수익률곡선타기전략(롤링효과, 숄더효과)
   - 채권교체전략(동종채권 교체전략, 이종채권 교체전략)
   - 스프레드 운용전략
   - 수익률곡선전략(바벨형, 블릿형)
2. 소극적 채권운용전략
   - 만기보유전략
   - 사다리형 만기전략
   - 채권 면역전략
   - 현금흐름 일치전략
   - 채권인덱싱전략

82~87 | 파생상품투자운용/투자전략

82 ②
출제빈도 **중**

출제영역 파생상품투자운용 및 투자전략 > 파생상품 개요 > 파생상품 투자전략

원래 포지션을 그대로 둔 채 추가 포지션을 취하여 전체적으로 손익을 중립적으로 만드는 기법을 헤징(Hedging)이라 하며, 이는 헤지거래에 대한 설명이다.

| 핵심 개념 | **파생상품 투자전략**
1. 투기거래: 선물시장에만 참여하여 선물계약의 매입 또는 매도 중 한 가지 포지션만 취함으로써 이득을 얻고자 하는 거래
2. 헤지거래: 현물시장에서 가격 변동위험을 회피할 목적으로 선물시장에 참여하여 현물시장에서와 반대 포지션을 취하는 거래

3. 차익거래: 선물과 선물의 일시적 가격 차이를 이용하여 현물과 선물 중 고평가된 쪽은 매도하고 저평가된 쪽은 매수함으로써 거의 위험이 없는 이득을 취하고자 하는 거래

4. 스프레드거래: 선물시장에서 두개의 선물 간의 가격차이를 이용하여 동시에 한쪽은 매수하고 한쪽은 매도하여 이득을 얻고자 하는 거래

83 ②
출제빈도 중

출제영역 파생상품투자운용 및 투자전략 > 파생상품 개요 > 파생상품 투자전략

$200 \times \{1 + (0.04 - 0.01) \times 3/12\} = 201.5\text{pt}$

| 핵심 개념 | 균형선물가격 공식

균형선물가격 $F = S \times \{1 + (r-d) \times t \div 365\}$
- S: KOSPI200 지수
- r: 유통수익률
- t: 잔존기간
- d: 배당수익률

84 ③
출제빈도 상

출제영역 파생상품투자운용 및 투자전략 > 옵션 기초 > 만기일 이전의 옵션거래(전매도, 환매수)

- 내재가치 $= \text{Max}[250 - 253, 0] = 0$
- 콜옵션의 시간가치 2 = 옵션가격 2 - 내재가치 0

| 핵심 개념 | 콜옵션의 시간가치 공식

- 콜옵션의 시간가치 = (옵션가격 – 내재가치)
- 내재가치 = Max[현재 주가지수(S) – 행사가격(X), 0]

85 ②
출제빈도 중

출제영역 파생상품투자운용 및 투자전략 > 옵션 기초 > 옵션의 정의

콜옵션 매수는 살 수 있는 권리이므로 '행사가격 + 옵션 프리미엄'의 값보다 만기 시 기초자산의 값이 높을 때 가치를 가진다. 문제의 콜옵션은 행사가격 250p보다 만기 시 기초자산 가격이 더 높아서 콜옵션 매수자는 프리미엄을 지불하고도 1계약당 3.5p(255p – 251.5p)의 이익을 본다. 따라서 3.5p × 25만원 = 87.5만원의 이익을 얻게 된다.

86 ①
출제빈도 상

출제영역 파생상품투자운용 및 투자전략 > 옵션을 이용한 합성전략 > 스트래들(Straddle)

스트래들 매수 포지션(Long straddle)에 대한 설명이다. 스트래들 매수는 동일한 만기와 동일한 행사가격을 가지는 두 개의 옵션, 즉 콜과 풋옵션을 동시에 매수함으로써 구성되는 포지션이다. 이는 기초자산 가격이 현재 시점에 비해 크게 상승하거나 하락할 경우 이익을 보고, 횡보할 경우 손실을 보는 포지션이다. 예를 들어 행사가격이 80인 콜과 풋옵션을 동시에 매수할 경우

두 옵션의 프리미엄의 합이 4 정도라면 이 포지션을 구축한 투자자는 80을 기준으로 기초자산 가격이 4 이상 떨어지거나 올라가야만 이익을 볼 수 있는 것이다.

87 ①
출제빈도 중

출제영역 파생상품투자운용 및 투자전략 > 옵션 및 옵션 합성 포지션의 분석 > 옵션 프리미엄의 민감도 지표

등가격(ATM)일수록 절대값 0.5에 가까워진다. 예를 들어 행사가격이 100인 콜옵션의 경우 현재가가 100이라면 등가격 상태(ATM)가 되는데 이 경우 델타값은 약 0.5가 된다. 또한 ITM 옵션의 경우 기울기가 0.5보다 커지면서 과내가격(Deep in-the-money)의 경우 1까지 증가한다. 또한 반대로 과외 가격(Deep out-of-the-money)의 경우 기울기가 0까지 감소한다. 따라서 콜옵션의 델타는 0에서 1 사이의 값을 가지게 된다. 반대로 풋옵션의 경우 –1에서 0까지의 값을 가지게 된다.

제3과목(직무윤리 및 법규/투자운용 및 전략 I 등)

88~91 | 투자운용결과분석

88 ④
출제빈도 중

출제영역 투자운용결과분석 > 성과평가 기초사항 > 투자위험

표준편차는 절대적 위험을 측정하는 지표로 적절하다.

| 핵심 개념 | 위험의 종류

종류	지표		사용용도
절대적 위험	전체 위험	표준편차	수익률의 안전성을 중시하는 전략
	하락위험	• 절대 VaR • 하락편차 • 반편차 • 적자위험	• 목표수익률을 추구하는 전략 • 보다 정확한 의미의 위험 측정
상대적 위험	전체 위험	• 베타 • 잔차위험 • 공분산	• 자산배분 전략에 기초한 장기투자전략 • 기준 지표가 미리 정해진 투자
	하락위험	• 상대 VaR	

89 ④
출제빈도 중

출제영역 투자운용결과분석 > 위험조정 성과지표 > 위험조정 성과지표의 유형

펀드의 성과를 측정할 때, 수익률과 위험요소를 동시에 고려하여 성과를 측정하는 지표를 위험조정 성과지표라고 한다. 위험조정 성과를 측정하는 지표로는 샤프비율, 트레이너비율, 젠센의 알파 및 정보비율이 있다. 포트폴리오 베타는 시장수익률 변동에 대한 포트폴리오 수익률 변동의 비율을 표시하여 체계적 위험을 결정하는 요소가 되는 것으로 위험조정 성과지표와는 거리가 멀다.

90 ②

출제빈도 중

출제영역 투자운용결과분석 > 위험조정 성과지표 > 젠센의 알파

젠센알파 $= 0.12 - \{0.08 + 1.2 \times (0.1 - 0.08)\} = 0.016(1.6\%)$

| 핵심 개념 | **젠센의 알파 공식**

젠센알파 = 펀드(실현) 수익률 - 요구수익률
= 펀드(실현) 수익률 - {무위험 수익률 + 베타 $\beta \times$ (평균 수익률 - 무위험 수익률)}

91 ③

출제빈도 상

출제영역 투자운용결과분석 > 성과 특성 분석 > 포트폴리오 및 스타일 분석

높은 수익성장률은 성장주의 특성이며 저 PER, 고 배당수익률, 과거 PER에 비해 낮은 PER은 가치주의 특성이다.

| 핵심 개념 | **가치주와 성장주의 특성**

1. 가치주(Value Stock) 특성
   - 저 PER
   - 고 배당수익률
   - 저 PBER
   - 과거 PER에 비해 낮은 PER
2. 성장주(Growth Stock) 특성
   - 높은 수익성장률
   - 산업평균이나 시장평균보다 높은 수익성장성

▌제3과목(직무윤리 및 법규/투자운용 및 전략 I 등)

92~95 │ 거시경제

92 ②

출제빈도 중

출제영역 거시경제분석 > 경제모형과 경제정책의 분석: IS-LM모형 > 화폐시장의 균형: LM곡선

- 실업자 = 경제활동인구 30명 - 취업자 20명 = 10명
- 실업률 = 실업자 10명 ÷ 경제활동인구 30명 × 100% = 33.33%
- 경제활동 참가율 = 경제활동인구 30명 ÷ 생산활동가능인구 40명 × 100% = 75%

| 핵심 개념 | **실업률, 경제활동 참가율 공식**

- 실업률 = 실업자 ÷ 경제활동인구(취업자 + 실업자) × 100%
- 경제활동 참가율 = 경제활동인구 ÷ 생산활동가능인구 × 100%
- 실업자 = 경제활동인구 - 취업자

93 ①

출제빈도 상

출제영역 거시경제분석 > 경기변동과 경기예측 > 경기지수, 물가지수 및 통화 관련 지표

| 오답 해설 |

② 수입액: 경기동행지수
③ 소매판매액지수: 경기동행지수
④ 생산자제품재고지수: 후행종합지수

| 핵심 개념 | **경기종합지수 개별경제지표(출처: 통계청)**

1. 선행 종합지수(7개): 재고순환지표, 경제심리지수, 건설수주액(실질), 기계류내수출하지수(선박 제외), 수출입물가비율, 코스피, 장단기금리차
2. 경기동행지수(7개): 광공업생산지수, 서비스업생산지수(도소매업 제외), 소매판매액지수, 내수출하지수, 건설기성액(실질), 수입액(실질), 비농림어업취업자수
3. 후행종합지수(5개): 생산자제품재고지수, 소비자물가지수변화율(서비스), 소비재수입액(실질), 취업자수, CP유통수익률

94 ③

출제빈도 중

출제영역 거시경제분석 > 경기변동과 경기예측 > 경기순환

경기변동의 요인은 계절요인, 불규칙요인, 추세요인, 순환요인 등으로 구분할 수 있으며, 넓은 의미의 경기순환은 추세요인과 순환요인에 의해서 발생되는 경기변동을 의미한다.

95 ②

출제빈도 중

출제영역 거시경제분석 > 경기변동과 경기예측 > 경기전망을 위한 계량적 방법

BSI 지수 $= (25\% - 75\%) + 100 = 50$

| 핵심 개념 | **기업경기실사지수(BSI)**

- BSI = (긍정 업체 - 부정 업체) + 100
- BSI가 100 이상이면 확장국면, 100 이하이면 수축국면으로 판단한다.

▌제3과목(직무윤리 및 법규/투자운용 및 전략 I 등)

96~100 │ 분산투자기법

96 ②

출제빈도 상

출제영역 분산투자기법 > 포트폴리오 관리 > 개별 자산의 기대수익과 위험

개별주식에 대한 기대수익률은 포트폴리오의 기대수익률을 계산할 때 필요한 요소이다.

97 ③

출제영역 분산투자기법 > 포트폴리오 관리 > 개별 자산의 기대수익과 위험

먼저 개별 자산의 기대수익률을 계산한다. 개별 자산의 기대수익률은 특정한 사건이 일어날 확률에 그 사건이 일어날 경우 예상되는 수익률을 곱하고 모든 경우의 수를 합하여 산출한다.

- 주식A의 기대수익률 = $(0.5 \times 0.2) + (0.5 \times 0.02)$
  $= 0.1250(12.5\%)$
- 주식B의 기대수익률 = $(0.5 \times 0.3) + (0.5 \times 0.03)$
  $= 0.1650(16.5\%)$

그 다음 포트폴리오 기대수익률을 계산한다. 포트폴리오 기대수익률은 두 개의 자산일 때 (A비중 × A기대수익률) + (B비중 × B기대수익률)로 계산한다.

- 포트폴리오 기대수익률 = $(0.4 \times 0.125) + (0.6 \times 0.165)$
  $= 0.1490(14.90\%)$

| 핵심 개념 | 증권선택전략

1. 내재가치의 추정
2. 변동성 보상비율의 이용
3. 베타계수의 이용
4. 트레이너 블랙모형
5. 시장 이상현상을 이용한 투자전략

98 ③

출제영역 분산투자기법 > 자본자산 가격결정 모형 > 자본시장선

투자자들이 투자자금을 무위험자산과 위험자산에 나누어 투자할 때, 투자자들이 투자자금을 무위험자산과 완전분산된 효율적 포트폴리오 M(시장포트폴리오)에 나누어 투자할 때 자본시장이 균형상태에 이르게 되면 이 효율적 포트폴리오의 기대수익과 위험(표준편차) 사이에는 일정한 선형적 관계가 성립한다. 이 관계를 그래프로 표시한 것이 자본시장선(CML; Capital Market Line)이다.

| 핵심 개념 | 증권시장선(SML; Security Market Line)

증권시장이 균형을 이루어 자본시장선이 성립할 때, 개별증권뿐만 아니라 비효율적인 포트폴리오도 투자대상에 포함한 모든 투자자산의 기대수익률과 체계적 위험(베타)의 관계를 설명해주는 모형이다.

99 ③

출제영역 분산투자기법 > 포트폴리오 투자전략과 투자성과평가 > 포트폴리오 투자전략

트레이너 블랙모형은 증권분석을 통해 가격이 잘못 형성된 소수의 증권에 투자하게 되면 초과수익의 가능성은 높지만 분산투자가 잘 이루어지지 않은 탓으로 투자위험 또한 높아진다고 본다.

100 ③

출제영역 분산투자기법 > 포트폴리오 투자전략과 투자성과평가 > 포트폴리오 투자전략

변동비율법과 불변금액법은 자산배분을 통하여 초과수익을 얻는 적극적 투자전략 중 포뮬러 플랜에 해당된다.

투자자산운용사 실전 모의고사

| 제2회 |

빠른 채점표

01	④	02	③	03	①	04	②	05	③	06	③	07	③	08	③	09	①	10	③
11	③	12	③	13	③	14	③	15	③	16	②	17	③	18	②	19	②	20	③
21	④	22	④	23	③	24	②	25	③	26	①	27	④	28	①	29	①	30	③
31	③	32	④	33	②	34	④	35	④	36	④	37	③	38	②	39	③	40	④
41	②	42	③	43	①	44	②	45	④	46	③	47	①	48	②	49	④	50	①
51	②	52	①	53	①	54	②	55	③	56	②	57	③	58	④	59	③	60	③
61	④	62	②	63	④	64	④	65	②	66	④	67	③	68	②	69	④	70	③
71	②	72	②	73	②	74	①	75	②	76	①	77	①	78	②	79	③	80	③
81	①	82	②	83	③	84	①	85	③	86	③	87	①	88	②	89	④	90	②
91	②	92	④	93	④	94	③	95	②	96	②	97	③	98	②	99	③	100	④

전 문항 해설특강 바로보기

제1과목 (01~20)

제2과목(1) (21~35)

제2과목(2) (36~50)

제3과목(1) (51~62)

제3과목(2) (63~81)

제3과목(3) (82~100)

* 에듀윌 도서몰(book.eduwill.net)에서도 수강할 수 있습니다.

01~07 | 세제 관련 법규/세무전략

01 ④

> **출제영역** 금융투자세제 > 국세기본법 > 조세의 정의와 분류

우편으로 서류를 제출하는 경우에는 통신날짜 도장이 찍힌 날에 신고된 것으로 본다.

02 ③

> **출제영역** 금융투자세제 > 국세기본법 > 심사와 심판

국세채권은 등기나 등록으로 공시되는 것이 아니기 때문에 그 유무를 파악하기 어려운 기타 채권자에게 예기치 못한 손실을 주게 되므로, 이를 조정하기 위하여 국세우선의 예외 규정을 두고 있다.

┌── **| 핵심 개념 | 국세우선의 예외 규정**

1. 선집행 지방세와 공과금의 체납처분금액에서 국세징수 시 그 지방세와 공과금의 체납처분비
2. 강제집행, 경매 또는 파산절차에 따른 매각금액에서 국세징수 시 그 강제집행, 경매 또는 파산절차에 든 비용
3. 법정기일 전에 설정된 전세권·질권 또는 저당권에 의하여 담보되는 채권 (다만, 그 재산에 대해 부과된 국세와 체납처분비는 제외)
4. 우선변제임차보증금
5. 우선변제임금채권

03 ①

> **출제영역** 금융투자세제 > 소득세법 > 원천징수

이자소득은 연 2,000만원 이하일 때 원천징수로써 과세를 종결한다.

| 오답 해설 |

② 배당소득은 연 2,000만원 이하일 때 원천징수로써 과세를 종결한다.
③ 연금소득은 연 1,200만원 이하일 때 분리과세를 선택하면 원천징수로써 과세가 종결된다.
④ 기타소득은 연 300만원 이하일 때 분리과세를 선택하면 원천징수로써 과세를 종결한다.

04 ②

> **출제영역** 금융투자세제 > 이자소득, 배당소득 및 양도소득 > 금융소득에 대한 과세방법

금융소득은 '이자소득 → Gross-up 대상이 아닌 배당소득 → Gross-up 대상인 배당소득'의 순서에 따라 구성된다.

05 ③

> **출제영역** 금융투자세제 > 이자소득, 배당소득 및 양도소득 > 양도소득

장기보유 특별공제는 토지, 건물의 보유기간이 3년 이상인 경우, 자산의 양도차익에서 보유기간에 따라 6~30%(1세대 1주택은 8~40%)의 특별공제율에 의하여 계산한 금액을 공제한다. 주식 양도소득세 계산 시 장기보유 특별공제는 적용되지 않는다.

06 ③

> **출제영역** 절세전략 > 세무전략: 금융자산 TAX-PLANNING > 상속세 절세전략

배우자 상속은 최소 5억원에서 최대 30억원까지 실제 상속받은 재산가액을 공제받을 수 있다. 만약 배우자가 상속을 포기한 경우 배우자 상속공제는 5억원으로 축소되므로 재차 상속을 고려하더라도 여러 가지 상황을 비교하여 상속재산을 상속인 간에 합리적으로 분배하는 것이 바람직하며, 배우자가 상속을 포기하는 것이 가장 유리한 것은 아니다.

07 ③

> **출제영역** 절세전략 > 세무전략: 금융자산 TAX-PLANNING > 종합소득세 신고방법

세금계산서 미발급 가산세는 부가가치세법상 가산세의 세목이다.

┌── **| 핵심 개념 | 소득세법상 가산세 세목**

1. 무신고 가산세
2. 부정무신고 가산세
3. 일반과소신고 가산세
4. 부정과소신고 가산세
5. 납부불성실 가산세

08~15 | 금융상품

08 ③

> **출제영역** 금융상품개론 > 금융회사의 종류 > 금융회사의 종류

우체국예금은 비은행 금융회사로 분류된다.

┌── **| 핵심 개념 | 우리나라 특수은행**

1. 한국산업은행
2. 한국수출입은행
3. 중소기업은행
4. 농업협동조합 중앙회
5. 수산업협동조합 중앙회

09 ①

출제영역 금융상품개론 > 금융상품의 개요 > 재형 및 절세목적 금융상품

② 연금저축의 가입 한도는 퇴직연금 및 다른 연금저축과 합산하여 연간 1,800만원이다.

③ 조합예탁금의 가입 한도는 총 3,000만원이다.

④ 비과세 종합저축의 납입 한도는 총 5,000만원이다.

| **핵심 개념** | **절세 금융상품의 가입 한도**

1. ISA – 연간 2천만원(총 5년 동안 1억원까지)
2. 비과세 해외주식 투자전용펀드 – 총 3천만원
3. 연금저축(신탁/연금/보험) – 연간 1,800만원(퇴직연금 및 다른 연금저축과 합산)
4. 퇴직연금(IRP/DC형) – 연간 1,800만원(연금저축 및 다른 퇴직연금과 합산)
5. 주택청약종합저축 – 금액제한 없음(단, 총 1,500만원 납입 후에는 월 50만원으로 제한)
6. 저축성보험(종신형 연금보험) – 금액제한 없음
7. 저축성보험(월적립식) – 월 150만원
8. 저축성보험(기타) – 총 1억원
9. 비과세종합저축 – 총 5천만원
10. 조합출자금 – 총 1천만원
11. 조합예탁금 – 총 3천만원
12. 농어가목돈마련저축 – 연간 144만원(저소득자는 연간 120만원)

10 ③

출제영역 예금 및 신탁상품 > 예금의 종류 > 입출금식 및 적립식 예금

적립식의 경우 2만원 이상 50만원 이하의 금액을 5천원 단위로 납입한다. 다만, 입금하려는 금액과 납입누계액의 합이 1,500만원 이하인 경우에는 납입 잔액 1,500만원까지 월 한도 50만원을 초과하여 입금 가능하다.

11 ③

출제영역 예금 및 신탁상품 > 예금의 종류 > 목돈마련 예금

㉠ 양도성 예금증서(CD)는 중도해지가 불가능하지만 유통시장을 통해 매각하여 현금화할 수 있다.

㉢ 표지어음은 만기 전에는 중도해지가 불가능하나 배서에 의한 양도는 가능하다.

㉣ 금융채는 원리금의 지급을 발행은행이 보증한다.

12 ③

출제영역 예금 및 신탁상품 > 신탁상품의 개념과 특징 > 신탁상품 특징

운용수익에서 신탁보수를 차감한 금액을 배당으로 지급한다(실적배당).

13 ③

출제영역 보장성 금융상품 > 생명보험상품 > 생명보험상품의 종류

예정이율이 올라가면 보험료는 내려간다.

| **핵심 개념** | **예정이율**

예정이율은 고객에게 받은 보험료를 주식·채권 등의 자산운용을 통해 거둘 수 있는 예상수익을 의미한다. 따라서 예정이율이 올라가면 보험회사의 수익은 높아지게 되고, 낮아지면 수익도 낮아지게 된다. 따라서 예정이율이 올라가면 보험회사의 수익이 높아지므로 보험료는 낮아지게 된다.

14 ③

출제영역 투자성 금융상품 > 금융투자상품의 개념 및 종류 > 금융투자상품의 종류

자본시장법상 금융투자상품을 증권과 파생상품으로 구분하고 있다. 원본 대비 손실비율이 100% 이하인 상품은 증권, 원본 대비 손실비율이 100%를 초과하여 발생 가능한 상품은 파생상품이다.

15 ②

출제영역 투자성 금융상품 > 기타 금융투자상품 > 주식워런트증권(ELW)

주식워런트증권(ELW)의 투자자는 매수포지션만 보유하므로 이익은 무한대로 확대될 수 있으나 손실은 주식워런트증권 가격에 한정된다.

| **핵심 개념** | **주식워런트증권(ELW)의 특징과 위험**

1. 주식워런트증권(ELW)의 특징
   ① 레버리지 효과: 실물자산에 대한 직접 투자보다 큰 레버리지 효과가 있다.
   ② 한정된 투자위험: 투자자는 매수 포지션만 보유하기 때문에 손실은 주식워런트증권 가격에 한정되는 반면 이익은 무한대로 확대될 수 있다.
   ③ 위험헤지 기능: 보유자산의 가격이 반대 방향으로 변화함에 따라 발생하는 위험을 회피하고 보유자산의 가치를 일정하게 유지 가능하다.
   ④ 시장 상황과 무관한 새로운 투자수단: 활황장세, 침체장세 등 시장 상황과 무관하게 투자기회를 제공한다.
   ⑤ 높은 유동성: 거래소에 상장되며 발행자의 유동성 공급으로 쉽게 거래가 가능하다.
2. 주식워런트증권(ELW)의 위험
   ① 상품의 복잡성: 상품구조가 복잡하다. 표준화되어 단순히 사거나 팔 수 있는 권리만 있는 것은 상품구조가 간단하나 비표준형인 경우에는 상품의 손익구조가 복잡하여 투자자의 투자판단에 어려움을 야기한다.
   ② 높은 투자위험: 레버리지 효과가 커서 적은 금액으로 고수익도 가능한 반면 콜 워런트의 경우 만기일에 주가가 행사가격보다 낮은 경우 권리를 행사할 수 없으므로 주가의 하락폭보다 더 큰 폭의 손실이 발생할 수 있다.
   ③ 자본이득 외에 소득이 없음: 주식 직접 투자 시 배당금을 수령할 수 있으나 주식워런트증권의 수입원은 주가 변동에 따른 자본이득뿐이다.
   ④ 주주가 아니면 회사와 직접 관련이 없음: 주식워런트증권 보유자는 회사와 직접적인 관련이 없으므로 주주로서의 권리(의결권, 배당청구권)도 행사할 수 없다.

16~20 | 부동산 관련 상품

16 ②
출제빈도 **상**

출제영역 부동산 개론 > 부동산 투자의 기초 > 부동산의 개념과 특성

정착물로서 건물은 원칙적으로 부동성이 있으나 오늘날 이축기술의 발달로 이동이 가능하므로 모든 건물에 그 특성이 적용된다고 볼 수는 없다.

17 ③
출제빈도 **상**

출제영역 부동산 개론 > 부동산 투자의 이해 > 부동산 투자 결정 과정

부동산 투자 결정 과정은 '㉣ 투자의 목표 및 제약조건 확인 → ㉢ 부동산 투자환경의 분석 → ㉡ 현금흐름(Cash Flow)의 예측 → ㉤ 투자의 타당성 분석 → ㉠ 투자 결정'의 5단계 과정으로 이루어진다.

18 ②
출제빈도 **상**

출제영역 부동산 개론 > 부동산 투자의 이해 > 부동산 투자 결정 과정

- 연간 단위당 임대료 × 단위수 = 실제 총소득
- 실제 총소득 – 운용비용 = 순운용소득
- 순운용소득 – 부채상환액 = 납세 전 현금흐름
- 납세 전 현금 흐름 – 소득세 = 납세 후 현금흐름

19 ②
출제빈도 **중**

출제영역 부동산 투자상품의 이해 > 부동산 포트폴리오 > 포트폴리오의 수익률과 위험

부동산 포트폴리오의 위험은 단순히 두 부동산의 분산을 가중평균한 것이 아니라 거기에 두 자산 간의 공분산이 포함된다.

| 핵심 개념 | **포트폴리오의 분산**

포트폴리오가 두 부동산(a, b)으로 구성되어 있다면,
포트폴리오의 분산(σ_a^2) $= w_a^2 \sigma_a^2 + w_b^2 \sigma_b^2 + 2w_a w_b \sigma_{ab}$
- σ_a^2: a부동산의 분산
- σ_b^2: b부동산의 분산
- σ_{ab}: a, b부동산의 공분산

20 ③
출제빈도 **상**

출제영역 부동산 투자상품의 이해 > 부동산 가치평가 > 부동산 감정평가 3방식

직접환원법에 의한 부동산 수익가격은 '순영업소득 ÷ 자본환원율'이다.
- 순영업소득: 실제 총수익 12억원 – 운용비용 2억원 = 10억원

- 수익가격: 순영업소득 10억원 ÷ 자본환원율 5% = 200억원

| 핵심 개념 | **직접환원법에 의한 부동산 가치**

수익가격(부동산 가치) = 순영업소득 ÷ 자본환원율
직접환원법은 대상 부동산의 순수익을 환원이율로 직접 수익환원하여 수익가격을 구하는 방법이다. 이 방법은 내용연수가 무한하여 순수익이 영구적인 경우에 적용하므로 투하자본에 대한 회수가 불필요하다.

21~25 | 대안투자운용/투자전략

21 ④
출제빈도 **상**

출제영역 대안투자운용 및 투자전략 > 대안투자상품 > 대안투자상품의 개요

MMF(Monet Market Fund)는 전통적 투자상품으로 분류된다.

| 핵심 개념 | **대안투자상품의 분류**

대안투자는 새롭게 등장한 투자대상을 통칭하는 것으로 헤지펀드, 부동산펀드, 일반상품(Commodity)펀드, 인프라스트럭처 펀드, PEF(Private Equity Fund), Credit Structure 등이 있다.

22 ④
출제빈도 **상**

출제영역 대안투자운용 및 투자전략 > PEF(Private Equity Fund) > PEF(Private Equity Fund)의 운용

무한책임사원은 노무 또는 신용출자를 할 수 없도록 하고, 반드시 금전 또는 시장성 있는 유가증권을 출자하도록 하였다. 이는 PEF(사모펀드)의 투자자로서의 자격을 부여받기 위해서는 현금 또는 이와 유사한 금전적 출자가 있어야 하기 때문이다.

23 ③
출제빈도 **중**

출제영역 대안투자운용 및 투자전략 > PEF(Private Equity Fund) > Private Equity 투자

투자회수까지 장기간(7~8년)이 소요되는 점을 고려하여 경기변동에 영향을 덜 받는 기업을 PEF(사모펀드)의 투자대상으로 선정한다.

| 핵심 개념 | **PEF 인수대상 기업 선정**

1. 경기변동에 영향을 덜 받는 기업
2. 안정된 성장과 수익의 창출이 기대되는 기업
3. 부실기업(이미 부도가 났거나 부실화된 기업을 대상으로 PEF는 새로운 경영진을 투입하여 자본구조를 바꾸는 등 경영혁신을 도모하게 됨)
4. 구조조정 및 지배구조 변경을 통해 기업가치 상승이 기대되는 기업
5. 기업 부동산 매입

24 ②

출제영역 대안투자운용 및 투자전략 > 헤지펀드 > Long/Short Equity

⊙ Net Exposure(%) : 시장의 위험, 즉 구조적 상승과 하락에 얼마만큼 노출되어 있는지에 대한 정도를 보여 주는 지표로 '(Long Exposure − Short Exposure) ÷ Capital'로 계산한다. 즉, (150−100)÷100=0.5(50%)이다.

⊙ Long/Short Ratio(%) : Long position과 Short position의 균형을 보여주는 지표로 'Long Exposure ÷ Short Exposure'로 계산한다. 즉, 150÷100=1.5(%)이다.

⊙ Gross Exposure(%) : 레버리지 효과로 (Long Exposure + Short Exposure) ÷ (Long Exposure − Short Exposure)로 계산한다. 즉, 250÷50=5(%)이다.

25 ③
출제빈도 ❸

출제영역 대안투자운용 및 투자전략 > Credit Structure > Credit Derivatives의 종류와 구조

신용부도스왑(CDS; Credit Default Swap)에 대한 설명이다.

| **핵심 개념 | 신용파생상품**

1. 신용연계채권(CLN; Credit Linked Notes)
   일반채권에 CDS를 결합한 상품으로, 보장매입자는 준거자산의 신용위험을 CLN 발행자에게 전가하고 CLN 발행자는 이를 다시 채권의 형태로 변형하여 투자자들에게 발행함으로써 위험을 전가하는 방식이다.
2. 부채담보부증권(CDO; Collateralized Debt Obligation)
   개별 채권이나 대출을 SPV(Special Purpose Vehicle)에 담고, 이를 담보로 여러 종류의 새로운 채권을 발행하는 구조를 일컫는다.
3. 총수익 스왑(TRS; Total Return Swap)
   신용위험뿐만 아니라 시장위험도 거래상대방에게 전가시키는 신용파생상품이다.
4. 합성CDO
   부채 포트폴리오로 구성된 준거자산에 의해 현금흐름이 담보되는 여러 개의 트랜치(Tranche)로 구성되는 증권이다.
5. 신용스프레드 옵션
   신용스프레드를 일정한 행사가격에 사거나 팔 수 있는 권리를 부여하는 계약이다.
6. Basket Default Swaps
   형태는 일반적인 CDS와 동일하지만 다수의 준거자산으로 구성된 'Basket' 또는 포트폴리오를 기본으로 발행된다는 점이 다르다.

▌제2과목(투자운용 및 전략 II/투자분석)

26~30 │ 해외증권 투자운용/투자전략

26 ①
출제빈도 ❸

출제영역 해외증권 투자운용 및 투자전략 > 해외 투자에 대한 이론적 접근 > 해외 투자의 동기 및 효과

MSCI 지수는 글로벌 펀드의 투자기준이 되는 대표적인 지표로

최초의 국제 벤치마크, 특히 미국계 펀드의 운용에 주요 기준으로 사용되고 있는 지수이다.

| **핵심 개념 | 국제 주가지수**

1. MSCI(Morgan Stanley Capital International) 지수
   글로벌 펀드의 투자기준이 되는 대표적인 지수로 크게 미국, 유럽 등 선진국 중심의 세계지수(World Index)와 아시아, 중남미 등의 신흥시장 지수(Emerging Markets Index)로 나눌 수 있다.
2. FTSE(Financial Times Stock Exchange) 지수
   영국의 파이낸셜타임스와 런던거래소가 공동 설립한 FTSE 인터내셔널에서 1999년부터 발표하는 글로벌 지수로, 주로 유럽계 자금의 투자 벤치마크 역할을 하고 있으며, 전세계 46개 국가를 선진국시장, 준선진국시장, 신흥시장으로 분류한다.
3. WGBI(World Government Bond) Index
   씨티그룹이 관리하는 주요 23개국의 국채로 구성한 투자지수를 말한다.
4. Dow Jones 산업지수
   미국의 다우존스사가 가장 안정된 우량 30개 기업주를 표본으로 하여 시장가격을 평균산출하는 세계적인 주가지수이다.

27 ④
출제빈도 ❸

출제영역 해외증권 투자운용 및 투자전략 > 해외 투자에 대한 이론적 접근 > 해외 투자와 환위험

국제경쟁력 측면에서 통화가치의 상승은 환율 하락을 의미하며 수출가격 경쟁력이 약화되고 주가도 하락하게 된다.

| **핵심 개념 | 통화가치와 주가의 상관관계**

1. 국제투자 측면
   통화가치가 상승하면 환율 하락으로 인해 외국인 투자자금의 유입이 증가되고 이로 인해 주가는 상승하게 된다. 이는 국제투자 측면에서 한 나라의 통화가치 상승은 주가와 양(+)의 관계를 가지는 것으로 볼 수 있다.
2. 국제경쟁력 측면
   통화가치가 상승하면 환율 하락으로 인해 수출가격 경쟁력이 약화되고 기업의 이익 감소로 주가는 하락하게 된다.

저자의 Tip

우리나라 통화가치의 상승은 환율 하락을 의미하고, 통화가치의 하락은 환율 상승을 의미합니다.

28 ①
출제빈도 ❸

출제영역 해외증권 투자운용 및 투자전략 > 국제 증권시장 > 국제 채권 시장의 의의와 구조

미국달러 표시 채권이 미국 이외의 국가에서 발행될 경우 유로(달러)채가 되므로 한국기업이 런던에서 발행한 미달러화 표시 채권은 유로채이다. 반면에 채권표시통화의 본국에서 발행되는 채권을 외국채라 한다.

| 오답 해설 |

② 한국기업이 미국에서 발행한 미달러화 표시 채권: 양키 본드
③ 미국기업이 홍콩에서 위안화로 발행한 채권: 딤섬 본드
④ 미국기업이 한국에서 원화로 발행한 채권: 아리랑 본드

29 ①

출제영역 해외증권 투자운용 및 투자전략 > 해외 증권투자전략 > 해외 투자전략

해외펀드는 환매할 때 15.4%(지방소득세 포함)의 배당소득세가 과세된다. 반면 해외주식 또는 해외ETF(상장지수펀드)의 경우 양도소득 과세표준의 22%(지방소득세 포함)가 과세된다.

┌─ **│ 핵심 개념 │ 해외주식펀드 투자 시 고려할 사항** ─

1. 환율 변동에 따른 환위험을 고려해야 한다.
2. 신뢰할 만한 자산운용사를 선택해야 한다.
3. 해외주식펀드 관련 동향을 체크해야 한다.
4. 해외펀드의 환매기간은 7~10일 정도 소요된다(국내펀드 3~4일).
5. 해외펀드는 환매 신청 후 4영업일 이후에 환매금액이 확정된다. 이는 환매 신청 후 며칠간 주가 변동성에 노출될 수 있다는 것이다.
6. 펀드를 환매할 때 15.4%의 세금이 원천징수되며 2천만원 초과 시 다른 종합과세 대상소득과 합산되어 금융소득 종합과세된다.

30 ③

출제영역 해외증권 투자운용 및 투자전략 > 해외 증권투자전략 > 해외 투자전략

국내에서 브라질 채권을 팔 때 원화(KRW)와 헤알화(BRL) 사이에 헤지(Hedge)가 되지 않은 것이 일반적이다. 하지만 투자기간 중 헤알화의 가치가 상승했다면 투자수익에 환차익까지 얻을 수 있기 때문에 환율 헤지를 하지 않았다고 꼭 손실만 발생하는 것은 아니다.

│ 제2과목(투자운용 및 전략 II/투자분석)

31~42 │ 투자분석기법

31 ③

출제영역 투자분석기법 – 기본적 분석 > 유가증권의 가치평가 > 채권의 가치평가

- 영구채권의 가치 $= \dfrac{\text{연간 이자}}{\text{요구수익률}}$
- 이자 $= 10$만원(액면가) $\times 6\%$(연리) $= 6,000$원
- 영구채권의 가치 $= \dfrac{6,000원}{8\%} = 75,000$원

32 ④

출제영역 투자분석기법 – 기본적 분석 > 기업분석(재무제표 분석) > 수익성 지표

'자기자본이익률(ROE) = ROA ÷ (1 – 부채비율)'이므로 ROE의 증가는 부채 부담이 증가하고 있다는 신호로 볼 수 있고 반대로 ROE의 감소는 부채 부담이 감소하고 있다는 신호로 볼 수 있다.

33 ②

출제영역 투자분석기법 – 기본적 분석 > 주식투자 > 주가배수 모형에 의한 기업가치 분석

PBR의 공식은 '$PBR = \dfrac{ROE_2 - g}{K - g}$'이다. 기업의 위험이 높을수록 요구수익률(K)이 높아지므로 PBR은 작아진다. 따라서 기업의 위험과는 음(−)의 관계이다. 또한 ROE가 요구수익률(K)보다 클 경우 PBR은 1보다 크고, 성장률(g)이 높을수록 PBR은 커진다.

34 ④

출제영역 투자분석기법 – 기본적 분석 > 기업분석(재무제표 분석) > 레버리지 분석

- 결합레버리지도(DCL) 36 = 영업레버리지도(DOL) x × 재무레버리지도(DFL) 6
  ∴ 영업레버리지도(DOL) $x = 6$
- 영업레버리지도(DOL) 6 = (매출액 200억원 − 변동비 140억원) ÷ (매출액 200억원 − 변동비 140억원 − 고정비 x)
  ∴ 고정비 $x = 50$억원

35 ④

출제영역 투자분석기법 – 기본적 분석 > 주식투자 > 주가배수 모형에 의한 기업가치 분석

상장기업의 시장가치 추정 시 유사기업의 EV/EBITDA를 산출하고, 이를 상장 예정(공모)인 기업의 EBITDA와 비교하여 추정할 수 있다.

- 상장기업의 EV(추정): 유사기업의 EV/EBITDA 6 × 상장기업의 EBITDA 500억원 = 3,000억원
- 예상 시가총액(추정): 상장기업의 EV 3,000억원 − 채권가치 400억원 = 2,600억원
- 주당가치(추정): 예상 시가총액 2,600억원 ÷ 공모 후 발행주식수 1,000만주 = 26,000원

36 ④

출제영역 투자분석기법 – 기본적 분석 > 주식투자 > EVA 모형

타인자본(부채)을 사용할 경우 가중평균자본비용을 계산하고 EVA를 계산한 후 기업의 가치를 추정할 수 있으며 다음의 순서로 계산한다.

- 투자자본(IC): 자기자본 100억원 + 타인자본 100억원 = 200억원
- 가중평균자본비중(WACC): 100억원 ÷ 200억원 × 10% + 100억원 ÷ 200억원 × 10% = 10%
- EVA: 세후 순영업이익 40억원 − (투하자본 200억원 × 가중평균자본비중 10%) = 20억원
- MVA(미래 EVA의 현재가치): EVA 20억원 ÷ WACC 0.1 =

200억원

- 기업가치: 투하자본(IC) 200억원 + MVA(시장부가가치) 200억원 + 비사업자산가치 0 = 400억원

37 ③
출제빈도 하

출제영역 투자분석기법 – 기술적 분석 > 기술적 분석 > 기술적 분석의 이해

기술적 분석은 투자가치를 무시하고 주가 변동에만 집착해 시장 변화의 원인을 분석할 수 없다. 또한 동일한 주가양상을 놓고 어느 시점이 주가변화의 시발점인가 하는 해석이 각기 다를 수 있으며 과거의 주가추세나 패턴이 반복되는 경향을 가지고 있고 이것이 미래에도 반복해서 나타난다는 것은 지극히 비현실적인 가정이다.

38 ②
출제빈도 중

출제영역 투자분석기법 – 기술적 분석 > 추세분석 > 지지선과 저항선

상승 추세선은 상승 추세에서 저점을 연결한 선이며 하락 추세선은 하락 추세에서 고점을 연결한 선이다. 지지선은 저점을 수평으로 이은 선이고 저항선은 고점을 수평으로 이은 선이다.

| 핵심 개념 | 추세선

1. 추세선의 신뢰도는 저점이나 고점이 여러 번 나타날수록, 또 추세선의 길이가 길고 기울기가 완만할수록 크다.
2. 추세선의 길이가 길다는 것은 그 추세가 명확하여 주가 움직임이 일관성을 가지고 있다는 것이며, 기울기가 완만하다는 것은 추세의 변화가 금방 나타나지 않는다는 것을 의미한다.
3. 추세선이 상승 추세를 나타낼 때 기울기가 커지는 경우가 있는데 이는 상승 추세의 강화를 나타내며, 반대로 기울기가 작아지면 추세의 약화를 예상할 수 있다.

39 ③
출제빈도 상

출제영역 투자분석기법 – 기술적 분석 > 패턴분석 > 패턴 분석 개요

쐐기형은 지속형 패턴의 종류이다. 패턴분석의 종류에는 반전형과 지속형이 있다. 반전형은 패턴을 통해 전환점을 포착하고자 하는 전략이고, 지속형은 일정한 패턴이 완성된 후에 기존의 추세가 다시 강화되는 것을 이용하고자 하는 전략이다.

| 핵심 개념 | 패턴분석의 종류

1. 반전형 패턴
   헤드앤숄더(H&S형), 역헤드앤숄더, 이중 천장형과 이중 바닥형, 선형, 원형 천장형, 원형 바닥형, 확대형 등
2. 지속형 패턴
   삼각형, 깃발형과 패넌트형, 쐐기형, 직사각형, 다이아몬드형 등

40 ④
출제빈도 상

출제영역 투자분석기법 – 기술적 분석 > 지표분석 > 추세반전형 지표

OBV는 거래량 관련 지표이다.

| 핵심 개념 | 지표 분석

1. 추세추종형 지표
   - MACD(Moving Average Convergence & Divergence)
   - MAO(Moving Average Oscillator)
2. 추세반전형 지표
   - 스토캐스틱(Stochastic)
   - RSI(Relative Strength Index)
   - ROC(Rate Of Change)
3. 거래량 지표
   - OBV(On Balance Volume)
   - VR(Volume Ratio)
   - 역시계 곡선(주가 – 거래량 상관곡선)

41 ②
출제빈도 중

출제영역 투자분석기법 – 산업분석 > 산업연관분석(Input–Output Analysis) > 산업연관표의 구조와 주요 지표

산업연관표에서 세로 방향은 상품의 투입 구조를, 가로 방향은 상품의 배분 구조를 나타낸다.

| 핵심 개념 | 산업연관표

1년 동안 한 나라에서 생산되는 모든 재화와 서비스의 산업 간 거래관계를 체계적으로 기록한 표이다.
1. 세로(투입 구조)
   상품의 투입 구조는 원재료 등의 투입을 나타내는 중간재투입과 노동이나 자본투입을 나타내는 부가가치의 두 부분으로 나누어지며 그 합계를 총투입이라 한다.
2. 가로(배분 구조)
   생산물의 배분 구조는 중간재로 판매되는 중간수요와 소비재, 자본재, 수출상품 등으로 판매되는 최종수요의 두 부분으로 나누어진다. 이때 각 산업 부문의 총산출액과 이에 대응되는 총투입액은 항상 일치한다.

42 ③
출제빈도 상

출제영역 투자분석기법 – 산업분석 > 산업정책 분석 > 산업정책의 개요

산업정책은 역사적으로 볼 때 경제발전에 뒤떨어진 후발국에서 강조되었다. 또한 어떤 이유에서든 국민경제의 성장잠재력이 훼손되는 상황에서도 강조되는 경향이 있다.

43~50 | 리스크관리

43 ①

출제영역 리스크관리 > 리스크와 리스크관리의 필요성 > 리스크관리의 실패사례

닉 리슨(Nick Leeson)의 파생상품 불법거래에 따른 막대한 손실로 인하여 1995년 2월 영국의 베어링은행이 파산한 사건이다. 닉 리슨은 주가가 상승할 것이라는 예상하에 주가지수선물과 옵션에서 투기적인 포지션을 유지하였으나 예상과 달리 주가가 하락하여 막대한 손실을 기록하였다. 이는 주어진 권한의 범위를 초과하는 투기적인 불법거래에서 막대한 손실을 기록한 리스크관리의 실패사례이다.

| 오답 해설 |

② 메탈게젤샤프트사(Metallgesellschaft) 파산사건: 장기 현물(석유제품) 공급계약에 따른 리스크(원유가격 상승위험)를 단기 선물계약에 의해 헤지함으로써 롤링위험에 노출 및 과거자료에 대한 지나친 신뢰와 불운이 겹쳐 대규모 손실을 입고 모회사가 파산하게 된 사건

③ 오렌지카운티(Orange County)의 파산사건: 지방정부기금이 통제되지 않을 경우 가질 수 있는 시장 리스크의 극단적인 예로 과도한 레버리지 전략(단기로 자금을 조달하여 장기로 투자)으로 17억 달러의 손실을 입고 파산한 사건이다.

④ LTCM(Long-Term Capital Management) 사건: 미국 헤지펀드로 과도한 레버리지를 활용하여 러시아 채권과 미국채 간의 수렴차익거래(스프레드 축소전략)를 취했으나 러시아 국채의 채무불이행(모라토리엄선언)으로 스프레드가 반대로 크게 확대되면서 40억불이라는 큰 손실을 얻게 된 사건

44 ②

출제영역 리스크관리 > 시장 리스크(Market Risk)의 측정 > VaR의 측정방법

99% 신뢰도 1일 VaR = 2.33 × 100pt × 1.7% × 0.6 = 2.3766Point

45 ④

출제영역 리스크관리 > 시장 리스크(Market Risk)의 측정 > VaR의 측정방법

95% 신뢰도 10일 VaR = 4.95억원 × $\sqrt{10}$ = 15.65억원

46 ③

출제영역 리스크관리 > 시장 리스크(Market Risk)의 측정 > VaR의 측정방법

상관계수가 0일 때 포트폴리오 VaR = $\sqrt{VaR_A{}^2 + VaR_B{}^2}$이므로, 포트폴리오 VaR = $\sqrt{8억원^2 + 6억원^2}$ = 10억원이다.

☞ **저자의 Tip**

참고로 상관계수가 '+1'일 때는 각 자산의 단순 합(8억원+6억원=14억원)으로, 상관계수가 '−1'일 때는 각 자산의 차액(8억원−6억원=2억원)으로 포트폴리오 VaR을 계산할 수 있다.

47 ①

출제영역 리스크관리 > 시장 리스크(Market Risk)의 측정 > VaR의 유용성

Marginal VaR은 특정한 포지션을 기존의 포트폴리오에 편입시키거나 또는 제거시킬 때 추가적으로 증가 또는 감소하는 VaR을 말한다. 투자대안을 선택할 때는 Marginal VaR을 비교하여 값이 작은 투자대안 A가 우월한 투자대안으로 선택될 수 있다. 반대로 Margianl VaR 값이 가장 큰 투자대안을 제거할 경우에는 포트폴리오의 위험을 가장 많이 감소하는 효과도 있다.

┌ | 핵심 개념 | Marginal VaR 계산 ─
- 포트폴리오가 A와 B 투자대안으로만 구성된 것으로 가정한다.
- A 포지션의 Marginal VaR = A와 B로 구성된 포트폴리오 VaR − 개별 투자대안 B의 VaR
- B 포지션의 Marginal VaR = A와 B로 구성된 포트폴리오 VaR − 개별 투자대안 A의 VaR

48 ②

출제영역 리스크관리 > 시장 리스크(Market Risk)의 측정 > VaR의 측정방법

스트레스 검증법은 포트폴리오의 주요 변수들에 큰 변화가 발생했을 때 포트폴리오의 가치가 얼마나 변할 것인지를 측정하기 위해 주로 이용되며 시나리오 분석(Scenario Analysis)이라고도 한다. 금융시장에는 예기치 못한 사건으로 인해 금융자산의 가격이 급변하는 경우가 종종 있다. 예를 들어 전쟁이나 금융구조의 변혁 등으로 인해 주식시장의 붕괴나 환율의 폭락 등과 같은 비정상적이고 극단적인 상황이 일어났으며 향후에도 그럴 가능성을 전혀 배제할 수는 없다. 스트레스 검증법은 주로 이런 상황과 같은 최악의 경우(Worst Case)에 사용된다.

49 ④

출제영역 리스크관리 > 신용 리스크(Credit Risk)의 측정 > 신용손실 분포로부터 신용 리스크 측정모형

기대손실(EL) = EAD(신용리스크노출금액) 100억원 × 부도율 8% × LGD(손실률) 50% = 4억원

50 ①

출제영역 리스크관리 > 신용 리스크(Credit Risk)의 측정 > 부도율 측정모형

MTM(Marking-to-Market Mode)모형에 대한 설명이다. MTM모형은 신용 리스크를 추정할 때 신용등급과 손실 리스크까지 반영한다.

| 핵심 개념 | KMV의 부도율측정모형

KMV의 부도율측정모형(채무불이행 예측모형)은 자산가치와 표준편차를 이용하여 부도거리를 구하고 이 부도거리를 실제 부도율과 대응시켜 EDF(기대채무불이행빈도)를 구하는 실증적 EDF(기대채무불이행빈도)를 사용한다. 또한 KMV는 특정 기간 내에 기업의 자산가치가 상환해야 할 부채규모 이하로 떨어질 확률을 계산하고 이 확률과 실제 부도율과의 관계를 파악하여 기대 채무불이행 빈도(EDF: Expected Default Frequencies)를 계산한다.

저자의 Tip

KMV는 신용평가기관인 무디스의 자회사로 신용위험관리시스템을 연구하고 판매하는 회사입니다.

■ 제3과목(직무윤리 및 법규/투자운용 및 전략 I 등)

51~55 | 직무윤리

51 ②
출제빈도 중

출제영역 직무윤리 > 직무윤리 일반 > 직무윤리

ⓒ 회사의 투자 관련 직무에 직·간접적으로 종사하는 자도 포함한다.
ⓔ 회사와 무보수로 일하는 자도 직무윤리를 준수해야 한다.

52 ①
출제빈도 상

출제영역 직무윤리 > 금융투자업 직무윤리 > 이해상충 방지 의무

이해상충 방지의무에 대한 설명이다.

| 오답 해설 |

② 금융소비자보호의무: 금융투자상품을 소비하는 금융소비자의 관점에서 금융시장에서의 불균형을 시정하여 소비자들이 금융기관과 공정하게 협상할 수 있는 기반을 확보하고, 금융소비자의 신뢰 제고를 통하여 장기적으로 금융서비스의 수요를 증가시키는데 그 목적이 있다.
③ 부당권유의 금지: 투자권유를 함에 있어서 거짓의 내용을 알리거나, 불확실한 사항에 대하여 단정적 판단을 제공하거나 확실하다고 오인하게 할 소지가 있는 내용을 알리는 행위 등은 금지된다.
④ 설명의무: 일반투자자를 상대로 투자권유를 하는 경우에는 일반투자자가 이해할 수 있도록 설명해야 하며, 설명한 내용을 일반투자자가 이해하였음을 서명, 기명날인, 녹취 등의 방법으로 확인을 받아야 한다.

53 ③
출제빈도 상

출제영역 직무윤리 > 금융투자업 직무윤리 > 금융소비자보호의무

금융투자업자는 투자자의 투자경험과 금융투자상품에 대한 지식 수준 등 투자자의 이해수준을 고려하여 설명의 정도를 달리할 수 있다.

54 ②
출제빈도 상

출제영역 직무윤리 > 금융투자업 직무윤리 > 금융소비자보호의무

순서대로 ⑦ 7, ⑥ 15, ⑥ 5이다.

55 ②
출제빈도 상

출제영역 직무윤리 > 직무윤리의 준수절차 및 위반 시의 제재 > 직무윤리의 준수절차

영업점에서 1년 이상 근무한 경력이 있거나 준법감시 및 감사업무를 1년 이상 수행한 경력이 있어야 한다.

| 핵심 개념 | 영업점별 영업관리자 요건

1. 영업점에서 1년 이상 근무한 경력이 있거나 준법감시 및 감사업무를 1년 이상 수행한 경력이 있는 자로서 당해 영업점에 상근하고 있을 것
2. 본인이 수행하는 업무가 과대하거나 수행하는 업무의 성격으로 인하여 준법감시 업무에 곤란을 받지 아니할 것
3. 영업점장이 아닌 책임자급일 것(다만, 당해 영업점의 직원 수가 적어 영업점장을 제외한 책임자급이 없는 경우 제외)
4. 준법감시업무를 효과적으로 수행할 수 있는 충분한 경험과 능력, 윤리성을 갖추고 있을 것

■ 제3과목(직무윤리 및 법규/투자운용 및 전략 I 등)

56~62 | 자본시장과 금융투자업에 관한 법률

56 ②
출제빈도 중

출제영역 자본시장과 금융투자업에 관한 법률/금융위원회 규정 > 총설 > 감독기관 및 관계기관

ⓒ 증권선물위원회는 자본시장의 불공정거래 조사업무를 수행한다.
ⓒ 금융감독원은 금융민원 해소 및 금융분쟁 조정업무를 담당한다.

57 ③
출제빈도 상

출제영역 자본시장과 금융투자업에 관한 법률/금융위원회 규정 > 투자매매업자 및 투자중개업자에 대한 영업행위규제 > 매매 또는 중개 업무 관련 규제

투자매매업자 또는 투자중개업자는 투자자로부터 금융투자상품의 매매에 관한 청약 또는 주문을 받는 경우에는 사전에 그 투자자에게 자기가 투자매매업자인지 투자중개업자인지를 밝혀야 한다. 이를 매매형태의 명시라며, 이를 알리는 방법상의 제한은 없다.

1. 매매형태의 명시
   투자매매업자 또는 투자중개업자는 투자자로부터 금융투자상품의 매매에 관한 청약 또는 주문을 받는 경우에는 사전에 그 투자자에게 자신이 투자매매업자인지, 투자중개업자인지를 밝혀야 한다.
2. 자기계약의 금지
   투자매매업자 또는 투자중개업자는 금융투자상품에 관한 같은 매매에 있어 자신이 본인이 됨과 동시에 상대방의 투자중개업자가 되어서는 안 된다.
3. 최선집행의무
   · 투자매매업자 또는 투자중개업자는 금융투자상품의 매매(대통령령으로 정하는 일정한 거래는 제외)에 관한 투자자의 청약 또는 주문을 처리하기 위하여 최선의 거래조건으로 집행하기 위한 기준(최선집행기준)을 마련하고 이를 공표하여야 하며 3개월마다 최선집행기준의 내용을 점검해야 한다.
4. 자기주식의 예외적 취득
   투자매매업자는 투자자로부터 그 투자매매업자가 발행한 자기주식으로서 증권시장(다자간매매체결회사에서의 거래 포함)의 매매 수량단위 미만의 매도의 청약을 받은 경우에는 이를 증권시장 밖에서 취득할 수 있다.
5. 임의매매의 금지
   투자매매업자 또는 투자중개업자는 투자자나 그 대리인으로부터 금융투자상품의 매매의 청약 또는 주문을 받지 아니하고는 투자자로부터 예탁받은 재산으로 금융투자상품의 매매를 하여서는 안 된다.

58 ④

출제빈도 상

출제영역 **자본시장과 금융투자업에 관한 법률/금융위원회 규정 > 금융투자업자에 대한 규제 · 감독 > 영업행위 규칙**

협회가 표준약관을 제정 · 변경하고자 하는 경우에는 미리 금융위에 신고해야 한다.

핵심 개념 | 약관 제정 · 변경 시 금융위원회 및 협회 보고사항

1. 미리 금융위원회(금융위)에 신고해야 할 사항
   ① 금융투자업자가 금융투자업 영위와 관련하여 약관을 제정 · 변경하고자 하는 경우
   ② 협회가 표준약관을 제정 · 변경하고자 하는 경우
2. 제정 · 변경 후 7일 이내 금융위 및 협회 보고사항
   ① 금융투자업자: 표준약관을 그대로 사용하거나 약관 내용 중 투자자의 권리 · 의무와 관련이 없는 사항을 변경하는 경우, 다른 금융투자업자가 신고한 약관과 동일하게 약관을 제정 · 변경하는 경우, 전문투자자만을 대상으로 약관을 제정 · 변경하는 경우
   ② 협회: 전문투자자만을 대상으로 표준약관을 제정 · 변경한 경우

59 ③

출제빈도 상

출제영역 **자본시장과 금융투자업에 관한 법률/금융위원회 규정 > 금융투자업자에 대한 규제 · 감독 > 건전성 규제**

| 오답 해설 |

① 시장위험과 신용위험을 동시에 내포하는 자산에 대하여는 시장위험액과 신용위험액을 모두 산정한다.
② 영업용순자본 차감 항목에 대하여는 원칙적으로 위험액을 산정하지 않는다.
④ 부외자산과 부외부채에 대해서도 위험액을 산정하는 것을 원칙으로 한다.

60 ③

출제빈도 상

출제영역 **자본시장과 금융투자업에 관한 법률/금융위원회 규정 > 금융투자업자에 대한 규제 · 감독 > 영업행위 규칙**

금융투자업자의 경영실태평가 결과와 영업용순자본비율 등을 다른 금융투자업자의 그것과 비교하는 방법은 금지된다.

핵심 개념 | 투자광고

1. 광고에 포함될 사항
   ① 타 기관 등으로부터 수상, 선정, 인증, 특허 등을 받은 내용을 표기하는 경우 당해 기관의 명칭, 수상 등의 시기 및 내용
   ② 과거 재무상태 또는 영업실적을 표기하는 경우 투자광고 시점 및 미래에는 이와 다를 수 있다는 내용
   ③ 최소비용을 표기하는 경우 그 최대비용과 최대수익률을 표기하는 경우 그 최소수익
   ④ 관련 법령 · 약관 등의 시행일 또는 관계기간의 인 · 허가 전에 실시하는 광고의 경우 투자자가 당해 거래 또는 계약 등의 시기 및 조건 등을 이해하는 데 필요한 내용
   ⑤ 통계수치나 도표 등을 인용하는 경우 해당 자료의 출처
2. 투자광고의 방법 및 절차
   (1) 금융투자업자 준수사항
   ① 광고의 제작 및 내용에 있어서 관련 법령의 준수를 위하여 내부통제기준을 수립하여 운용할 것
   ② 금융투자업자의 경영실태평가 결과와 영업용순자본비율 등을 다른 금융투자업자의 그것과 비교하는 방법 등으로 광고하지 아니할 것
   ③ 준법감시인의 사전 확인을 받을 것
   ④ 투자광고계획신고서와 투자광고안을 협회에 제출하여 심사를 받을 것
   ⑤ 협회의 투자광고안 심사 및 심사결과 통보
   ⑥ 투자광고문에 협회 심사필 또는 준법감시인 심사필을 표시할 것
   (2) 금융투자협회 준수사항
   ① 투자광고를 하는 자, 투자광고의 내용, 투자광고의 매체, 크기, 시간 등을 고려하여 금융투자업자가 준수하여야 할 투자광고 기준, 투자광고 심사 절차 및 그 방법, 그 밖에 투자광고와 관련하여 필요한 세부사항을 달리 정할 것
   ② 매 분기별 투자광고 심사 결과를 해당 분기의 말일로부터 1개월 이내에 감독원장에서 보고할 것

61 ④

출제빈도 상

출제영역 **자본시장과 금융투자업에 관한 법률/금융위원회 규정 > 증권발행시장 공시제도 > 증권신고서제도**

증권신고서의 효력발생은 금융위가 제출된 신고서 및 첨부서류에 근거하여 심사한 결과, 형식상 또는 내용상 문제가 없다는 의미로서 그 증권신고서의 기재사항이 진실 또는 정확하다는 것을 인정하거나 정부에서 그 증권의 가치를 보증 또는 승인하는 효력을 가지는 것은 아니다.

62 ②

출제빈도 중

출제영역 **자본시장과 금융투자업에 관한 법률/금융위원회 규정 > 증권발행시장 공시제도 > 투자설명서제도**

발행인은 증권신고서의 효력이 발생하는 날 금융위원회(금융위)에 투자설명서 및 간이투자설명서를 제출해야 한다.

| 핵심 개념 | 투자설명서의 작성 및 공시

1. 작성

투자설명서에는 증권신고서에 기재된 내용과 다른 내용을 표시하거나 그 기재사항을 누락할 수 없다. 다만 기업경영 등 비밀유지와 투자자 보호와의 형평성 등을 고려하여 기재를 생략할 필요가 있는 경우에는 금융위의 확인을 받아 그 기재를 생략할 수 있다.

2. 공시

① 발행인은 증권을 모집하거나 매출하는 경우 투자설명서 및 간이투자설명서를 증권신고의 효력이 발생하는 날에 금융위에 제출해야 하며, 총리령으로 정하는 장소에 비치하고 일반인이 열람할 수 있게 해야 한다.

② 발행인은 투자설명서 및 간이투자설명서를 해당 증권의 발행인의 본점, 금융위원회(금융위), 거래소, 청약사무 취급장소에 비치 및 공시해야 한다.

3. 개방형 집합투자증권 및 파생결합증권에 대한 특례

① 투자설명서 및 간이투자설명서를 제출한 후 1년마다 1회 이상 다시 고친 투자설명서 및 간이투자설명서를 제출해야 한다.

② 변경등록을 한 경우 변경등록의 통지를 받은 날로부터 5일 이내 그 내용을 반영한 투자설명서 및 간이투자설명서를 제출해야 한다.

▌제3과목(직무윤리 및 법규/투자운용 및 전략Ⅰ 등)

63~66 | 금융위원회규정

63 ④

출제영역 자본시장과 금융투자업에 관한 법률/금융위원회 규정 > 투자매매업자 및 투자중개업자에 대한 영업행위규제 > 투자자 재산보호를 위한 규제

다른 회사에 흡수 합병된 경우는 투자자 예탁금을 우선 지급해야 할 사유에 해당하지 않고 예치 금융회사가 예외적으로 투자자예탁금을 양도하거나 담보로 제공할 수 있는 사유에 해당된다.

| 핵심 개념 | 투자자 예탁금의 우선 지급 사유

1. 인가 취소, 해산 결의, 파산선고
2. 투자매매업 또는 투자중개업 전부 양도·전부 폐지가 승인된 경우 및 전부의 정지명령을 받은 경우
3. 예치기관(증권 금융 또는 신탁업자)이 인가 취소, 파산 등 예치 금융투자업자(투자자 예탁금을 예치 또는 신탁한 투자매매업자 또는 투자중개업자)의 우선 지급 사유와 동일한 사유에 해당될 때

64 ④

출제영역 자본시장과 금융투자업에 관한 법률/금융위원회 규정 > 기업의 인수합병(M&A) 관련 제도 > 공개매수제도

주식 등의 변경상장이 아닌 주식 등의 상장폐지가 공개매수의 사유이다.

| 핵심 개념 | 공개매수 철회의 사유

원칙적으로 공개매수공고일 이후에는 공개매수를 철회할 수 없으나, 대항공개매수(공개매수기간 중 그 공개매수에 해당하는 공개매수가 있는 경우, 공개매수자의 사망·해산, 파산한 경우, 그 밖에 투자자보호를 해할 우려가 없는 경우에는 공개기간의 말일까지 철회할 수 있다.

1. 공개매수자가 발행한 어음 또는 수표가 부도로 되거나 은행과의 당좌거래가 정지 또는 금지된 경우

2. 공개매수대상 회사에 다음 어느 하나의 사유가 발생한 경우에 공개매수를 철회할 수 있다는 조건을 공개매수 공고 시 게재하고 이를 공개매수신고서에 기재한 경우, 그 사유가 발생한 경우

① 합병, 분할, 분할합병, 주식의 포괄적 이전 또는 포괄적 교환
② 중요한 영업이나 자산의 양도·양수
③ 해산 및 파산
④ 발행한 어음이나 수표의 부도
⑤ 은행과의 당좌거래의 정지 또는 금지
⑥ 주식 등의 상장폐지
⑦ 천재지변, 전시, 사변, 화재, 그 밖의 재해 등으로 인하여 최근 사업연도 자산 총액의 100분의 10 이상의 손해가 발생한 경우

65 ③

출제영역 자본시장과 금융투자업에 관한 법률/금융위원회 규정 > 투자매매업자 및 투자중개업자에 대한 영업행위규제 > 신용공여에 관한 규제

㉠ 금융위원회 또는 거래소에 신고되거나 보고된 서류에 기재되어 있는 정보: 그 내용이 기재되어 있는 서류가 금융위 또는 거래소가 정하는 바에 따라 비치된 날부터 1일

㉡ 연합뉴스사를 통하여 그 내용이 제공된 정보: 제공된 때부터 6시간

㉢ 전국을 가시청권으로 하는 지상파 방송을 통하여 그 내용이 방송된 정보: 방송된 때부터 6시간

| 핵심 개념 | 그 밖의 미공개 정보 이용 규제 대상 행위

• 일반 일간신문 또는 경제분야의 특수 일간 신문 중 전국을 보급지역으로 하는 둘 이상의 신문에 그 내용이 기재된 정보: 게재된 날의 다음 날 0시부터 6시간(다만, 해당 법률에 따른 전자간행물의 형태로 게재된 때부터 6시간)

• 금융위 또는 거래소가 설치·운영하는 전자전달매체를 통하여 그 내용이 공개된 정보: 공개된 때부터 3시간

66 ④

출제영역 금융위원회 규정 > 불공정거래행위에 대한 규제 > 미공개정보 이용(내부자거래) 규제

투자매매업자는 증권의 인수일부터 3개월 이내에는 투자자에게 그 증권을 매수하게 하기 위하여 그 투자자에게 금전의 융자, 그 밖의 신용공여를 할 수 없다. 3개월이 경과된 이후에는 신용공여의 제한이 없다.

| 오답 해설 |

① 신용공여의 규모는 투자매매업자 또는 투자중개업자의 자기자본의 범위 이내로 한다.

② 투자자의 신용상태 및 종목별 거래상황 등을 고려하여 신용공여금액의 100분의 140 이상에 상당하는 담보를 징구하여야 한다.

③ 투자자가 신용거래에 의해 매매할 수 있는 증권은 증권시장에 상장된 주권 및 상장지수 집합투자기구 증권으로 한다.

67~69 | 한국금융투자협회규정

67 ④

출제영역 한국금융투자협회규정 > 금융투자회사의 영업 및 업무에 관한 규정 > 재산상 이익의 제공 및 수령

파생상품과 관련하여 추첨 및 기타 우연성을 이용하는 방법으로 일반투자자에게 1회당 300만원 미만의 재산상 이익은 제공할 수 있다.

68 ③

출제영역 한국금융투자협회규정 > 금융투자회사의 영업 및 업무에 관한 규정 > 투자권유 등

일반투자자가 최초로 주식워런트증권이나 상장지수증권을 매매하고자 하는 경우에는 기존에 위탁매매거래계좌가 있더라도 서명 등의 방법으로 매매의사를 별도로 확인해야 한다.

69 ③

출제영역 한국금융투자협회규정 > 금융투자회사의 영업 및 업무에 관한 규정 > 계좌관리 및 예탁금 이용료의 지급 등

장내파생상품거래 예수금 중 한국거래소의 '파생상품시장 업무규정'에 따른 현금예탁 필요액은 제외할 수 있다. 반면에 거래소 규정상 필요한 현금예탁 필요액을 초과하여 현금으로 예탁한 위탁증거금은 투자자 예탁 이용료 지급대상이다.

70~75 | 주식투자운용/투자전략

70 ③

출제영역 주식투자운용 및 투자전략 > 운용과정과 주식투자 > 주식투자의 중요성

동적 자산배분 전략의 사용은 과거 자산배분 전략으로 최근 자산운용기관들의 운용전략과는 거리가 멀다.

— 핵심 개념 | 자산배분 운용전략 —

1. 최근 자산운용기관들의 운용전략
   • 자산배분을 가장 먼저 결정: 기관투자자들은 기금운용이나 펀드설정 이전에 투자 목적에 부합되는 자산구성 비율을 결정한다.
   • 벤치마크 수익률을 상회하는 운용을 지향: 미리 정해진 자산집단별 투자자금에 대해 해당되는 벤치마크 수익률을 상회하기 위한 투자에 들어간다.
   • 스타일 투자 적용: 자산운용자가 자신이 전문으로 하는 특정한 분야(Sector)를 미리 정하고, 이 분야를 대변하는 인덱스 수익률을 상회하기 위해 노력하는 경향을 가지고 있다.

1. 최근 자산운용기관들의 운용전략
   • 자산배분을 가장 먼저 결정: 기관투자가들은 기금운용이나 펀드설정 이전에 투자 목적에 부합되는 자산구성 비율을 결정한다.
   • 벤치마크 수익률을 상회하는 운용을 지향: 미리 정해진 자산집단별 투자자금에 대해 해당되는 벤치마크 수익률을 상회하기 위한 투자에 들어간다.
   • 스타일 투자 적용: 자산운용자가 자신이 전문으로 하는 특정한 분야(sector)를 미리 정하고, 이 분야를 대변하는 인덱스 수익률을 상회하기 위해 노력하는 경향을 가지고 있다.
2. 과거의 자산배분 전략
   • 목표수익률 달성 추구: 우리나라 투자자들은 단기적인 목표수익률을 가지고 자금을 운용하는 경우가 많다. 펀드매니저에게 6개월 이내, 1년과 같은 특정한 기간에 미리 정한 목표수익률을 달성할 것을 요구하게 되므로, 펀드매니저는 단기간에 일정한 수익을 달성해야 하는 부담을 가지게 된다.
   • 동적 자산배분 전략을 사용: 기금운용자와 펀드매니저가 주가나 채권 가격이 어떻게 움직이더라도 목표투자수익률을 달성하기 위해서는 동적 자산배분을 사용해야 한다.

71 ②

출제영역 주식투자운용 및 투자전략 > 전략적 자산배분 > 전략적 자산배분의 이론적 배경

여러 개의 효율적 포트폴리오를 수익률과 위험의 공간에서 연속선으로 연결한 것을 효율적 투자기회선이라 한다. 무차별곡선은 기대수익률 한 단위를 증가시키기 위해 투자자가 감당할 수 있는 위험의 정도를 나타낸다.

| 오답 해설 |

① 정확하게 효율적 투자기회선을 규명하기 위해서는 기대수익률, 위험, 자산 간의 상관관계를 정확하게 추정해야 하는데 이는 현실적으로 불가능하다.
③ 정해진 위험 수준하에서 가장 높은 수익률을 달성하는 포트폴리오를 효율적 포트폴리오라 부르며, 여러 개의 효율적 포트폴리오를 수익률과 위험의 공간에서 연속선으로 연결한 것을 효율적 투자기회선(Efficient frontier)이라고 한다.
④ 입력변수 추정에는 근본적으로 오류가 내재될 수밖에 없다. 이러한 오류를 고려한 효율적인 투자기회선을 퍼지 투자기회선(Fuzzy frontier)이라 한다. 퍼지 투자기회선 폭의 넓이는 변수 추정의 오류 크기에 따라 결정된다.

72 ②

출제영역 주식투자운용 및 투자전략 > 보험자산배분 > 이론적 배경과 역사

보험자산배분 전략은 포트폴리오 가치가 하락함에 따라 무위험자산에 대한 투자비중이 높아지고, 포트폴리오 가치가 상승함에 따라 위험자산에 대한 투자비중이 상승하는 자산배분을 원칙으로 한다.

73 ②

출제빈도 상

출제영역 주식투자운용 및 투자전략 > 주식 포트폴리오 구성의 실제 > 주식 포트폴리오 구성 과정

업그레이딩에 대한 설명이다.

┌─ **| 핵심 개념 | 리밸런싱과 업그레이딩**

1. 리밸런싱

   기존의 모델 포트폴리오에서 주가의 변동으로 인하여 발생된 투자비중의 변화를 원래의 의도대로 복구시키는 과정인데 초기 모델 포트폴리오를 구성할 때의 모든 가정이 변화하지 않았을 경우 행해진다.

2. 업그레이딩

   주가의 변동으로 인해 변화된 포트폴리오를 기준으로 그 시점에서 다시 최적의 포트폴리오를 구성하는 방법으로 처음 모델포트폴리오를 구성할 때와 대비하여 시장상황이 변하여 새로운 포트폴리오를 구성할 필요가 있을 경우 이루어진다.

74 ①

출제빈도 상

출제영역 주식투자운용 및 투자전략 > 주식 포트폴리오 운용전략 > 액티브운용(Active Management)

가치투자 스타일에는 저 PER 투자, 역행투자(Conrtarian), 고배당수익률 투자 방식 등이 포함되며, 장기적인 통찰력을 바탕으로 가치평가에 확신이 있는 종목에 집중하는 경향이 있다.

75 ②

출제빈도 상

출제영역 주식투자운용 및 투자전략 > 주식 포트폴리오 구성의 실제 > 주식 포트폴리오 구성 과정

피터 린치(Peter Lynch)가 운용하고 있는 마젤란 펀드(Magellan Fund)는 상향식 방법(Bottom-up approach)의 대표적인 펀드이다. 상향식 방법은 유망한 개별 종목을 선정하는 것을 중요하게 여긴다.

┌─ **| 핵심 개념 | 하향식 방법과 상향식 방법**

1. 하향식 방법(Top-down approach)

   종목 선정보다는 섹터, 산업, 테마의 선정을 강조하는 방법을 일반적으로 하향식 방법이라고 부른다. 개별 종목은 섹터, 산업, 테마에 합당한 종목을 중심으로 선정되며 섹터별 비중을 정하기 위해 스코어링(Scoring) 과정을 거치기도 한다.

2. 상향식 방법(Bottom-up approach)

   유망한 개별 종목을 선정하는 것을 중요하게 여긴다. 상향식 방법은 어떤 형식이든 개별 종목의 내재가치를 측정하는 기법을 가지고 있다. 내재가치에 비해 시장가격이 낮을수록 투자하기에 유망한 종목으로 인정되며 포트폴리오에서 차지하는 비중 또한 높아진다.

▌제3과목(직무윤리 및 법규/투자운용 및 전략 | 등)

76~81 | 채권투자운용/투자전략

76 ①

출제빈도 상

출제영역 채권투자운용 및 투자전략 > 채권의 개요와 채권시장 > 채권의 분류와 종류

- 패리티(%) : 19,000원 ÷ 20,000원 = 0.95(95%)
- 패리티 가격(원) : 95% × 10,000원 = 9,500원

┌─ **| 핵심 개념 | 전환사채 공식**

- 패리티(%) = 주가 ÷ 전환가격
- 패리티 가격(원) = 패리티 × 액면가
- 괴리(원) = 전환사채 시장가격 − 패리티 가격(전환가치)
- 괴리율(%) = (전환사채시장 가격 − 파리티 가격) ÷ 패리티 가격 × 100

77 ①

출제빈도 중

출제영역 채권투자운용 및 투자전략 > 채권 가격결정과 채권수익률 > 채권 가격결정

$10,000원 ÷ \{(1 + 0.05) × (1 + 0.05 × 145 ÷ 365)\} = 9,338원$(원 미만 절사)

78 ②

출제빈도 상

출제영역 채권투자운용 및 투자전략 > 듀레이션과 볼록성 > 듀레이션

- 매기의 현금흐름의 현가

1차년도	$800원 ÷ (1+0.1)^1 = 727.27$
2차년도	$800원 ÷ (1+0.1)^2 = 661.15$
3차년도	$10,800 ÷ (1+0.1)^3 = 8,114.19$
합계	9,502.61

- 기간가중 현금흐름의 현가

1차년도	$800원 ÷ (1+0.1)^1 × 1 = 727.27$
2차년도	$800원 ÷ (1+0.1)^2 × 2 = 1,322.31$
3차년도	$10,800원 ÷ (1+0.1)^3 × 3 = 24,342.59$
합계	26,392.17원

- 듀레이션 : 기간가중 현금흐름의 현가 26,392.17 ÷ 매기의 현금흐름의 현가 9,502.61 = 2.77년

┌─ **| 핵심 개념 | 듀레이션 공식**

듀레이션 = 기간가중 현금흐름의 현가 ÷ 매기의 현금흐름의 현가

79 ③

출제빈도 상

출제영역 채권투자운용 및 투자전략 > 채권 가격결정과 채권수익률 > 채권가격 변동성

채권의 가격 변동성은 듀레이션이 클수록, 표면이율이 낮을수록, 잔존만기가 길수록, 만기수익률이 낮을수록 변동성이 커진다.

80 ③
출제빈도 **상**

출제영역 채권투자운용 및 투자전략 > 금리체계 > 기간구조이론

㉠ 불편기대이론에 의하면 장기채권과 단기채권은 완전 대체관계이다.
㉢ 편중기대이론은 낙타형 모습의 수익률 곡선으로 잘 설명할 수 있다.

─ | 핵심 개념 | **채권수익률의 기간구조이론** ─

1. 불편기대이론
   투자자들이 미래 이자율에 대하여 정확한 동질적 기대를 가지면 수익률 구조는 이에 따른 기대수익률에 의해 결정된다는 것이다.
2. 유동성 선호가설(유동성 프리미엄이론)
   채권에 대한 위험을 고려할 경우 장기채권은 단기채권에 비해 위험이 크며 현금화될 수 있는 유동성도 작은 것이 일반적이다. 따라서 모든 투자자들은 기본적으로 유동성을 선호하게 되어 만기가 길수록 증가하는 위험에 대한 유동성 프리미엄을 요구하게 된다는 것이다.
3. 편중기대이론
   불편기대이론과 유동성 프리미엄이론의 결합으로 수익률 곡선이 어느 시기의 기대 선도 이자율과 유동성 프리미엄을 동시에 반영한다는 이론이다. 이 가설에 의해서 낙타형 모습의 수익률 곡선이 잘 설명될 수 있는데 이 낙타형 모습의 곡선은 만기가 길어질수록 처음에는 이자율이 상승하나 최고점에 도달한 후에는 하락하는 형태이다.
4. 시장분할이론
   시장분할이론은 칼버슨 등에 의해 제시된 이론으로 불편기대이론과 극단적인 대조를 이루고 있다. 이 이론은 채권시장이 몇 가지 중요한 경직성으로 인하여 몇 개의 하위시장으로 세분되어 있다는 가정 위에 성립하고 있다.

81 ①
출제빈도 **상**

출제영역 채권투자운용 및 투자전략 > 채권운용전략 > 소극적 채권운용전략

채권교체전략(동종채권교체전략, 이종채권교체전략)은 적극적 채권운용전략이다.

─ | 핵심 개념 | **채권운용전략** ─

1. 적극적 채권운용전략
   ① 금리예측전략(듀레이션조절전략)
   ② 수익률곡선타기전략(롤링효과, 숄더효과)
   ③ 채권교체전략(동종채권교체전략, 이종채권교체전략)
   ④ 스프레드전략
   ⑤ 수익률곡선전략(바벨형, 블릿형)
2. 소극적 채권운용전략
   ① 만기보유전략
   ② 사다리형만기전략
   ③ 채권면역전략
   ④ 현금흐름일치전략
   ⑤ 채권인덱싱전략

82~87 | 파생상품투자운용/투자전략

82 ②
출제빈도 **중**

출제영역 파생상품투자운용 및 투자전략 > 옵션 기초 > 옵션의 정의

내가격 상태일 때(기초자산 > 행사가격) 시간가치는 다음과 같이 계산된다.

• 내재가치는 '기초자산 가격 - 행사가격'이므로 '203Point - 200Point = 3'이다.
• 옵션 프리미엄은 '내재가치 + 시간가치'이므로 옵션 프리미엄 5, 내재가치 3일 때 시간가치는 2이다(옵션프리미엄 5 = 내재가치 3 + 시간가치 2).

83 ③
출제빈도 **상**

출제영역 파생상품투자운용 및 투자전략 > 옵션을 이용한 합성 전략 > 불 스프레드(Bull Spread)

강세 스프레드(Bull Spread) 전략은 근월물을 매수하고 원월물을 매도하는 전략으로 강세장에서는 근월물 가격이 원월물보다 많이 오를 것이고 약세장에서는 근월물의 가격이 원월물에 비해 덜 떨어질 것이라는 예상에 의한 전략이다. 반대로 약세 스프레드(Bear Spread) 전략은 근월물 매도 + 원월물 매수 전략으로 강세장에서는 근월물의 가격보다 원월물의 가격이 많이 오를 것이고 약세장에서는 근월물의 가격이 보다 많이 떨어질 것이라는 예상에 의거하여 구축되는 포지션이다.

84 ①
출제빈도 **상**

출제영역 파생상품투자운용 및 투자전략 > 옵션을 이용한 합성전략 > 스트래들(Straddle)

콜매수와 풋매도 전략은 방향성 전략으로 기초자산 시장가격이 상승할 것을 예상할 때 적합한 전략이다. 반대로 스트래들매수와 스트랭글매수는 변동성 전략으로 변동성이 크게 증가할 것으로 예상될 때 적합한 전략이다.

85 ④
출제빈도 **상**

출제영역 파생상품투자운용 및 투자전략 > 옵션 프리미엄과 풋-콜 패리티 > 풋-콜 패리티와 그 응용

스트랭글매수 포지션은 기본적으로 스트래들과 거의 동일한 포지션으로서 콜옵션과 풋옵션을 동시에 매수하는 전략으로 옵션의 변동성 전략에 속한다.

86 ③

출제영역 파생상품투자운용 및 투자전략 > 옵션 및 옵션 합성 포지션의 분석 > 옵션 프리미엄의 민감도 지표

금리의 변화에 따른 옵션 프리미엄의 민감도를 나타내는 지표는 로우이다.

> **│ 핵심 개념 │ 옵션 프리미엄의 민감도 지표**
>
> 1. 델타(콜옵션일 때 +값, 풋옵션일 때 -값)
>   델타(delta)는 기초자산의 가격이 변화할 때 옵션 프리미엄이 얼마나 변하는가 하는 민감도를 보여주는 지표이다.
> 2. 감마(콜옵션일 때 +값, 풋옵션일 때 +값)
>   감마(gamma)는 기초자산의 변화에 따른 델타값의 변화비율을 나타내는 값이다.
> 3. 세타(콜옵션일 때 -값, 풋옵션일 때 -값)
>   세타(theta)는 시간의 경과에 따른 옵션 가치의 변화분을 나타내는 지표이다.
> 4. 베가(콜옵션일 때 +값, 풋옵션일 때 +값)
>   베가(vega)는 변동성 계수의 변화에 따른 옵션 프리미엄의 변화분을 나타내는 지표이다.
> 5. 로우(콜옵션일 때 +값, 풋옵션일 때 -값)
>   로우(rho)는 금리의 변화에 따른 옵션 프리미엄의 민감도를 나타내는 지표이다.

87 ①

출제영역 파생상품투자운용 및 투자전략 > 옵션 및 옵션 합성 포지션의 분석 > 옵션 포지션 가치의 민감도 분석

스트래들매도 포지션은 등가격 콜옵션과 등가격 풋옵션을 동시에 매도하는 전략이다.

분석대상의 함수는 'C + P'이므로 콜옵션 델타는 −0.5, 풋옵션 델타는 +0.5이므로 포지션 델타는 0이 되며 나머지 민감도는 일반 옵션매도 포지션과 동일하다.

■ 제3과목(직무윤리 및 법규/투자운용 및 전략 I 등)

88~91 │ 투자운용결과분석

88 ②

출제영역 투자운용결과분석 > 성과평가 기초사항 > 투자수익률 계산

내부수익률에 대한 설명이다.

89 ④

출제영역 투자운용결과분석 > 위험조정 성과지표 > 위험조정 성과지표의 유형

젠센의 알파는 위험에 따른 적정수익률을 차감하는 형태의 위험조정 수익률이며 부담한 위험 수준에 대해 요구되는 수익률보다 펀드가 얼마나 더 높은 수익률을 달성하였는가를 나타내는 값으로서, 펀드매니저의 능력을 측정하는 데 사용할 수 있다.

> **│ 핵심 개념 │ 위험조정 성과지표의 유형과 성과지표의 종류**
>
> 1. 위험조정 성과지표의 유형
>   위험을 고려하는 방식에 따라 위험조정 성과지표의 유형을 구분하면 크게 단위 위험당 초과수익률과 위험조정 수익률로 구분할 수 있다.
>   ① 단위 위험당 초과수익률: '초과수익률 / 위험'의 형태를 띠며, 샤프비율, 트레이너비율, 정보비율 등이 포함된다.
>   ② 위험조정 수익률: '수익률 − 위험' 의 형태로 수익률에서 위험에 따른 적정수익률을 차감하는 형태로 젠센의 알파가 이에 해당된다.
> 2. 위험조정 성과지표의 종류
>   ① 샤프비율: 총 위험 한 단위당 어느 정도의 보상을 받았는가 하는 보상율을 의미하며 값이 클수록 투자성과가 우수한 것으로 평가한다.
>   ② 트레이너 비율: 체계적 위험 한 단위당 실현된 위험 프리미엄을 의미하며, 그 값이 클수록 포트폴리오의 성과가 우월하며, 작을수록 성과가 열등한 것으로 평가한다.
>   ③ 정보비율: 적극적인 투자성과를 위험을 고려하여 평가하려는 목적을 갖고 있으며, 투자자들이 수익률을 선호하고 위험을 회피하려 한다는 가정을 한다. 또한 펀드의 위험조정 후 수익률이 잔차위험(Tracking error) 또는 분산 가능한 위험에 대한 노출로 달성된 것인가를 파악한다.

90 ②

출제영역 투자운용결과분석 > 성과 특성 분석 > 포트폴리오 및 스타일 분석

포트폴리오 분석은 결과물이 아닌 포트폴리오 자체의 특성을 분석하는 것이다.

> **│ 핵심 개념 │ 포트폴리오 분석**
>
> 1. 펀드 내 자산의 배분비율 및 배분비율 변화 추이를 분석하는 것에서부터 시작한다.
> 2. 펀드의 운용전략을 개괄적으로 파악할 수 있다.
> 3. 펀드의 특성을 파악하고 위험관리를 할 수도 있다.
> 4. 펀드의 성과 원인을 구체적으로 파악할 수도 있다.

91 ②

출제영역 투자운용결과분석 > 성과 특성 분석 > 포트폴리오 및 스타일 분석

펀드의 평가는 손익에 영향을 끼치는 거래가 발생하면 현금의 수익이나 지출과 관계없이 그 발생시점에서 손익을 인식하는 발생주의 회계를 사용해야 한다. 현금주의 회계처리는 현금의 수입 시점에서 수익을, 현금의 지출 시점에서 비용을 인식한다. 이러한 회계처리를 펀드에 도입하면 펀드의 수익과 수익을 창출하기 위한 비용이 정확하게 대응되지 못하며 손익을 인식하는 시점이 지나치게 지연되는 문제가 발생한다.

92~95 │ 거시경제

92 ④
출제빈도 상

출제영역 거시경제분석 > 이자율의 결정과 기간구조 > 이자율의 결정이론

케인즈학파는 이자율 수준이 통화량의 영향을 받는다고 보고, 고전학파는 이자율이 통화량과 관계없이 결정된다고 본다.

┌ 핵심 개념 │ 이자율 결정 이론(고전학파 vs 케인즈학파) ┐

구분	고전학파	케인즈학파
분석방법	유량(Flow) 분석	저량(Stock) 분석
이자율 수준	재화시장에서 결정 (통화량과 관계 없음)	화폐시장에서 결정 (통화량의 영향을 받음)

93 ④
출제빈도 중

출제영역 거시경제분석 > 경제모형과 경제정책의 분석: IS–LM모형 > 재화시장의 균형: IS곡선

IS 곡선이 우측으로 이동하는 요인은 조세의 감소이다.

┌ 핵심 개념 │ IS 곡선

IS 곡선이란 생산물(재화)시장의 균형을 달성하는 소득과 이자율의 조합을 평면에 나타낸 것을 말한다. 생산물시장의 균형은 생산물시장의 유효수요(소비 + 투자)와 공급이 일치하는 것이다. 소비는 '국민소득 − 저축'이므로, 수요와 공급이 일치하는 점에서는 투자와 저축이 반드시 같아진다. 이자율이 내려가면 저축을 하는 것보다 투자를 하는 것이 이익이 되기 때문에 투자가 증가하고, 투자의 증가분에 따른 승수효과에 의해 유효수요가 증가한다. 이에 따라 생산물 시장의 새로운 균형점에서 국민소득이 증가하게 된다. 균형을 이루고 있는 점에서 반드시 저축이 투자와 일치하기 때문에 이자율 감소에 따른 투자의 증가분이 저축의 증가분과 같아질 때, 생산물 시장은 균형을 이루게 된다. 이 지점에서의 이자율과 국민소득의 조합을 보여주는 곡선을 IS 곡선이라고 하며 세로축에는 이자율, 가로축에는 국민소득을 놓고 특별한 경우를 제외하면 우하향하는 곡선이 된다.

94 ③
출제빈도 중

출제영역 거시경제분석 > 경기변동과 경기예측 > 주요 경제변수와 계절조정법

• 경제활동인구: 전체 인구 8,000명 − 15세 미만 인구 3,000명 − 비경제활동인구 1,000명 = 4,000명
• 생산활동가능인구(군인과 재소자를 제외한 만 15세 이상 인구): 8,000명 − 3,000명 = 5,000명
• 경제활동 참가율: 경제활동인구 4,000명 ÷ 생산활동가능인구 5,000명 = 80%
• 실업자와 취업자수를 더한 것이 경제활동인구이므로 '경제활동인구 4,000명 − 취업자수 2,500명 = 1,500명(실업자)'이다.
• 실업률: 실업자 1,500명 ÷ 경제활동가능인구 4,000명 = 37.5%

95 ②
출제빈도 중

출제영역 거시경제분석 > 경기변동과 경기예측 > 경기전망을 위한 계량적 방법

ⓒ 경기확산지수(DI)가 50% 이상이면 경기는 상승국면에 있음을 의미한다.
ⓒ 경기종합지수(CI)는 전월 대비 증가율이 (+)인 경우에 경기상승을 의미한다. 따라서 100 이상이면 경기상승을 의미한다는 표현은 틀린 표현이다.

96~100 │ 분산투자기법

96 ②
출제빈도 상

출제영역 분산투자기법 > 포트폴리오 관리 > 개별 자산의 기대수익과 위험

│ 오답 해설 │
① 포트폴리오의 위험은 투자종목수가 많을수록 감소한다.
③ 분산투자를 통해 감소되는 위험을 분산불가능위험, 비체계적위험, 기업고유위험, 개별위험이라고 한다.
④ 상관계수가 낮을수록 분산투자 효과가 크다.

97 ③
출제빈도 상

출제영역 분산투자기법 > 포트폴리오 관리 > 개별 자산의 기대수익과 위험

• 포트폴리오의 기대수익률: 주식형펀드의 비중 70% × 기대수익률 15% + 채권형펀드의 비중 30% × 기대수익률 7% = 12.6%
• 포트폴리오의 표준편차: 위험자산의 비중 70% × 표준편차 10% = 7%

98 ②
출제빈도 상

출제영역 분산투자기법 > 자본자산 가격결정 모형 > 자본시장선

최적 포트폴리오의 구성은 별개의 두 단계로 분리하여 이루어진다. 첫째 단계에서 위험자산들의 효율적 결합은 개별 투자자들의 위험선호도에 관계없이 이루어지며, 그 결과로 얻어지는 시장포트폴리오(M)는 모든 투자자들의 동일한 투자대상이 된다(증권선택). 둘째 단계는 투자자들의 위험선호도에 따라 무위험자산과 시장포트폴리오에 대한 투자비율을 결정하여 최적 포트폴리오를 구성한다(자본 배분).

99 ③

> 출제영역 | 분산투자기법 > 자본자산 가격결정 모형 > 증권시장선

- β: 공분산 0.03 ÷ 분산 0.02 = 1.5
- A주식의 요구수익률: 0.08 + 1.5 × (0.12 − 0.08) = 0.14(14%)
- A주식의 내재가치: 2,000원 ÷ (0.14 − 0.06) = 25,000원

┌ **| 핵심 개념 | 요구수익률과 내재가치 공식**
│
│ 1. 요구수익률 $K = Rf + β(Rm − Rf)$
│ 2. 내재가치 $= D_1 ÷ (K − g)$

100 ④

> 출제영역 | 분산투자기법 > 포트폴리오 투자전략과 투자성과평가 > 포트폴리오 투자전략

포트폴리오 투자전략은 소극적 투자전략과 적극적 투자전략이 있다. 포뮬러 플랜은 적극적 투자전략으로 비율계획법(Ratio plan)이라고도 한다. 이는 일정한 규칙에 따라서 기계적으로 자산배분을 하는 방법인데 구체적으로 공격적 투자수단인 주식과 방어적 투자수단인 채권 사이를 경기변동에 따라 번갈아 가면서 투자하는 방법이다. 주가가 낮을 때 주식을 매입하고 주가가 높을 때 매각하도록 운용하며 최소한의 위험부담으로 경기변동에 탄력성 있게 적응하는 데 기본 목적이 있는 투자방법이다.

┌ **| 핵심 개념 | 소극적 투자전략과 적극적 투자전략의 종류**
│
│ 1. 소극적 투자전략: 대표전략으로는 인덱스전략이 있으며 단순매입보유전략, 평균투자법 등이 있다.
│ 2. 적극적 투자전략: 대표전략으로는 스타일 전략이 있으며 시장투자적기포착전략, 포뮬러 플랜, 내재가치 추정, 베타계수이용법, 트레이너–블랙모형, anomaly 현상 등이 있다.

투자자산운용사 실전 모의고사

| 제3회 |

빠른 채점표

01	③	02	②	03	①	04	④	05	②	06	③	07	④	08	①	09	③	10	①
11	④	12	④	13	④	14	①	15	③	16	①	17	②	18	②	19	④	20	①
21	②	22	④	23	③	24	①	25	②	26	④	27	③	28	④	29	①	30	③
31	④	32	②	33	③	34	③	35	③	36	①	37	④	38	①	39	②	40	②
41	③	42	①	43	②	44	③	45	④	46	②	47	③	48	④	49	③	50	①
51	①	52	①	53	③	54	③	55	①	56	④	57	③	58	③	59	③	60	①
61	③	62	②	63	③	64	②	65	①	66	③	67	①	68	④	69	①	70	①
71	③	72	②	73	②	74	③	75	③	76	④	77	②	78	④	79	②	80	②
81	①	82	④	83	③	84	③	85	②	86	②	87	④	88	①	89	①	90	②
91	①	92	③	93	③	94	①	95	④	96	①	97	②	98	④	99	③	100	③

전 문항 해설특강 바로보기

제1과목 (01~20)

제2과목(1) (21~35)

제2과목(2) (36~50)

제3과목(1) (51~62)

제3과목(2) (63~81)

제3과목(3) (82~100)

* 에듀윌 도서몰(book.eduwill.net)에서도 수강할 수 있습니다.

01~07 | 세제 관련 법규/세무전략

01 ③
출제빈도 중

출제영역 금융투자세제 > 국세기본법 > 조세의 정의와 분류

취득세는 지방세목에 속한다.

┌ **| 핵심 개념 | 조세의 분류**

조세	국세	내국세 직접세	소득세
			법인세
			상속세와 증여세
			종합부동산세
		간접세	부가가치세
			주세
			인지세
			증권거래세
			개별소비세
		목적세	교육세
			농어촌특별세
			교통, 에너지, 환경세
		관세	
	지방세	도세 보통세	취득세
			등록면허세
			레저세
			지방소비세
		목적세	지역자원시설세
			지방교육세
		시군세 보통세	주민세
			재산세
			자동차세
			지방소득세
			담배소비세

02 ②
출제빈도 중

출제영역 금융투자세제 > 국세기본법 > 심사와 심판

이의신청은 청구인의 선택에 따라 본절차를 생략할 수 있다. 다만, 심사청구와 심판청구는 취소소송의 전제요건이 되어 본절차를 거치지 않고는 행정(취소)소송을 제기할 수 없다.

| 핵심 개념 | 이의신청, 심사청구, 심판청구

국세기본법 또는 세법에 따른 처분으로서 위법 또는 부당한 처분을 받거나 필요한 처분을 받지 못하여 권리 또는 이익에 침해를 당한 경우를 위해 사법적 구제에 앞선 행정청 자체에 대한 시정 요구인 이의신청, 심사청구, 심판청구 제도를 두고 있다.

이의신청은 처분청에 재고를 요구하는 것이며, 심사청구는 국세청 또는 감사원에, 심판청구는 조세심판원에 제기하는 불복이다. 이의신청은 청구인의 선택에 따라 본절차를 생략할 수 있고, 심사청구와 심판청구는 청구인의 선택에 따라 그 중 하나를 선택하여야 한다.

이의신청, 심사청구, 심판청구는 처분청의 처분을 안 날부터 90일 이내에 제기하여야 하며, 특히 심사청구, 심판청구 절차는 (행정)취소소송의 전제요건이 되어 있어 본절차를 거치지 않고는 (행정)취소소송을 제기할 수 없다.

03 ①
출제빈도 상

출제영역 금융투자세제 > 소득세법 > 우리나라 소득세 제도의 특징

ⓒ 납세의무자의 신고에 의하여 조세채권이 확정된다. 이를 신고납세제도라 한다.
ⓔ 소득 발생지가 아닌 주소지를 납세지로 한다.

04 ④
출제빈도 상

출제영역 금융투자세제 > 소득세법 > 소득의 구분 및 계산구조

종합과세대상소득에는 이자소득, 배당소득, 사업(임대)소득, 근로소득, 연금소득, 기타소득이 해당된다. 퇴직소득은 양도소득과 함께 분류과세되는 소득이다.

05 ②
출제빈도 중

출제영역 금융투자세제 > 이자소득, 배당소득 및 양도소득 > 이자 배당 소득금액의 계산 및 귀속연도

예금·적금 또는 부금의 이자소득 수입시기는 만기일이 아닌 실제로 이자를 지급받는 날이다.

| 핵심 개념 | 예금·적금 또는 부금의 이자 수입시기

- 실제로 이자를 지급받는 날
  - 원본 전입 특약 시: 원본전입일
  - 해약 시: 해약일
  - 계약기간 연장 시: 연장하는 날
- 통지예금의 이자: 인출일

06 ③
출제빈도 중

출제영역 금융투자세제 > 이자소득, 배당소득 및 양도소득 > 양도소득

총수입금액 − 필요경비
= 양도차익 − 장기보유 특별공제
= 양도소득금액 − 양도소득 기본공제
= 양도소득 과세표준

07 ④

출제빈도 **하**

출제영역 금융투자세제 > 기타금융세제 > 외국인의 증권세제

퇴직·양도소득에 대해서는 분류과세한다.

▌제1과목(금융상품 및 세제)

08~15 │ 금융상품

08 ①

출제빈도 **중**

출제영역 금융상품개론 > 금융상품의 개요 > 금융상품의 구분

원본손실 가능성이 없는 금융상품은 비금융투자상품으로 구분한다.

09 ③

출제빈도 **상**

출제영역 예금 및 신탁상품 > 예금의 구분 > 예금상품 특성별 구분

정기예금은 목돈운용예금에 포함된다.

┌─ │ 핵심 개념 │ 예치방법에 따른 분류 ─────────────

1. 수시입출금식 예금: 보통예금, 저축예금, MMDA, CMA
2. 목돈운용예금: 정기예금, 발행어음, 표지어음, CD 등
3. 목돈마련예금: 정기적금, 상호부금, 근로자우대저축 등

10 ①

출제빈도 **상**

출제영역 예금 및 신탁상품 > 예금의 종류 > 입출금식 및 적립식 예금

예금자보호법에 따라 1인당 최고 5천만원까지 보호된다.

11 ④

출제빈도 **상**

출제영역 예금 및 신탁상품 > 예금의 종류 > 목돈마련 예금

ETF는 특정 주가지수에 따라 수익률이 결정되는 인덱스펀드를 주식처럼 사고팔 수 있게 증권시장에 상장한 펀드이며, 주가지수 연계 금융상품에 해당하지 않는다.

12 ④

출제빈도 **중**

출제영역 예금 및 신탁상품 > 신탁상품의 종류 > 금전신탁

새마을금고를 비롯한 농·수협의 단위조합은 예금보험 미가입금융기관으로 각 중앙회에서 자체적으로 적립한 기금을 통해 예금자를 보호하고 있다.

┌─ │ 핵심 개념 │ 예금보험 가입금융기관 ─────────────

1. 은행
2. 증권회사
3. 보험회사
4. 종합금융회사
5. 상호저축은행
6. 농·수협 중앙회 및 지구별 수산업협동조합 중 은행법의 적용을 받는 조합
7. 외국은행 지점

13 ④

출제빈도 **하**

출제영역 보장성 금융상품 > 손해보험상품 > 손해보험상품의 개념 및 특징

손해방지의무는 보험계약자와 피보험자는 보험사고가 발생한 때에 적극적으로 손해의 방지와 경감을 위하여 노력해야 한다는 의미이며, 보험의 목적이 일시적으로 무보험상태가 되는 것을 방지하기 위한 제도는 보험 목적의 양도라 한다.

14 ①

출제빈도 **중**

출제영역 투자성 금융상품 > 금융투자상품의 개념 및 종류 > 금융투자상품의 종류

선물, 옵션, 스왑은 파생상품의 종류이다. 자본시장법상 증권의 종류로는 채무증권, 지분증권, 수익증권, 투자계약증권, 파생결합증권, 증권예탁증권 등이 있다.

┌─ │ 핵심 개념 │ 자본시장법상 증권 ─────────────

1. 채무증권: 국채증권, 지방채증권, 특수채증권 등
2. 지분증권: 주식, 신주인수권 등
3. 수익증권: 금전신탁계약에 의한 수익증권, 투자신탁의 수익증권 등
4. 투자계약증권: 펀드 등
5. 파생결합증권: 주식연계증권(ELS), 주식연계워런트(ELW), 파생결합증권(DLS), 신용연계채권(CLN)
6. 증권예탁증권: 채무증권, 지분증권, 수익증권 등 그 증권이 발행된 국가 이외의 국가에서 발행한 것

15 ③

출제빈도 **상**

출제영역 투자성 금융상품 > 펀드상품 > 집합투자기구 개념

①, ②, ④에 해당할 경우 집합투자의 정의에서 제외된다.

┌─ │ 핵심 개념 │ 집합투자의 정의 ─────────────

자본시장법상 집합투자는 2인 이상에게 투자권유를 하여 모은 금전 등을 각 기금관리주체로부터 일상적인 운용지시를 받지 아니하면서 재산적 가치가 있는 투자대상 자산을 취득·처분, 그 밖의 방법으로 운용하고 그 결과를 투자자 또는 각 기금관리주체에게 배분하여 귀속시키는 것을 말한다.

제1과목(금융상품 및 세제)

16~20 | 부동산 관련 상품

16 ①

출제빈도 상

출제영역 부동산 개론 > 부동산 투자의 기초 > 부동산의 법률적 측면

물권은 점유권과 본권으로 분류하고 본권은 소유권과 제한물권으로 분류한다. 제한물권은 용익물권(지상권, 지역권, 전세권)과 담보물권(유치권, 질권, 저당권)으로 분류한다.

17 ②

출제빈도 상

출제영역 부동산 개론 > 부동산 투자의 이해 > 부동산 투자 결정 과정

ⓛ 투자안의 내부수익률(IRR)이 요구수익률(K)보다 크면 현재 투자안을 채택한다.

ⓔ 여러 개의 투자안이 있는 경우, 그 우선순위는 순현재가치가 크거나 내부수익률이 크거나 수익성 지수가 큰 순서대로 결정한다.

18 ②

출제빈도 하

출제영역 부동산 투자상품의 이해 > 부동산 투자 구분 > 부동산 투자기구별 비교

자금차입은 자기자본의 2배까지 가능하며 주주총회 특별결의가 있는 경우 자기자본의 10배 이내에서 자금차입이 가능하며 자금의 대여는 금지된다.

┌ **| 핵심 개념 | 부동산 투자회사(REITs, 리츠)**

1. 다수의 투자자들로부터 자금을 모아 부동산에 투자 및 운용하고 그 수익을 투자자들에게 돌려주는 부동산 간접투자기구로 국토교통부에서 관리·감독한다.
2. 리츠는 부동산 시장의 가격안정과 외환위기로 인한 부실기업의 구조조정 및 소액 투자자들에 대한 부동산 투자기회의 확대라는 취지로 국내 도입되었다.
3. 리츠는 자금의 집합체가 아니라 상법상 주식회사이므로 법인과 같이 주주총회, 이사회, 감사 등의 내부 구성요소를 지닌다.
4. 자산관리회사는 리츠가 위탁한 리츠 보유 부동산의 관리 및 운용업무를 수행하고 보유 부동산에 대한 제반 운용활동을 수행하며, 부동산의 임대차, 관리, 유지보수, 사무수탁 등 부동산 서비스업도 수행할 수 있다.
5. 설립절차: 정관 작성 → 정관 인증 → 주식발행사항의 결정 → 주식 인수와 납입 → 임원 선임 → 회사 설립 조사보고 → 대표자 선출 → 설립등기

19 ④

출제빈도 상

출제영역 부동산 투자상품의 이해 > 부동산 가치평가 > 부동산 가치분석 과정

부동산의 가치는 부동산의 효용성(Utility), 부동산의 유효수요 (Effective demand), 부동산의 상대적 희소성(Relative scarcity)에 의해서 발생한다. 부동산 최유효이용의 원칙이란 부동산 가격은 경제적으로 타당성이 있는 것으로 판명된, 최고로 발휘될 수 있는 이용을 전제로 파악되는 가격을 표준으로 하여 형성된다는 원칙이다.

┌ **| 핵심 개념 | 부동산 가치 발생의 요인**

1. 부동산 효용성은 부동산을 사용하고 수익함으로써 얻을 수 있는 사용 가치성을 의미한다.
2. 부동산 유효수요는 부동산을 수요하려는 욕구와 동시에 이를 구매할 수 있는 능력을 갖춘 수요를 말한다.
3. 부동산의 상대적 희소성은 자원(부동산)의 양이 한정되어 있기 때문에 가치가 발생하는 것을 의미한다.

20 ①

출제빈도 상

출제영역 부동산 투자상품의 이해 > 부동산 가치평가 > 부동산 감정평가 3방식

환원이율을 산정하는 방법에는 시장비교방식, 요소구성법, 투자결합법 등이 있다. 정률법은 대상 부동산의 가치가 매년 일정한 비율로 감가된다는 가정하에서 매년 말 부동산의 잔존가격(재조달원가 − 감가상각누계액)에 일정한 상각률을 곱하여 매년 상각액을 산출하는 방법이다.

┌ **| 핵심 개념 | 환원이율 산출방법**

1. 시장비교방식
평가대상 부동산과 유사한 형태를 갖는 시장에서 거래된 경쟁적인 부동산의 최근 거래사례에서 요소별로 구분할 필요 없이 전체로서 유사하다고 판단되는 거래사례로부터 환원이율을 직접 구하는 것을 말한다.
2. 요소구성법
가장 일반적인 투자의 이율, 즉 무위험이자율(Risk free)을 표준으로 하고 투자대상과 관련하여 당해 부동산을 투자대상으로 할 경우의 위험보상률을 종합적으로 비교하여 환원이율을 구하는 방법이다.
3. 투자결합법
대출이자율을 충족시키기 위하여 필요한 투자의 예상수익률과 자기자본의 배당률을 유지하기 위해 필요한 투자의 예상수익률을 자금의 구성비율로 가중평균하여 구하는 방법이다.

제2과목(투자운용 및 전략 II/투자분석)

21~25 | 대안투자운용/투자전략

21 ②

출제빈도 상

출제영역 대안투자운용 및 투자전략 > 대안투자상품 > 대안투자상품의 특징

대안투자에서 거래하는 자산은 대부분이 장외시장에서 거래되는 자산으로 환금성이 떨어지게 되고 이로 인해 환금금지기간이 있으며 투자기간이 길다.

┌ **| 핵심 개념 | 대안투자상품의 특징**

1. 전통적인 투자상품과 낮은 상관관계를 갖고 있어 전통적 투자와 포트폴리오를 구성하면 효율적인 포트폴리오 구성이 가능하다.
2. 대부분 장외시장에서 거래되므로 환금성이 낮고 환매금지기간이 있으며 투자기간이 길다.

3. 기존 투자전략의 매수 중심(Long only)의 거래방식과 달리 차입, 공매도의 사용 및 파생상품 등 레버리지를 이용하는 거래전략 때문에 규제가 많고 투자자들은 기관투자자 혹은 거액자산가들로 구성된다.

4. 새로운 자산과 거래전략으로 과거 성과자료의 이용이 제한적이다.

5. 전통적 투자에 비해 운용자의 스킬이 중요시되고 이 때문에 보수율은 높은 수준이며, 성공보수가 함께 징수된다.

6. 최근 대안투자상품은 환금성이 높아지고, 투자자들의 인식이 높아져 투자자가 기존의 기관투자자와 거액자산가에서 일반투자자들로 그 범위가 확대되어 가고 있다.

22 ④
출제빈도 **상**

출제영역 대안투자운용 및 투자전략 > PEF(Private Equity Fund) > PEF(Private Equity Fund)의 운용

업무집행사원은 PEF의 운용과 관련된 본질적 업무에 대하여는 위탁할 수 없도록 규정하고 있다. 이는 PEF 사원이 아닌 자가 PEF를 운용하지 못하도록 함으로써 PEF 업무집행사원에 대한 규제를 회피하기 위한 수단으로서 업무위탁이 악용되는 사례를 방지하기 위한 것이다.

| 핵심 개념 | **업무집행사원의 행위준칙**

1. PEF와 거래하는 행위
2. 원금 또는 일정한 이익의 보장을 약속하는 방법 등의 방법으로 사원이 될 것을 부당하게 권유하는 행위
3. 사원 전원의 동의가 없이 사원의 일부 또는 제3자의 이익을 위하여 PEF가 보유한 자산의 내역을 사원이 아닌 자에게 제공하는 행위
4. 업무집행사원은 반기에 1회 이상 PEF 등의 재무제표 등을 유한책임사원에게 제공하도록 하고 그 운용 및 재산에 관한 사항을 설명하도록 의무를 부여
5. 업무집행사원은 PEF 운용과 관련된 본질적 업무에 대하여 위탁할 수 없도록 규정

23 ③
출제빈도 **상**

출제영역 대안투자운용 및 투자전략 > 헤지펀드 > 헤지펀드의 개요

유상감자 및 배당이 투자회수(Exit) 전략으로 적절하다.

| 핵심 개념 | **PEF의 투자회수(Exit)**

1. 매각
인수기업의 가치를 상승시킨 후 PEF가 보유한 지분을 전부 제3자에게 처분하는 경우로 일반기업에 매각하거나 다른 PEF에 매각할 수 있다.
2. 상장
PEF가 인수한 회사를 다시 주식공개(IPO)를 통해 주식시장을 거쳐 일반투자자들에게 매각하는 투자자금회수 전략이다.
3. 유상감자 및 배당
차입조달자금(인수 직후 금융기관으로부터 차입 또는 채권 발행으로 조달된 금액)으로 유상감자 혹은 배당을 통해 투자자금을 회수하는 것을 말한다.
4. PEF 자체 상장
PEF를 공개시장에 상장하는 것은 금리 상승, 자금시장 경색 등으로 대규모 차입이 어려울 경우에 인수자금 조달수단의 측면뿐 아니라 투자자금 회수전략에도 유리하다.

24 ①
출제빈도 **중**

출제영역 대안투자운용 및 투자전략 > 헤지펀드 > 합병 차익거래

발표되지 않은 추측 정보에 의해 합병차익거래를 하는 것은 매우 위험한 투자로 이는 내부자 정보와도 상관관계를 가질 수 있으므로 헤지펀드 매니저는 발표된 정보에만 집중해야 한다.

| 핵심 개념 | **합병차익거래**

1. 발표된 M&A 공개매수, 자본의 재구성, 분사 등과 관련된 주식을 사고파는 이벤트 투자형(Event driven) 차익거래 전략이다.
2. 투자목표는 인수 합병이 완료되면, 발생할 수 있는 주식가치의 변화에서 이익을 창출하는 것이다.
3. 일반적으로 피인수 합병 기업의 주식을 매수하고, 인수 기업의 주식을 매도하는 포지션을 취한다.
4. Merger arbitrage spread는 합병 법인이 발표한 인수 가격과 피인수 합병 주식의 가격 차이를 말하는 것으로, Merger arbitrage spread가 시장에서 계속 변하는 이유는 합병이 성사되지 않을 위험 때문이다.
5. 발표되지 않은 추측 정보에 투자하지 않는다.

25 ②
출제빈도 **중**

출제영역 대안투자운용 및 투자전략 > 헤지펀드 > 전환증권 차익거래

전환증권 차익거래는 전환사채를 매수하고 기초자산 주식을 매도하고, 이자율 변동 위험과 신용위험은 헤지하면서 전환사채의 이론가와 시장 가격의 괴리에서 수익을 추구하는 전략이다.

▌제2과목(투자운용 및 전략 Ⅱ/투자분석)

26~30 │ 해외증권 투자운용/투자전략

26 ④
출제빈도 **상**

출제영역 해외증권 투자운용 및 투자전략 > 해외 투자에 대한 이론적 접근 > 해외 투자의 동기 및 효과

단기적으로 환율 변동은 주가 변동을 능가할 수 있을 정도로 변동성이 높기 때문에 환위험의 헤지는 매우 큰 차이를 가져올 수 있다. 다만 환위험을 헤지한 경우와 헤지하지 않은 경우의 상관관계에서 거의 차이가 없다는 점은 장기적으로 보았을 때 국제 주식투자에서 환위험의 비중은 높지 않으며 평균적으로 헤지의 효과가 크지 않다는 것을 의미한다.

27 ③
출제빈도 **중**

출제영역 해외증권 투자운용 및 투자전략 > 해외 투자에 대한 이론적 접근 > 세계 증권시장의 통합과 국제 분산투자

동조화 현상은 총위험 감소라는 의미에서 국제분산투자의 효과는 약화될 것이다. 국제분산투자의 효과는 전체 포트폴리오에 포함되는 자산 가격 변동의 상관관계에 의해 결정되며, 상관관계가 커질수록 분산투자 효과는 작아지기 때문이다.

28 ④

출제빈도 **상**

출제영역 해외증권 투자운용 및 투자전략 > 국제 증권시장 > 국제 채권 시장의 의의와 구조

유로채는 발행 시 공시나 신용등급평가 등에 대한 규제가 없어 시장참가자의 합의에 따라 어떤 조건이든지 자유롭게 선택할 수 있다. 유로채를 선택하는 가장 중요한 요인이 규제와 관련된 것인 만큼 유로채의 발행은 최소한의 규제가 적용되는 역외 금융 중심지를 선택하게 되며 투자자나 발행자, 발행지국의 거주자가 아닌 경우가 보통이다. 따라서 역외금융센터인 발행지의 금융당국은 자국 투자자 보호를 위한 특별한 규제의 필요성을 느끼지 않는다.

29 ①

출제빈도 **중**

출제영역 해외증권 투자운용 및 투자전략 > 해외 증권투자전략 > 해외 투자 포트폴리오의 구축

공격적 전략은 환율과 주가전망과 예측을 적극적으로 포트폴리오 구성의 결정에 반영하여 위험을 부담하면서도 수익률을 극대화하고자 하는 전략이다.

┌─ **| 핵심 개념 | 해외 투자전략** ─────

1. 공격적 전략
   ① 환율과 주가 전망 및 예측을 적극적으로 포트폴리오 구성의 결정에 반영하여 위험을 부담하면서도 수익률을 극대화하고자 하는 전략이다.
   ② 투자대상국의 주가 및 환율을 전망하고 가장 전망이 밝은 나라의 투자 비중을 높임으로써 수익률의 극대화를 꾀한다.
   ③ 목표수익률을 벤치마크의 수익률보다 높게 설정한다.
   ④ 주가 및 환율의 예측을 적극적으로 포트폴리오의 구성에 이용한다는 것은 시장의 비효율성이 존재한다고 믿는 것을 의미한다.
2. 방어적 전략
   ① 환율과 주가전망을 투자 결정에 거의 반영하지 않고 벤치마크 지수의 구성을 모방함으로써 잘 분산된 포트폴리오인 벤치마크와의 수익률 격차를 최소화하려는 소극적 전략이다.
   ② 시장이 효율적인 상황에서 어떤 정보를 이용하여 예측을 하더라도 초과수익을 얻을 수 없다는 판단에 근거한다.
   ③ 소극적 전략에서 목표수익률의 상한은 벤치마크의 수익률이 된다.
   ④ 소극적 전략의 포트폴리오의 전형적인 예로 인덱스펀드가 있다.

30 ③

출제빈도 **중**

출제영역 해외증권 투자운용 및 투자전략 > 해외 증권투자전략 > 해외 투자전략

토빈세는 브라질 국채 투자 시 유의사항으로 헤알화를 타 통화로 환전할 경우 거래대금의 6%가 부과되었던 제도이다. 2013년 6월, 토빈세는 폐지되었다.

┌─ **| 핵심 개념 | 미국국채 투자 시 유의사항** ───

1. Yield Curve 분석(수익률 곡선 분석)
2. 수급
3. 달러 움직임
4. 안전자산 선호
5. 미국 연준(Fed)의 금리정책
6. 기타(물가, GDP, 실업률 등)

| 제2과목(투자운용 및 전략 II/투자분석)

31~42 | 투자분석기법

31 ④

출제빈도 **상**

출제영역 투자분석기법 – 기본적 분석 > 유가증권의 가치평가 > 보통주의 가치평가를 위한 성장모형

보통주의 가치$(P_0) = \dfrac{D_0(1+g)}{K-g} = \dfrac{D_1}{K-g}$이므로,

$\dfrac{500}{0.1-0.05} = 10,000$원이다.

32 ②

출제빈도 **중**

출제영역 투자분석기법 – 기본적 분석 > 기업분석(재무제표 분석) > 안정성 지표

현금비율은 유동성 지표에 속한다.

┌─ **| 핵심 개념 | 안정성 지표** ─────

- 부채비율 = 총부채 ÷ 총자산(또는 총자본)
- 부채–자기자본비율 = 총부채 ÷ 자기자본
- 이자보상비율 = 영업이익 ÷ 이자비용

33 ③

출제빈도 **중**

출제영역 투자분석기법 – 기본적 분석 > 기업분석(재무제표 분석) > 수익성 지표

㉠ ROE는 ROA가 높거나 부채비율이 높을수록 상승한다.
㉢ ROA가 지나치게 높다면 연구개발에 충분한 투자를 하지 않은 경우로 볼 수 있다.

┌─ **| 핵심 개념 | 수익성 지표** ─────

기업의 수익이 어느 정도인가를 측정한다.
1. 매출액영업이익률(OPM) = 영업이익 ÷ 순매출액
2. 총자산이익률(ROA) = 순이익 ÷ 총자산
3. 자기자본이익률(ROE) = 순이익 ÷ 자기자본 = ROA ÷ 자기자본비율 = ROA ÷ (1 – 총부채 ÷ 총자산)

34 ③

출제빈도 **상**

출제영역 투자분석기법 – 기본적 분석 > 기업분석(재무제표 분석) > 레버리지 분석

영업레버리지도는 매출액(판매량)의 변화율에 대한 영업이익의 변화율의 비율을 말한다.

- 영업이익의 변화율: 영업이익의 변화분(25억원 – 10억원) ÷ 영업이익 10억원 = 1.5
- 판매량의 변화율: 판매량의 변화분(250개 – 200개) ÷ 판매량 200개 = 0.25
- 영업레버리지도(DOL): 영업이익의 변화율 1.5 ÷ 판매량의 변화율 0.25 = 6

35 ③

출제영역 투자분석기법 – 기본적 분석 > 기업분석(재무제표 분석) > 현금흐름 분석

재고자산의 증가는 현금유출 항목이다.

┌─ | **핵심 개념** | **간접법(영업활동으로 인한 현금흐름)**

1. 영업활동으로 인한 자산 증가 및 부채 감소(현금유출 항목)
   - 매출채권의 증가
   - 재고자산의 증가
   - 매입채무의 감소
2. 영업활동으로 인한 자산 감소 및 부채 증가(현금유입 항목)
   - 매출채권의 감소
   - 재고자산의 감소
   - 매입채무의 증가
3. 투자와 재무활동으로 인한 처분손실(현금유입 항목. 영업활동흐름과 무관한 손실)
   - 유가증권 처분손실
   - 실비자산 처분손실
4. 투자와 재무활동으로 인한 처분이익(현금유출 항목. 영업활동흐름과 무관한 이익)
   - 유가증권 처분이익
   - 실비자산 처분이익

36 ④

출제영역 투자분석기법 – 기본적 분석 > 주식투자 > 주가배수 모형에 의한 기업가치분석

Q 비율이 1보다 크면 투자수익성이 양호하고 경영을 효율적으로 하고 있음을 평가할 수 있고 Q 비율이 낮을수록 적대적 M&A의 대상이 되는 경향이 있다.

37 ④

출제영역 투자분석기법 – 기술적 분석 > 추세분석 > 갭, 반전일, 되돌림

급진 갭에 대한 설명이다. 급진 갭은 주가가 거의 일직선으로 급상승하거나 또는 급하락하는 도중에 주로 발생하며 주가 움직임이 급속히 가열되거나 냉각되면서 이전의 추세가 더욱 가속화되고 있음을 확인시켜주는 갭으로 볼 수 있다. 급진 갭은 주가의 예상 목표치의 중간 지점에서 주로 발생하기 때문에 중간 갭 또는 측정 갭이라 부르기도 한다.

38 ④

출제영역 투자분석기법 – 기술적 분석 > 지표분석 > 추세추종형 지표

스토캐스틱은 추세반전형 지표이다.

┌─ | **핵심 개념** | **지표 분석**

1. 추세추종형 지표
   - MACD(Moving Average Convergence & Divergence)
   - MAO(Moving Average Oscillator)
   - 소나 차트

2. 추세반전형 지표
   - 스토캐스틱(Stochastics)
   - RSI(Relative Strength Index)
   - ROC(Rate Of Change)
3. 거래량 지표
   - OBV(On Balance Volume)
   - VR(Volume Ratio)
   - 역시계 곡선(주가 – 거래량 상관곡선)

39 ②

출제영역 투자분석기법 – 기술적 분석 > 지표분석 > 거래량 지표

OBV선에 대한 설명으로 거래량은 주가에 선행한다는 전제하에 주가가 전일에 비해 상승한 날의 거래량 누계에서 하락한 날의 거래량 누계를 차감하여 이를 매일 누적적으로 집계, 도표화한 것이다.

40 ②

출제영역 투자분석기법 – 산업분석 > 산업분석 개요 > 산업분석의 의미

투자와 관련성이 큰 산업은 경기에 선행하는 경향을 갖고 있으며 소비와 관련성이 큰 산업은 경기에 후행하는 경향을 갖고 있다.

41 ③

출제영역 투자분석기법 – 산업분석 > 산업구조 변화 분석 > 산업구조 변화의 의미

Petty 법칙에 의하면 소득수준이 상승함에 따라 1차 산업의 노동력 구성비는 점차 감소하고 3차 산업의 노동력 구성비는 상승한다.

42 ①

출제영역 투자분석기법 – 산업분석 > 산업정책 분석 > 산업정책의 종류

'동등규모 기업수 N = 1 ÷ 허핀달 지수(HHI)'이므로 1 ÷ 0.5 = 2가 된다. 이는 여러 기업이 시장을 다양하게 점유한다고 하더라도 우리는 2개의 기업이 동등하게 50%씩 시장을 점유하고 있다고 판단할 수 있으며, 산업이 순수독점일 때 허핀달 지수(HHI)는 최대치인 '1'이 된다.

43~50 │ 리스크관리

43 ②
출제빈도 하

출제영역 리스크관리 > 리스크와 리스크관리의 필요성 > 리스크의 정의

| 오답 해설 |

① 신용위험: 거래상대방이 약속한 금액을 지불하지 못하는 경우에 발생하는 손실에 대한 위험

③ 운용위험: 부적절한 내부시스템, 관리 실패, 잘못된 통제, 사기, 인간의 오류 등으로 인해 발생하는 손실에 대한 위험

④ 법적위험: 계약을 집합하지 못함으로 인해 발생하는 손실에 대한 위험

44 ③
출제빈도 상

출제영역 리스크관리 > 시장 리스크(Market Risk)의 측정 > VaR의 측정방법

포트폴리오 $VaR = \sqrt{VaR_A^2 + VaR_B^2 + 2\rho VaR_A \times VaR_B}$
$= \sqrt{8^2 + 6^2 + 2 \times 0.7 \times 8 \times 6} = 12.93$억원

45 ④
출제빈도 상

출제영역 리스크관리 > 시장 리스크(Market Risk)의 측정 > VaR의 측정방법

몬테카를로 분석법은 완전가치평가법이며 역사적시뮬레이션법, 스트레스 검증법과 VaR을 측정하는 과정이 동일하다. 반면에 델타분석법은 부분가치평가법으로 VaR을 측정하므로 VaR을 측정하는 과정이 동일하지 않다.

┌─ | 핵심 개념 | **몬테카를로 분석법**

몬테카를로 분석방법은 위험요인의 변동을 몬테카를로 시뮬레이션을 이용하여 얻은 후, 보유하고 있는 포지션의 가치 변동의 분포로부터 VaR을 측정하는 방법이다. 이때 포지션의 가치변동은 역사적 시뮬레이션 방법에서와 마찬가지로 완전가치 평가(Full Valuation)방법으로 측정한다. 따라서 위험요인이 변동할 때 포지션의 가치 변동을 측정하기 위한 가치평가모형(Valuation Model)이 필요하다. 또한 몬테카를로 시뮬레이션의 방법으로 VaR을 측정하는 과정은 위험요인을 얻는 방법이 다를 뿐 그 이외의 가정은 역사적 시뮬레이션 방법과 동일하다. 다만 이 분석법의 단점은 시스템 시설과 데이터 처리능력을 개발시키는데 많은 비용이 든다.

46 ②
출제빈도 상

출제영역 리스크관리 > 시장 리스크(Market Risk)의 측정 > VaR의 측정방법

스트레스 검증(Stress Testing)은 최악의 경우에 사용된다. 예를 들어 전쟁이나, 금융구조의 변혁 등 예기치 못한 사건에 대비한 유용한 위험측정방법이다. 스트레스 검증은 포트폴리오의 주요

변수들에 큰 변화가 발생했을 때 포트폴리오의 가치가 얼마나 변할 것인지를 측정하기 위해 이용되며 다른 VaR 측정방법의 보완적인 방법으로 최악의 경우의 변화를 측정하는 데 유용하다. 또한 과거 데이터가 없는 경우에도 사용할 수 있다. 다만 포트폴리오 리스크 요인들 간의 상관관계를 제대로 계산하지 못하고, 시나리오가 주관적이므로 시나리오가 잘못되었다면 VaR 측정치도 잘못된 정보를 제공하게 된다.

47 ③
출제빈도 상

출제영역 리스크관리 > 시장 리스크(Market Risk)의 측정 > VaR의 측정방법

VaR은 측정기간이 길어질수록, 신뢰구간이 높을수록 커진다. '두 자산의 상관관계가 0인 포트폴리오의 $VaR = \sqrt{VaR_A^2 + VaR_B^2}$' 이므로 개별 자산의 VaR의 합보다는 작다.

48 ④
출제빈도 상

출제영역 리스크관리 > 신용 리스크(Credit Risk)의 측정 > 부도율 측정모형

기대손실(EL) = 신용손실(EAD) × 부도율 × 부도 시의 손실률(LGD)
= 100억 × 1% 30% = 0.3억원

┌─ | 핵심 개념 | **베르누이 분포**

부도율은 베르누이 분포를 따른다. 베르누이 분포는 매 시행마다 오직 두 가지의 가능한 결과만 일어난다고 할 때, 이러한 실험을 1회 이상 시행하여 일어나 두 가지 결과에 의해 그 값이 각각 0과 1로 결정되는 확률분포를 의미한다.

49 ③
출제빈도 상

출제영역 리스크관리 > 신용 리스크(Credit Risk)의 측정 > 부도율 측정모형

부도거리(DD) $= \dfrac{A - D}{\sigma_A} = \dfrac{50억원 - 20억원}{10억원} = 3$표준편차

부도거리(DD)란 기업의 자산가치가 채무불이행점으로부터 떨어진 거리를 표준화하여 구하는 것으로 3표준편차라는 것은 자산가치가 부채가치로부터 자산가치의 변동성(표준편차)의 3배 정도 멀리 떨어져 있다는 것이다.

☞ 저자의 Tip

부도거리상 표준편차거리가 높을수록 신용위험이 낮은 것을 의미합니다.

50 ①
출제빈도 중

출제영역 리스크관리 > 신용 리스크(Credit Risk)의 측정 > 신용손실 분포로부터 신용 리스크 측정모형

• 손실률: 1 - 회수율 0.7 = 0.3(30%)

• 기대손실(EL): EAD 100억원 × 부도율 5% × 손실률 30% = 1.5억원

제3과목(직무윤리 및 법규/투자운용 및 전략 I 등)

51~55 | 직무윤리

51 ①

출제영역 직무윤리 > 직무윤리 일반 > 직무윤리

투자 관련 직무에 종사하는 일체의 자를 그 적용대상으로 하며, 직접, 간접적으로 이와 관련되어 있는 자를 포함한다. 또한 회사와의 위임계약관계 또는 고용계약관계 및 보수의 유무, 고객과의 법률적인 계약관계 및 보수의 존부를 불문하므로 회사와 정식 고용관계에 있지 않은 자나 무보수로 일하는 자도 직무윤리를 준수해야 한다. 더불어 아직 아무런 계약관계를 맺지 않은 잠재적 고객에 대해서도 직무윤리를 준수해야 한다.

52 ①

출제영역 직무윤리 > 금융투자업 직무윤리 > 기본원칙

신의성실의 원칙은 금융투자회사의 임직원이 준수해야 할 직무윤리이면서 동시에 법적 의무이다. 신의칙 위반이 법원에서 다투어지는 경우, 이는 강행법규에 대한 위반이므로 당사자가 주장하지 않더라도 법원은 직권으로 신의칙 위반 여부를 판단할 수 있다.

| 핵심 개념 | 금융투자업 직무윤리 2대 기본원칙

1. 고객우선의 원칙
2. 신의성실의 원칙

53 ③

출제영역 직무윤리 > 금융투자업 직무윤리 > 이해상충 방지 의무

이해상충의 방지를 위해 투자매매업자 또는 투자중개업자는 금융투자상품에 대한 매매에 있어 자신이 본인이 됨과 동시에 상대방의 투자중개업자가 되어서는 안 된다. 이를 자기계약(자기거래)의 금지라 한다. 다만 예외적으로 투자매매업자 또는 투자중개업자가 자기가 판매하는 집합투자증권을 매수하는 것은 투자자의 이익을 해칠 가능성이 없는 경우로 이해상충의 발생원인과는 거리가 멀다고 볼 수 있다.

| 핵심 개념 | 이해상충의 발생원인

1. 금융투자자 내부의 문제로서 금융투자업을 영위하는 회사 내에서 공적 업무 영역에서 사적 업무영역의 정보를 이용하는 경우
2. 금융투자업자와 금융소비자 간의 문제로서 이들 사이에는 정보의 비대칭이 존재함에 따라 금융투자업자가 금융소비자의 이익을 희생하여 자신이나 제3자의 이익을 추구할 가능성이 높다.
3. 법률적 문제로서 자본시장법에서 발달하고 있는 금융투자업에 대해 복수의 금융투자업 간 겸영 업무의 허용범위를 넓혀주고 있어 이해상충이 발생할 위험성이 더욱 높아졌다.
4. 금융투자업자와 금융소비자 사이에 대표적으로 발생하는 이해상충의 사례 중 하나는 과당매매이다.

54 ③

출제영역 직무윤리 > 금융투자업 직무윤리 > 금융소비자보호의무

금융투자업자가 일반투자자에게 투자권유를 하지 않고 파생상품 및 금융투자상품을 판매하려는 경우에는 면담과 질문 등을 통하여 그 일반투자자의 투자 목적과 재산상황 및 투자경험 등의 정보를 파악해야 한다. 이는 적정성의 원칙에 해당한다.

55 ④

출제영역 직무윤리 > 금융투자업 직무윤리 > 본인, 회사 및 사회에 대한 윤리

사적이익의 추구금지는 본인에 대한 윤리이다.

| 핵심 개념 | 본인 및 회사에 대한 윤리

1. 본인에 대한 윤리
   법규준수, 자기혁신, 품위유지, 사적이익의 추구금지
2. 회사에 대한 윤리
   상호존중, 공용재산의 사적 사용 및 수익금지, 경영진의 책임, 정보보호, 위반행위의 보고, 대외활동

제3과목(직무윤리 및 법규/투자운용 및 전략 I 등)

56~62 | 자본시장과 금융투자업에 관한 법률

56 ④

출제영역 자본시장과 금융투자업에 관한 법률/금융위원회 규정 > 금융투자상품 및 금융투자업 > 금융투자상품

신주인수권이 표시된 증권 또는 증서의 경우 실질적으로는 출자지분이 표시된 것으로 볼 수 없으나 주권에 대한 인수권을 표시하는 것이므로 지분증권(금융투자상품)으로 분류된다. 다만 원화표시 양도성 예금증서(CD), 관리신탁의 수익권, 주식매수선택권(스톡옵션)은 금융투자상품에서 배제된다.

| 핵심 개념 | 자본시장법상 금융투자상품(증권) 6가지

1. 채무증권
   발행인에 의하여 원금이 보장되나 유통과정에서 원금손실이 발생할 수 있는 증권
2. 지분증권
   법률에 의하여 직접 설립된 법인이 발행한 출자증권, 상법상 합자회사, 유한책임회사, 유한회사, 합자조합, 익명조합의 출자지분, 그 밖에 이와 유사한 것으로서 출자지분 또는 출자지분을 취득할 권리가 표시된 증권
3. 수익증권
   금전신탁 수익증권, 투자신탁의 수익증권, 그 밖에 이와 유사한 것으로 신탁의 수익권이 표시된 것
4. 투자계약증권
   특정 투자자가 그 투자자와 타인 간의 공동사업에 금전 등을 투자하고 주로 타인이 수행한 공동사업의 결과에 따른 손익을 귀속받는 계약상의 권리가 표시된 것
5. 파생결합증권
   기초자산의 가격·이자율·지표 단위 또는 이를 기초로 하는 지수 등의 변동과 연계하여 미리 정해진 방법에 따라 지급금액 또는 회수금액이 결정되는 권리가 표시된 증권

6. 증권예탁증권

    채무증권, 지분증권, 수익증권, 투자계약증권, 파생결합증권을 예탁받은 자가 그 증권이 발행된 국가 외의 국가에서 발행한 것으로 그 예탁받은 증권에 관련된 권리가 표시된 증권

57 ③
출제빈도 **하**

출제영역 자본시장과 금융투자업에 관한 법률/금융위원회 규정 > 금융투자업자에 대한 규제·감독 > 금융투자업 인가등록 개요

전문사모집합투자업은 등록대상 금융투자업이다.

| 핵심 개념 | **자본시장법상 인가대상 및 등록대상 금융투자업**

1. 인가대상 금융투자업

    투자매매업, 투자중개업, 집합투자업, 신탁업

2. 등록대상 금융투자업

    투자자문업, 투자일임업, 온라인소액투자중개업, 전문사모집합투자업

58 ③
출제빈도 **상**

출제영역 자본시장과 금융투자업에 관한 법률/금융위원회 규정 > 금융투자업자에 대한 규제·감독 > 건전성 규제

경영개선 명령을 받은 경우에는 금융위원회가 그 기간을 정한다.

59 ③
출제빈도 **상**

출제영역 자본시장과 금융투자업에 관한 법률/금융위원회 규정 > 금융투자업자에 대한 규제·감독 > 영업행위 규칙

신용공여 경험이 있는 일반투자자에게 금전의 대여나 그 중개·주선·대리의 요청을 받지 않고 이를 조건으로 투자권유를 하는 행위는 부당권유 금지행위로부터 제외된다.

| 핵심 개념 | **부당권유의 금지**

1. 거짓의 내용을 알리는 행위 및 불확실한 사항에 대하여 단정적 판단을 제공하거나 확실하다고 오인하게 될 소지가 있는 내용을 알리는 행위 금지

2. 투자자에게 투자권유의 요청을 받지 않고 방문, 전화 등 실시간 대화의 방법을 이용하여 장외파생상품의 투자권유를 하는 행위 금지

3. 투자권유를 거부한 투자자에게 투자권유를 하는 행위 금지, 다만, 1개월 경과 후 투자권유 및 다른 종류의 금융투자상품에 대한 투자권유는 가능

4. 일반투자자(신용공여 경험이 있는 투자자 제외)로부터 금전의 대여나 그 중개·주선·대리의 요청을 받지 않고 이를 조건으로 투자권유를 하는 행위 금지

60 ①
출제빈도 **중**

출제영역 자본시장과 금융투자업에 관한 법률/금융위원회 규정 > 집합투자업자의 영업행위 규칙 > 집합투자업자 행위 규칙

국채, 통화안정증권 및 정부보증채는 집합투자재산의 100%를 투자할 수 있다.

| 핵심 개념 | **집합투자업자의 자산운용의 제한**

1. 동일 종목 증권 투자제한

    각 집합투자기구 자산 총액의 10%를 초과하여 동일 종목의 증권에 투자하는 행위는 금지된다. 다만 예외적으로 국채, 한국은행통화안정증권, 정부보증채, 부동산 개발회사 발행증권, 부동산 투자 목적회사가 발생한 지분증권 등은 동일 종목 증권 투자제한의 예외 규정이 적용되어 100% 투자가 가능하다.

2. 동일 지분증권 투자제한

    전체 집합투자기구에서 동일 법인 등이 발행한 지분증권 총수의 20%를 초과하여 투자하는 행위와 각 집합투자기구에서 동일 법인 등이 발행한 지분증권 총수의 10%를 초과하여 투자하는 행위는 금지된다.

3. 집합투자증권 투자제한

    각 집합투자기구 자산 총액의 50%를 초과하여 동일 집합투자업자가 운용하는 집합투자증권에 투자하는 행위와 각 집합투자기구 자산 총액의 20%를 초과하여 동일 집합투자기구에 투자하는 행위는 금지된다.

4. 파생상품 투자제한

    파생상품 위험평가액이 집합투자기구 순자산의 100%를 초과하여 투자하는 행위와 동일 법인 등이 발행한 증권 가격 변동으로 인한 위험평가액이 각 집합투자 총액의 10%를 초과하여 투자하는 행위는 금지된다.

5. 부동산 투자제한 등

    집합투자재산으로 국내에 있는 주택을 취득한 경우 1년 이내, 주택 이외의 부동산을 취득한 경우 1년 이내 취득한 부동산을 처분하는 것은 금지된다. 또한 부동산 취득 및 처분 시 실사보고서를 작성하고, 부동산 개발사업에 투자하는 경우 사업계획서를 작성하여 감정평가업자로부터 적정성 여부를 확인받아 인터넷 홈페이지 등을 이용하여 공시해야 한다.

61 ③
출제빈도 **중**

출제영역 자본시장과 금융투자업에 관한 법률/금융위원회 규정 > 집합투자업자의 영업행위 규칙 > 집합투자업자 행위 규칙

차입 한도는 부동산 집합투자기구는 순자산의 200%(집합투자자총회에서 달리 의결한 경우 그 의결 한도), 기타 집합투자기구는 부동산 가액의 70%까지 가능하다.

| 핵심 개념 | **집합투자업자의 금전차입 및 금전대여 특례**

1. 금전차입 특례

    집합투자재산으로 부동산을 취득하는 경우 집합투자기구의 계산으로 금전 차입이 예외적으로 허용되며 그 한도는 순자산의 200%, 기타 집합투자기구는 부동산 가액의 70%까지이며, 차입금은 부동산에 운용하는 방법으로 사용해야 한다. 다만 불가피한 사유 발생 시 일시적으로 현금성자산에 투자 가능하다.

2. 금전대여 특례

    부동산 개발사업을 영위하는 법인에 대해 예외적으로 대여 가능하며 그 한도는 집합투자기구 순자산총액의 100%까지 가능하다.

62 ②
출제빈도 **하**

출제영역 자본시장과 금융투자업에 관한 법률/금융위원회 규정 > 금융투자업자에 대한 규제·감독 > 금융투자업 인가등록 개요

인가요건을 유지하지 못할 경우 금융위의 인가가 취소될 수 있다.

| 핵심 개념 | 인가요건 유지 의무 ---

금융투자업자는 인가·등록을 받은 이후에도 인가·등록요건을 계속 유지할 필요가 있다.

1. 위반 시 제재
   금융투자업자가 인가요건을 유지하지 못할 경우 금융위의 인가가 취소될 수 있다.

2. 자기자본 요건
   매 회계연도 말 기준 자기자본이 인가업무 단위별 최저 자기자본의 70% 이상을 유지하여야 하며, 다음 회계연도 말까지 자본보완이 이루어지는 경우 요건을 충족한 것으로 본다.

3. 대주주요건
   ① 대주주의 출자능력(자기자본이 출자금액의 4배 이상), 재무건전성, 부채비율(300%) 요건은 출자 이후인 점을 감안하여 인가요건 유지의무에서 배제된다.
   ② 최대주주의 경우 최근 5년간 5억원 이상의 벌금형만을 적용
   ③ 금산법에 의하여 부실금융기관으로 지정된 금융기관의 최대주주 주요 주주 또는 그 특수관계인이 아닐 것

제3과목(직무윤리 및 법규/투자운용 및 전략 I 등)

63~66 | 금융위원회규정

63 ③

출제빈도 상

출제영역 자본시장과 금융투자업에 관한 법률/금융위원회 규정 > 투자매매업자 및 투자중개업자에 대한 영업행위규제 > 불건전 영업행위의 금지

투자매매업자 또는 투자중개업자는 특정 금융투자상품의 가치에 대한 주장이나 예측을 담고 있는 자료(조사분석자료)를 투자자에게 공표함에 있어서 그 조사분석자료의 내용이 사실상 확정된 때부터 공표 후 24시간이 경과하기 전까지 그 조사분석자료의 대상이 된 금융투자상품의 자기의 계산으로 매매(스캘핑)할 수 없다.

| 핵심 개념 | 조사분석자료 공표 후 매매금지 적용 예외 사유 ---

1. 조사분석자료의 내용이 직접 또는 간접으로 특정 금융투자상품의 매매를 유도하는 것이 아닌 경우

2. 조사분석자료의 공표로 인한 매매유발이나 가격 변동을 의도적으로 이용하였다고 볼 수 없는 경우

3. 공표된 조사분석자료의 내용을 이용하여 매매하지 아니하였음을 증명하는 경우

4. 해당 조사분석자료가 이미 공표한 조사분석자료와 비교하여 새로운 내용을 담고 있지 않은 경우

64 ②

출제빈도 상

출제영역 자본시장과 금융투자업에 관한 법률/금융위원회 규정 > 금융투자업자에 대한 규제·감독 > 건전성 규제

차익거래 등 투자자위험회피거래에 필요한 경우는 계열회사 발행 증권 소유 제한의 예외사유에 해당된다.

| 핵심 개념 | 대주주 발행 증권 소유 제한의 예외 ---

1. 담보권의 실행 등 권리행사에 필요한 경우

2. 안정조작 또는 시장조성을 하는 경우

3. 대주주가 변경됨에 따라 이미 소유하고 있는 증권이 대주주가 발행한 증권으로 되는 경우

4. 인수와 관련하여 해당 증권을 취득하는 경우

5. 관련 법령에 따라 사채보증 업무를 할 수 있는 금융기관 등이 원리금의 지급을 보증하는 사채권을 취득하는 경우

6. 특수채증권을 취득하는 경우

65 ①

출제빈도 중

출제영역 금융위원회규정 > 장외거래 및 주식 소유제한 > 장외거래

외국인 간의 대차거래 시 예외가 인정되므로 틀린 문장이다.

| 핵심 개념 | 장외거래의 종류 ---

1. 비상장주권의 장외거래
2. 채권장외거래
3. 환매조건부 매매
4. 증권 대차거래
5. 기업어음 장외거래
6. 기타의 장외거래(해외시장 거래 등)
7. 장외파생상품의 매매

66 ③

출제빈도 상

출제영역 자본시장과 금융투자업에 관한 법률/금융위원회 규정 > 증권발행시장 공시제도 > 증권신고서제도

금융위(금감원장)의 정정요구가 있음에도 3개월 이내에 정정신고서를 제출하지 않은 경우에는 증권신고서를 철회한 것으로 본다.

| 핵심 개념 | 정정신고서제도 ---

1. 이미 제출한 증권신고서(일괄신고 추가서류 포함)의 기재사항을 정정하고자 하는 경우 또는 금융위(금감원장)로부터 정정요구를 받은 경우 제출하는 증권신고서를 정정신고서라 한다.

2. 정정신고서가 제출된 경우에는 그 정정신고서가 수리된 날에 당초 제출한 증권신고서가 수리된 것으로 본다.

3. 금융위원회는 증권신고서의 형식을 제대로 갖추지 않은 경우 또는 그 증권신고서 중 중요사항에 관하여 거짓의 기재 또는 표시가 있거나 중요한 사항이 기재 또는 표시되지 않은 경우와 중요사항의 기재나 표시내용이 불분명하여 투자자의 합리적인 투자판단을 저해하거나 투자자에게 중대한 오해를 일으킬 수 있는 경우에는 그 증권신고서에 기재내용을 정정한 신고서의 제출을 요구할 수 있다.

제3과목(직무윤리 및 법규/투자운용 및 전략 l 등)

67~69 | 한국금융투자협회규정

67 ①

출제빈도 상

출제영역 한국금융투자협회규정 > 금융투자회사의 영업 및 업무에 관한 규정 > 투자권유 등

| 오답 해설 |

② 금융투자회사가 파생상품에 대한 투자권유를 하지 않더라도 일반투자자에게 파생상품 등을 판매하고자 할 경우에는 면담·질문 등을 통하여 그 일반투자자의 투자자 정보를 파악해야 한다.

③ 금융투자업자는 파생상품 등의 투자권유 시 투자, 목적, 경험 등을 고려하여 일반투자자 등급별로 차등화된 투자권유준칙을 마련해야 한다.

④ 금융투자업자가 일반투자자와 장외파생상품을 매매할 경우, 일반투자자가 위험회피 목적의 거래를 하는 경우로 한정한다.

68 ④

출제빈도 하

출제영역 한국금융투자협회규정 > 금융투자회사의 영업 및 업무에 관한 규정 > 신상품 보호

심의위원회 위원장은 침해배제 신청 접수일로부터 7영업일 이내 심의위원회를 소집하여 배타적 사용권 침해배제 신청에 대하여 심의해야 한다.

69 ①

출제빈도 중

출제영역 한국금융투자협회규정 > 금융투자회사의 약관운용에 관한 규정 > 금융투자회사의 약관운용에 관한 규정

금융투자협회는 건전한 거래질서를 확립하고 불공정한 내용의 약관이 통용되는 것을 방지하기 위하여 금융투자업 영위와 관련하여 표준이 되는 약관(표준약관)을 정할 수 있다. 그리고 금융투자회사는 업무와 관련하여 협회가 정한 표준약관을 사용하거나 이를 수정하여 사용할 수 있다. 그러나 모든 표준약관을 수정하여 사용할 수 있는 것은 아니며, 외국 집합투자증권 매매거래에 관한 표준약관은 표준약관 그대로 사용해야 한다.

제3과목(직무윤리 및 법규/투자운용 및 전략 l 등)

70~75 | 주식투자운용/투자전략

70 ①

출제빈도 중

출제영역 주식투자운용 및 투자전략 > 자산배분 전략의 정의 및 준비사항 > 자산배분 전략의 준비사항

현금유출액의 현재가치와 현금유입액의 현재가치를 일치시키는

할인율인 내부수익률은 자산집단의 기대수익률을 추정하는 방법과는 거리가 멀다. 자산집단의 기대수익률을 추정하는 방법에는 추세분석법, 시나리오 분석법, 근본적 분석법, 시장공통 예측 시 사용방법 이외에도 경기순환 접근방법, 시장 타이밍방법, 전문가의 주관적인 방법등이 있다.

71 ③

출제빈도 중

출제영역 주식투자운용 및 투자전략 > 자산배분 전략의 정의 및 준비사항 > 자산배분 전략의 준비사항

주식의 기대수익률: 실질금리 1.5% + 물가상승률 2.0% + 주식 리스크프리미엄 5.5% = 9%

72 ②

출제빈도 상

출제영역 주식투자운용 및 투자전략 > 보험자산배분 > 고정비율 포트폴리오 보험(CPPI) 전략

- 1단계: 100억원 ÷ (1+0.04) = 96.15억원
- 2단계: 100억원 − 96.15 = 3.85억원
- 3단계: 3.85억원 × 1 = 3.85억원
- 4단계: 100억원 − 3.85억원 = 96.15억원

| 핵심 개념 | 주식투자금액 공식

주식투자금액 = 승수 × (포트폴리오 평가액 − 최저 보장수익의 현재가치)
- 1단계: 최저 보장수익의 현재가치 만기 시 = 최소 보장가치 ÷ (1+무위험 이자율)
- 2단계: 쿠션(cushion)계산 = 100 − 보장금액의 현재가치
- 3단계: 주식투자금액 = 쿠션 × 승수
- 4단계: 채권투자금액 = 투자금액 − 주식투자금액

73 ②

출제빈도 상

출제영역 주식투자운용 및 투자전략 > 주식 포트폴리오 운용전략 > 패시브운용(Passive Management)

ⓒ 표본추출법으로 벤치마크의 핵심을 반영한 포트폴리오를 만들 수 있으며 관리비용과 거래비용을 낮추면서도 벤치마크의 성과와 상당히 유사한 성과를 얻을 수 있다.

ⓔ 최적화법은 완전복제법이나 표본추출법에 비해 훨씬 적은 종목이면서도 예상되는 잔차가 충분히 낮은 인덱스펀드를 만들 수 있다.

74 ③

출제빈도 상

출제영역 주식투자운용 및 투자전략 > 주식 포트폴리오 운용전략 > 액티브운용(Active Management)

ⓔ 상대강도지표(RIS)와 같은 주가 탄력성을 이용하여 단기적인 투자에 활용하는 것은 성장투자 스타일에 대한 설명이며, 시장가치에 의한 투자 스타일은 주식의 시가총액을 기준으로 대형, 중형, 소형 등으로 투자 스타일을 구분한다.

75 ④

출제빈도 ⓢ

출제영역 주식투자운용 및 투자전략 > 주식 포트폴리오 운용전략 > 준액
티브(Semi-Active) 운용

주식의 내재가치를 발견하여 그것보다 저평가된 섹터나 종목을
선택하는 방식은 일반적인 액티브 운용에 대한 설명이다.

> **| 핵심 개념 | 계량분석방법**
>
> 계량분석방법은 기업의 적극적인 가치를 발견하는 것이 아니라 과거 주가
> 변동 패턴을 이용하여 귀납적으로 전략을 마련하는 특징을 가지므로 기술적
> 분석을 계량적으로 나타냈다고도 볼 수 있다.

▌제3과목(직무윤리 및 법규/투자운용 및 전략 I 등)

76~81 │ 채권투자운용/투자전략

76 ④

출제빈도 ⓢ

출제영역 채권투자운용 및 투자전략 > 채권의 개요와 채권시장 > 채권의
분류와 종류

변동금리채권은 이자금액의 변동 유무에 따른 분류이다.

> **| 핵심 개념 | 채권의 분류**
>
> 1. 발행주체에 따른 분류: 국채, 지방채, 특수채, 회사채
> 2. 이자지급방법에 따른 분류: 이표채, 할인채, 복리채, 거치분할상환채
> 3. 통화 표시에 따른 분류: 자국 통화 표시 채권, 외화표시 채권
> 4. 상환기간에 따른 분류: 단기채, 중기채, 장기채
> 5. 이자금액의 변동 유무에 따른 분류: 변동금리채권, 역변동금리채권
> 6. 원리금지급형태에 따른 분류: 만기일시상환채권, 액면분할 상환채권
> 7. 강채기금사채

77 ②

출제빈도 ⓢ

출제영역 채권투자운용 및 투자전략 > 채권의 개요와 채권시장 > 채권의
분류와 종류

㉠ 발행자 측면에서 일반사채보다 낮은 금리로 발행된다.
㉣ 괴리율이 음(−)의 값이 나온다는 것은 전환사채에 투자한 후
곧바로 전환하여 전환차익을 볼 수 있는 차익거래가 가능함을
의미한다.

78 ④

출제빈도 ⓜ

출제영역 채권투자운용 및 투자전략 > 채권의 개요와 채권시장 > 채권
발행시장

국채의 발행방법은 경쟁입찰, 첨가소화, 교부발행이 있다. 공모
발행은 불특정 다수의 투자자를 대상으로 채권을 발행하는 방법
으로 국채를 발행하는 방식과 거리가 멀다.

> **| 핵심 개념 | 국채 발행방법**
>
> 1. 경쟁입찰: 외평채권, 국고채권 등의 국채 발행 시 주로 이용되는 방법이다.
> 2. 첨가소화: 법령에 의해 첨가소화되는 방법으로 국민주택 채권이 여기에
>   속한다.
> 3. 교부발행: 공공용지 보상채권의 발행방법으로 이용된다.

79 ②

출제빈도 ⓢ

출제영역 채권투자운용 및 투자전략 > 채권 가격결정과 채권수익률 > 채
권가격 변동성

채권은 표면이율(이표율)이 낮을수록, 만기가 길어질수록, 만기
수익률의 수준이 낮을수록 채권의 가격 변동성은 커지며 채권의
수익률 변화에 따른 채권 가격의 변화를 채권 가격의 변동성이라
고 한다.

80 ②

출제빈도 ⓢ

출제영역 채권투자운용 및 투자전략 > 금리체계 > 기간구조이론

모든 투자자들이 미래의 이자율을 확실하게 예측할 수 있다고 가
정하고 또한 위험에 대한 투자자들의 선호를 고려하지 않는 것은
불편기대이론에 대한 설명이다. 유동성 프리미엄 이론은 채권에
대한 위험을 고려할 경우 장기채권은 단기채권에 비해 위험이 크
며 현금화될 수 있는 유동성도 작은 것이 일반적이다. 따라서 모
든 투자자들은 기본적으로 유동성을 선호하게 되어 만기가 길수
록 증가하는 위험에 대한 유동성 프리미엄을 요구하게 된다는 것
이 유동성 프리미엄 이론이며, 힉스(Hicks)에 의해 최초로 제시
된 이론이다.

81 ①

출제빈도 ⓢ

출제영역 채권투자운용 및 투자전략 > 듀레이션과 볼록성 > 듀레이션

- 수정듀레이션: 듀레이션 ÷ {1 + (채권수익률 / 연간 이자지급횟
  수)} = 2.78 ÷ (1 + 0.06) = 2.6226(연 단위 후급 이표채는 1년
  에 1회 이자지급)
- 채권가격 변화율: −수정듀레이션 × 채권가격 변화율 =
  −2.6226 × −0.01 = 0.0262
- 채권가격 상승분: 채권가격 9,700원 × 채권가격 변화율
  0.0262 = 254.14원

82~87 | 파생상품투자운용 / 투자전략

82 ④   출제빈도 중

출제영역 파생상품투자운용 및 투자전략 > 선도거래와 선물거래의 기본
메커니즘 > 선물거래

일일정산제도는 만기가 되기 전의 임의의 거래일에 매수나 매도
포지션을 취하고 나서 반대매매를 하지 않고 포지션을 다음 날로
넘길 경우 당일 선물 종가로 정산을 해야 하는 제도이다. 이때
매일 포지션을 정산 후 증거금이 유지증거금 아래로 하락했을 경
우에는 변동증거금은 개시증거금 수준까지 납부해야 한다. 따라
서 변동증거금으로 100만원을 납부해야 한다.

83 ③   출제빈도 상

출제영역 파생상품투자운용 및 투자전략 > 옵션 기초 > 만기일 이전의
옵션거래(전매도, 환매수)

풋옵션은 매도할 권리이므로 행사가격이 기초자산 가격보다 크
다면 내가격 옵션(권리행사 시 이익)이다.

• 내가격(ITM) 옵션: 현재 권리행사 시 이익
• 외가격(OTM) 옵션: 현재 권리행사 시 손실
• 등가격(ATM) 옵션: 현재 기초자산 가격과 행사 가격이 동일
  한 경우
• S = 기초자산 가격, X = 행사가격

구분	콜옵션	풋옵션
내가격 옵션	S > X	S < X
외가격 옵션	S < X	S > X
등가격 옵션	S = X	S = X

84 ③   출제빈도 상

출제영역 파생상품투자운용 및 투자전략 > 선물 총론 > 선물의 균형 가격

• 균형선물환율 공식 F = S × {1 + (원화r − 외화r)} × t / 365
  = 1,200원 × {1 + (0.04 − 0.02)} × 365 / 365 = 1,224원
• 균형선물환율을 기준으로 고평가, 저평가 여부를 따지므로 현
  재 선물환율은 균형가격 대비 고평가 상태이다.
• '균형선물환율 1,224원 < 선물환 가격 1,230원'이므로 균형환
  율은 저평가, 선물환율은 고평가 상태이다.
• 매수차익거래(저평가된 균형선물환율(현물달러)을 매수 + 고
  평가된 선물환시장 달러 매도)
  = 현물달러 매수 + 선물환시장 달러 매각

85 ②   출제빈도 상

출제영역 파생상품투자운용 및 투자전략 > 선물 총론 > 선물 거래전략

시간 스프레드는 동일한 품목 내에서 서로 만기가 다른 두 선물
계약에 대해 각각 매수와 매도 포지션을 동시에 취하는 전략으로
서, 만기가 다른 선물계약의 가격들이 서로 변동폭이 다르다는
것을 전제로 하여 포지션을 구축하게 된다는 특징이 있다.

86 ②   출제빈도 상

출제영역 파생상품투자운용 및 투자전략 > 옵션을 이용한 합성전략 > 스
트래들(Straddle)

동일한 행사 가격을 가진 풋옵션과 콜옵션을 동시에 매도하는 경
우 이를 숏 스트래들(Short straddle)이라 하는데 이는 변동성이
작을 것이라는 예상을 토대로 취하게 되는 포지션이다.

🖐 저자의 Tip

참고로 불 스프레드는 대표적인 수직 스프레드 전략으로 이는 기초자산 가격이 상
승 시 이익을 보는 포지션으로 콜옵션과 풋옵션을 사용한 두 가지가 있습니다. 또
한 스트래들 매수 포지션(Long straddle)은 동일한 만기와 동일한 행사 가격을 가
지는 두 개의 옵션, 즉 콜과 풋옵션을 동시에 매수함으로써 구성되는 포지션입니
다. 이는 기초자산 가격이 현재 시점에 비해 크게 상승하거나 하락할 경우에 이익
을 보게 되고 횡보할 경우 손실을 보게되는 포지션입니다.

87 ④   출제빈도 중

출제영역 파생상품투자운용 및 투자전략 > 옵션 및 옵션 합성 포지션의
분석 > 옵션 프리미엄의 민감도 지표

풋옵션 매수의 로우 포지션 부호는 (−)이다.

┌─ | 핵심 개념 | 옵션 민감도 지표의 부호 ─

구분	델타	감마	세타	베가	로우
Call 매수	+	+	−	+	+
Put 매수	−	+	−	+	−

88~91 | 투자운용결과분석

88 ①   출제빈도 중

출제영역 투자운용결과분석 > 성과평가 기초사항 > 투자수익률 계산

ⓒ, ⓔ은 금액가중수익률에 대한 설명이다.

| 핵심 개념 | 시간가중수익률과 금액가중수익률

1. 시간가중수익률

펀드매니저가 통제할 수 없는 투자자금의 유출입에 따른 수익률 왜곡현상을 해결한 방법으로 펀드매니저의 운용능력을 측정하기 위하여 사용된다. 시간가중수익률은 총투자기간을 세부기간으로 구분하여 세부기간별로 수익률을 계산한 다음 세부기간별 수익률을 기하적으로 연결하여 총수익률을 구한다.

2. 금액가중수익률

투자자가 얻은 수익성을 측정하기 위하여 사용하며 측정기간 동안 얻은 수익금액을 반영하는 성과지표이다. 수익금액은 펀드매니저의 투자판단뿐만 아니라 투자자의 판단, 즉 펀드에 추가로 투자하거나 인출하는 시점과 규모에 의해서도 결정된다. 금액가중수익률은 펀드매니저와 투자자의 공동의 노력의 결과로 나타나는 수익률 효과가 혼합되어 있는 것이다. 이것은 펀드매니저의 성과를 측정하는 데 사용되는 시간가중수익률과 구분된다.

89 ①
출제빈도 중

출제영역 | 투자운용결과분석 > 성과평가 기초사항 > 투자위험

운용 목표를 절대적인 수익률의 안전성에 둔다면 바람직한 위험지표는 전체 위험을 고려하여 절대적인 위험을 측정하는 수익률의 변동성을 나타내는 표준편차이다.

90 ②
출제빈도 중

출제영역 | 투자운용결과분석 > 성과평가 기초사항 > 투자수익률 계산

모든 수익률은 해당 기간 중 발생한 실제 매매비용을 공제한 후에 계산되어야 한다. 회사는 추정된 매매비용을 사용하지 않아야 한다.

| 핵심 개념 | GIPS(국제투자성과기준)

GIPS(Global Investment Performance Standards)는 미국 공인재무분석사협회(CFA)에서 만든 비영리단체로 투자전문가들이 지켜야 하는 윤리기준, 성과평가 및 표시를 하기 위한 기준 등을 발표하고 있다.

91 ①
출제빈도 중

출제영역 | 투자운용결과분석 > 위험조정 성과지표 > 젠센의 알파

젠센의 알파는 부합한 위험수준에 대해 요구되는 수익률보다 펀드가 얼마나 더 높은 수익률을 달성하였는가를 나타내는 것으로, 펀드매니저의 능력을 측정하는 데 사용될 수 있다.

- 젠센의 알파: 펀드(실현)수익률 0.16 - 요구수익률 0.134 = 0.026
- 요구수익률: 무위험수익률 0.05 + 변동성 1.2 × (시장수익률 0.12 - 무위험수익률 0.05) = 0.1340(13.4%)

▌제3과목(직무윤리 및 법규/투자운용 및 전략Ⅰ 등)

92~95 | 거시경제

92 ③
출제빈도 중

출제영역 | 거시경제분석 > 이자율의 결정과 기간구조 > 이자율의 기간구조

불편기대이론은 장·단기 금리 간의 높은 연계성이 평균식에 의해 확보되기 때문에 수익률 곡선의 이동을 잘 설명하나, 수익률 곡선이 대체로 우상향한다는 사실은 잘 설명하지 못하고 있다.

93 ③
출제빈도 중

출제영역 | 거시경제분석 > 경제모형과 경제정책의 분석: IS-LM모형 > 재정정책과 통화정책에 대한 논의

유동성 함정 구간에서 화폐수요의 이자율 탄력성은 무한대이다.

| 핵심 개념 | 거시정책이론: 구축효과와 유동성 함정

1. 구축효과

확대재정정책을 시행하면, IS-LM모형에서 IS곡선이 우측으로 이동하여 국민소득이 증가하고 이자율은 상승한다. 여기서 유의해야 할 사실은 이자율이 상승함에 따라 투자가 감소한다는 것이다. 투자는 이자율에 대한 감소함수이다. 이자율 상승에 의해 민간투자가 감소하면 국민소득이 감소하게 된다. 확대재정정책은 국민소득을 증가시키지만 다른 한편으로는 이자율 상승으로 인한 민간투자의 위축으로 국민소득이 감소하게 된다. 이처럼 확대재정정책이 이자율을 상승시켜 민간투자를 위축시키는 현상을 구축효과(Crowding out effect)라고 한다.

2. 유동성 함정

케인즈는 이자율이 임계이자율(Rc) 이하로 하락하면 사람들은 더 이상 이자율이 내려가지는 않을 것으로 판단하게 되어 채권 보유를 포기하고 모두 화폐로 보유함으로써 화폐수요가 폭발적으로 증가한다고 하였다. 경제가 이런 상태에 있는 경우, '유동성 함정(Liquidity trap)'이라고 부른다. 화폐수요의 폭발적 증가로 인해 화폐수요의 이자율 탄력성이 무한대가 되고, 이경우에 LM곡선이 수평이 되므로 확대통화정책과 같이 LM곡선을 우측으로 이동시켜도 효과가 없게 된다. 따라서 이때는 통화정책 자체가 무력해지는 반면에 재정정책을 시행하면 구축효과가 전혀 나타나지 않으므로 큰 효과를 볼 수 있다. 일반적으로 유동성 함정은 경제가 극심한 불황 상태에 있을 때 발생한다. 그 결과 통화정책은 아무 효과가 없게 되고, 재정정책의 효과가 극대화된다. 이 경우 경기확대정책으로서 정부지출을 늘리거나 세금(세율)을 낮추는 등 확대재정정책을 시행하게 되면, 유동성 함정하에서 IS곡선이 우측으로 이동하여 이자율은 불변인 채로 국민소득을 크게 증가시킬 수 있다.

94 ①
출제빈도 중

출제영역 | 거시경제분석 > 경기변동과 경기예측 > 경기순환

경기변동의 요인에는 계절적요인, 불규칙요인, 추세요인, 순환요인이 있다. 실물요인은 금융요인과 함께 경기순환의 발생원인이다.

95 ④

출제빈도 **상**

출제영역 거시경제분석 > 경기변동과 경기예측 > 경기지수, 물가지수 및 통화 관련 지표

국민총소득에 대한 설명이다.

| 오답 해설 |

① 국내총생산: 국내에 거주하는 모든 생산자가 생산한 부가가치를 합산한 것이므로 국외거래에 의해 발생하는 생산은 고려하지 않아 국민총생산과 국내총소득은 국외순수취 요소소득만큼의 차이가 난다.

② 국민순생산: 일정기간에 국민경제의 모든 분야에서 생산된 재화·용역의 순생산을 시장가격으로 표시한 것이다.

③ 국민소득: 한 나라의 경제 수준을 나타내는 대표적인 지표이다.

👆 **저자의 Tip**

국민총소득은 국내총생산에서 국외순수취 요소소득을 더해 산출합니다. 우리나라의 경우 주로 대외채무에 대한 이자지급으로 말미암아 국외순수취 요소소득이 마이너스로 나타나 국민 총소득이 국내총생산보다 작은 것으로 나타나고 있습니다.

▎제3과목(직무윤리 및 법규/투자운용 및 전략 I 등)

96~100 │ 분산투자기법

96 ①

출제빈도 **중**

출제영역 분산투자기법 > 차익거래 가격결정이론 > 차익거래 가격결정이론(APT)의 도출

포트폴리오 A와 B는 동일한 위험을 갖는 데도 불구하고 서로 다른 기대수익률을 갖고 있다. 이때 A가 B보다 높은 기대수익률을 제공하므로 포트폴리오 A를 매입하고 B를 공매도하는 무위험 차익거래가 가능하다.

┌─ | 핵심 개념 | **포트폴리오를 이용한 차익거래** ─

이 문제에서 차익실현은 다음과 같다.

- 포트폴리오 A 매입 12% × 1억원 = 1,200만원
- 포트폴리오 B 공매도 10% × 1억원 = 1,000만원
- 차익거래 이윤 1,200만원 − 1,000만원 = 200만원

97 ②

출제빈도 **중**

출제영역 분산투자기법 > 자본자산 가격결정 모형 > 자본자산 가격결정 모형의 의의와 가정

자본시장은 수요와 공급이 일치하는 균형상태에 있으며 자본자산 가격결정모형은 자본시장이 균형 상태를 이룰 때 자본자산의 가격(기대수익)과 위험과의 관계를 예측하는 모형이다.

┌ | 핵심 개념 | **자본자산 가격결정모형의 가정** ─

1. 평균분산기준의 가정
2. 동일한 투자기간의 가정
3. 완전시장의 가정
4. 무위험자산의 존재 가정
5. 균형시장의 가정
6. 동질적 미래예측의 가정

98 ④

출제빈도 **상**

출제영역 분산투자기법 > 자본자산 가격결정 모형 > 증권시장선

- 베타: 공분산 $0.03 ÷$ 분산 $0.02 = 1.5$
- K(요구수익률) = Rf + β(Rm − Rf)
  = Rf(무위험수익률), β(베타), Rm(시장수익률 또는 기대수익률 또는 벤치마크수익률)
  = $0.04 + 1.5(0.15 − 0.06) = 0.175(17.5\%)$

99 ③

출제빈도 **중**

출제영역 분산투자기법 > 단일지표모형 > 단일지표모형에 의한 포트폴리오 선택

포트폴리오의 베타는 개별 자산의 베타를 투자비중으로 가중평균하여 계산하므로 '$0.7 × 1.2 + 0.3 × 0.8 = 1.08$'이다.

100 ③

출제빈도 **중**

출제영역 분산투자기법 > 단일지표모형 > 단일지표모형

시장수익률 변동에 대한 개별주식 수익률 변동의 민감도를 나타내는 지표로 β를 사용한다.

빠른 채점표

01	②	02	④	03	③	04	②	05	②	06	④	07	④	08	①	09	④	10	④
11	①	12	①	13	②	14	④	15	④	16	③	17	②	18	③	19	②	20	④
21	①	22	③	23	①	24	②	25	②	26	①	27	②	28	④	29	②	30	③
31	④	32	①	33	②	34	②	35	③	36	③	37	④	38	②	39	③	40	①
41	②	42	②	43	①	44	②	45	③	46	④	47	③	48	④	49	④	50	②
51	④	52	①	53	③	54	③	55	①	56	③	57	②	58	④	59	②	60	③
61	①	62	②	63	③	64	①	65	①	66	②	67	④	68	②	69	②	70	③
71	②	72	①	73	②	74	②	75	②	76	④	77	③	78	④	79	①	80	③
81	④	82	②	83	②	84	①	85	④	86	③	87	②	88	③	89	②	90	②
91	③	92	①	93	③	94	②	95	①	96	①	97	④	98	③	99	④	100	②

전 문항 해설특강 바로보기

제1과목 (01~20)

제2과목(1) (21~35)

제2과목(2) (36~50)

제3과목(1) (51~62)

제3과목(2) (63~81)

제3과목(3) (82~100)

* 에듀윌 도서몰(book.eduwill.net)에서도 수강할 수 있습니다.

01~07 | 세제 관련 법규/세무전략

01 ②
출제빈도 **상**

출제영역 금융투자세제 > 국세기본법 > 납세의무

납세의무는 각 세법이 규정하고 있는 과세요건을 충족할 때 성립하는데 증여세의 납세의무 성립시기는 '증여에 의하여 재산을 취득하는 때'이다.

02 ④
출제빈도 **상**

출제영역 금융투자세제 > 소득세법 > 우리나라 소득세 제도의 특징

종합소득세 납세의무자는 과세기간의 다음 연도 5월 1일부터 5월 31일까지 과세표준을 확정신고함으로써 소득세의 납세의무가 확정되며, 근로소득만 있는 경우에는 과세기간의 다음 연도 2월에 연말정산으로 한 해의 납세의무가 종결되므로 5월의 종합소득세 확정신고 의무가 없다.

03 ③
출제빈도 **상**

출제영역 금융투자세제 > 소득세법 > 과세기간(소득세법 제5조)

과세기간은 세금이 부과되는 기간으로 소득세법상 과세기간은 원칙적으로 1월 1일부터 12월 31일까지이다.

04 ②
출제빈도 **상**

출제영역 금융투자세제 > 이자소득, 배당소득 및 양도소득 > 이자소득과 배당소득

- (가): 이익배당
- (나): 의제배당
- (다): 인정배당

05 ②
출제빈도 **중**

출제영역 금융투자세제 > 이자소득, 배당소득 및 양도소득 > 이자 배당 소득금액의 계산 및 귀속연도

해산의 경우 잔여재산가액을 확정하는 날을 수입시기로 본다.

☞ 저자의 Tip

잔여재산가액 확정일이란 잔여재산의 추심 또는 환가처분을 완료한 날 또는 잔여재산을 그대로 분배하는 경우 그 분배를 완료한 날을 의미합니다.

06 ④
출제빈도 **중**

출제영역 금융투자세제 > 이자소득, 배당소득 및 양도소득 > 양도소득

금융투자협회가 운영하는 장외매매거래(K-OTC)에서 벤처기업의 주식을 소액주주가 양도하는 경우에는 양도소득세가 과세되지 않는다.

07 ④
출제빈도 **중**

출제영역 금융투자세제 > 증권거래세법 > 납세의무자와 납세의무의 범위

외국 증권시장에 상장된 주권의 양도나 동 외국 증권시장에 주권을 상장하기 위하여 인수인에게 주권을 양도하는 경우 및 자본시장법 제377조 제1항 제3호에 따라 채무인수를 한 한국거래소가 주권을 양도하는 경우 증권거래세를 부과하지 아니한다.

┌─ | 핵심 개념 | 외국 증권시장 ─────────────

1. 뉴욕증권거래소
2. 전미증권업협회중개시장
3. 동경증권거래소
4. 런던증권거래소
5. 도이치증권거래소
6. 자본시장법 제406조 제1항 제2호의 외국 거래소

└──────────────────────────────

08~15 | 금융상품

08 ①
출제빈도 **중**

출제영역 금융상품 개론 > 금융회사의 종류 > 금융회사의 종류

증권업은 자본시장법 시행 전 금융투자업의 기능별 분류에 속한다.

┌─ | 핵심 개념 | 금융투자업의 분류 ─────────

1. 투자매매업
2. 투자중개업
3. 집합투자업
4. 투자자문업
5. 투자일임업
6. 신탁업

└──────────────────────────────

09 ④
출제빈도 **상**

출제영역 금융상품 개론 > 금융상품의 개요 > 재형 및 절세목적 금융상품

납입 한도는 연간 600만원이며 납입액의 40%의 소득공제 혜택을 받을 수 있다(소득공제 한도는 연 240만원).

10 ④

출제빈도 **상**

출제영역 예금 및 신탁상품 > 예금의 구분 > 예금상품 유형별 구분

MMDA는 시장금리부 수시입출금식 예금으로 저축성예금에 해당한다.

11 ①

출제빈도 **상**

출제영역 예금 및 신탁상품 > 예금의 종류 > 목돈마련 예금

기업어음은 신용상태가 양호한 기업이 상거래와 관계없이 단기 자금을 조달하기 위하여 자기신용을 바탕으로 발행하는 만기가 1년 이내인 융통어음이다. 따라서 목돈마련 예금상품에 해당하지 않는다.

> **| 핵심 개념 | 목돈마련 예금상품**
>
> 1. 정기성 상품: 정기예금, 주가지수연동 정기예금, 주택청약예금
> 2. 시장성 예금상품: 양도성 예금증서(CD), 환매조건부채권(RP), 표지어음, 할인채

12 ①

출제빈도 **중**

출제영역 예금 및 신탁상품 > 신탁상품의 개념과 특징 > 신탁상품 특징

위탁자는 수익자의 지위를 겸할 수 있다. 이를 자익신탁이라 한다.

> **| 핵심 개념 | 신탁상품의 특징**
>
> 1. 신탁재산은 수탁자의 상속재산, 파산재산에 속하지 않으며, 신탁재산에 대한 강제집행 및 경매가 불가하고, 신탁재산인 채권과 다른 채무와의 상계가 금지된다.
> 2. 수탁자가 사망 또는 사임하더라도 신탁관계는 종료되지 않는다.
> 3. 수탁자가 신탁의 본지에 반하여 신탁재산을 처분한 때에는 일정한 요건에 해당하는 경우 수익자 등에게 물권적 추급권이 인정된다.
> 4. 위탁자는 수익자의 지위를 겸할 수 있으나(자익신탁), 수탁자는 원칙적으로 수익자 및 위탁자의 지위를 동시에 겸할 수 없다(자기계약금지).

13 ②

출제빈도 **중**

출제영역 예금 및 신탁상품 > 신탁상품의 종류 > 금전신탁

특정금전신탁에 대한 설명이며, 투자자(위탁자)는 은행(수탁자)에게 운용대상, 운용방법 및 운용조건 등을 지시할 수 있다.

| 오답 해설 |

① 재산신탁: 신탁 인수 시 신탁재산으로 유가증권, 금전채권, 부동산 등을 수탁하여 신탁 내용에 따라 관리·처분·운용한 후 신탁 종료 시에 금전 또는 신탁재산의 운용 현상 그대로 수익자에게 교부한다.

③ 불특정금전신탁: 위탁자가 신탁재산인 금전의 운용방법을 지정하지 않는 금전신탁으로 수탁자는 신탁재산을 자본시장법 등 관계법규에서 정한 대상 자산에 자유롭게 투자운용하고, 그 운용수익을 위탁자에게 배당한다.

④ 금전채권신탁: 수익자를 위해 금전채권의 추심·관리·처분을 목적으로 금전채권을 신탁하고 신탁 종료 시 수익자에게 원본과 수익을 금전으로 교부한다.

14 ④

출제빈도 **상**

출제영역 보장성 금융상품 > 생명보험상품 > 생명보험의 개념

순보험료는 예정위험률과 예정이율에 의해 결정되는 보험료이며 예정사업비율에 의해 결정되는 보험료는 부가보험료이다.

15 ④

출제빈도 **중**

출제영역 투자성 금융상품 > 금융투자상품의 개념 및 종류 > 금융투자상품의 종류

신용연계채권에 대한 설명이다. 신용연계채권은 지급보증계약과 유사한 신용파산스왑(CDS)을 증권화한 형태로 신용연계증권의 보장매입자(CLN 매도자)는 기초자산의 신용상태와 연계된 증권을 발행하고 약정된 방식으로 이자를 지급하며, 보장매도자(CLN 매수자)는 약정이자를 받는 대신 신용사건이 발생하는 경우 기초자산의 손실을 부담한다.

[예] 2년 이내 XX산업이 발행한 무보증회사채에 대해 지급불이행 및 채무조정이 일어나지 않는다면 연 7%의 수익률을 지급한다.

| 오답 해설 |

① 주가연계증권(ELS): 일반적으로 주가지수 및 특정 주식의 움직임에 연계하여 사전에 정해진 조건에 따라 조기 및 만기 상환수익률이 결정되는 만기가 있는 증권이다.

[예] 3개월 후 자동조기상환 평가일에 KOSPI200의 지수가 250pt인 경우에 연 15.4%(3.85%)의 수익률을 지급한다.

② 주가연계워런트(ELW): 특정 대상물을 사전에 정한 미래의 시기에 미리 정한 가격으로 살 수 있거나 팔 수 있는 권리를 갖는 증권이다. 권리의 유형에 따라 콜 워런트, 풋 워런트로 구분한다.

[예] 일정기한 후 만기일의 삼성전자의 종가가 680,000 이상일 경우 그 차액을 수취한다(Call ELW).

③ 파생결합증권(DSL): 기초자산의 가격·이자율·지표·단위 또는 이를 기초로 하는 지수 등의 변동과 연계하여 미리 정하여진 방법에 따라 지급하거나 회수하는 금전 등이 결정되는 권리가 표시된 증권이다.

[예] 만기에 런던귀금속시장협회의 금 현물가격이 온스당 900달러 이상일 경우 연 12%의 수익률을 지급한다.

16~20 | 부동산 관련 상품

16 ③
출제빈도 **상**

출제영역 부동산 개론 > 부동산 투자의 기초 > 부동산의 법률적 측면

청구권 보존의 효력은 부동산 등기법상 가등기의 효력이다.

| 핵심 개념 | **부동산 등기법상 본등기와 가등기의 효력**

부동산 등기에 있어 본등기는 물권 변동적 효력, 순위 확정적 효력, 형식적 확정력, 대항적 효력, 권리존재 추정력, 점유적 효력 등을 가진다. 가등기는 실체법상 요건이 불비한 때 권리의 설정, 이전, 변경, 소멸의 청구권을 보전하기 위한 등기로서 본등기 전에는 청구권 보전의 효력을 가지며, 본등기 후에는 순위보전적 효력을 갖는다.

17 ②
출제빈도 **상**

출제영역 부동산 개론 > 부동산 투자의 기초 > 부동산의 경제적 측면

부동산 경기는 일반경기의 변동에 비해 저점과 정점이 높다. 이는 부동산 경기가 일반경기의 변동에 대응하여 민감하게 적용하지 못하는 타성이 있기 때문이며, 이로써 부동산 경기는 일반경기보다 시간적으로 뒤지는 경향이 있다.

18 ③
출제빈도 **하**

출제영역 부동산 투자상품의 이해 > 부동산 펀드의 이해 > 부동산 펀드의 유형별 특징

시공업체(시공사)를 통한 채권보전 수단으로는 책임준공 약정, 차주에 대한 연대보증 또는 채무 인수, 차주에 대한 자금 보충, 책임분양, 사업참여자의 책임임대차 약정 등이 있다. 또한 부동산 PF의 채권보전조치로 가장 많이 활용된다.

| 핵심 개념 | **PF 사업의 대표적인 안정성 확보 수단**

1. 사업대상 부지 및 공사 중인 건물에 대한 물적 담보 확보(시행사를 통한 수단)
   ① 저당권의 설정
   ② 부동산 담보신탁
   [비고] 대주의 채권을 모두 보전하기 부족한 경우도 많다.
2. 제3자를 활용한 채권보전장치
   ① 주택도시보증공사(HUG)의 주택사업 금융보증
   ② 한국주택금융공사의 PF보증
   ③ 건설공제조합 및 서울보증보험의 이행보증
   [비고] 일정한 대가를 받고 채무이행 등을 대신 제공하는 금융상품의 일종이다.

19 ②
출제빈도 **상**

출제영역 부동산 투자상품의 이해 > 부동산 가치평가 > 부동산 감정평가 3방식

토지와 같이 재생산이 불가능한 자산에 적용하기 어려운 감정평

가방식은 원가방식(비용접근법)이다. 비교방식(시장접근법)은 토지평가에 있어서 세 가지 방식(시장접근법, 비용접근법, 소득접근법) 중 중추적인 역할을 수행한다.

| 핵심 개념 | **부동산 감정평가 3방식**

1. 시장접근법(비교방식, 거래사례비교법)
   대상 부동산과 동일성 또는 유사성이 있는 부동산의 거래 사례와 비교하여 대상 부동산의 현황에 맞게 사정보정, 시점수정 등을 가하여 부동산의 가격을 산정하는 방법을 말한다.
   [산식] 비준 가격 = 사례가격 × 사정보정 × 지역요인보정 × 개별요인보정 × 면적
2. 비용접근법(원가방식, 원가법)
   부동산 가격평가 시점에서 대상 부동산의 재도달 원가에 감가수정을 하여 대상 부동산이 지닌 부동산의 가격을 산정하는 방법을 말한다.
   [산식] 복성 가격 = 토지가격 + 건축가치(재조달원가 − 감가수정 O)
3. 소득접근법(수익방식, 수익환원법)
   대상 부동산이 장래에 산출할 것으로 기대되는 순수익 또는 미래 현금흐름을 적정한 비율로 환원 또는 할인하여 가격평가 시점에 있어서 평가 가격을 산정하는 방법을 말한다.
   [산식] 수익가격 = 순수익 ÷ 환원이율 = (총수익 − 총비용) ÷ 환원이율

20 ④
출제빈도 **상**

출제영역 리츠업무 > 부동산 투자회사법의 이해 > 현행 부동산 투자회사법의 주요 내용

부동산 개발사업으로 조성하거나 설치한 토지·건축물을 분양하는 경우, 부동산 투자회사가 합병·해산·분할 또는 분할합병을 하는 경우에는 제한 없이 부동산을 처분할 수 있다.

| 핵심 개념 | **부동산 투자회사에서 부동산 취득 후 처분 제한**

1. 국내 부동산 중 주택: 1년(단, 미분양주택은 정관에서 정한 기간)
2. 국내 부동산 중 주택이 아닌 부동산: 1년
3. 국외에 있는 부동산: 정관에서 정한 기간

■ 제2과목(투자운용 및 전략 II/투자분석)

21~25 | 대안투자운용/투자전략

21 ①
출제빈도 **중**

출제영역 대안투자운용 및 투자전략 > 부동산 투자 > 부동산 개발금융

| 오답 해설 |

② 프로젝트 금융에서는 기존의 대출과 달리 프로젝트 출자자, 차주에 대하여 상환청구권을 가지지 않는 대신 프로젝트 관련 자산 및 미래 현금흐름에 원리금 회수의 대부분을 의존하게 된다.
③ 프로젝트와 관련하여 차주와 대주, 재무조언자, 법무법인, 기술자문, 시공사, 자재공급자, 상품구매자 등 프로젝트 관련 당사자가 많아 이들에 대한 관리가 동반되므로 관리가 어렵다.
④ 모기업(차주)의 담보 혹은 신용에 근거하는 기존의 기업금융

과는 달리 사업에서 발생하는 미래 현금흐름을 분석하고 평가하여 이를 담보로 대출 혹은 투자를 시행하는 새로운 금융기법이다.

22 ③
출제빈도 상

출제영역 대안투자운용 및 투자전략 > PEF(Private Equity Fund) > PEF(Private Equity Fund)의 운용

㉠ 장내·장외 파생상품에 대한 투자가 가능하다.
㉣ PEF에 대한 차입은 일시적인 자금부족 등의 경우에 한하여 PEF 재산의 10% 범위 안에서 제한적으로 인정된다.

23 ①
출제빈도 상

출제영역 대안투자운용 및 투자전략 > 헤지펀드 > 헤지펀드의 개요

주식시장 중립형 전략은 차익거래 전략에 포함된다.

┌ | 핵심 개념 | 헤지펀드 운용전략 ─
1. 차익거래 전략
   ① 전환사채 차익거래
   ② 채권 차익거래
   ③ 주식시장 중립형(동일한 규모의 롱/숏 전략)
2. 상황의존 전략(Event Driven 전략)
   ① 부실채권투자
   ② 위험차익/합병차익 거래
3. 방향성 전략
   ① 주식의 롱숏
   ② 글로벌 매크로
   ③ 이머징마켓 헤지펀드
   ④ 선물거래
4. 펀드 오브 헤지펀드 전략
   보통 15～30개의 헤지펀드 포트폴리오에 투자

24 ②
출제빈도 중

출제영역 대안투자운용 및 투자전략 > 헤지펀드 > 합병차익거래

Stock Swap Mergers에 대한 설명이다. Convertible Arbitrage는 전환차익거래로 전환사채를 매수하고 기초자산 주식을 매도하며 이자율 변동위험과 신용위험과 같은 위험은 헤지하면서, 전환사채의 이론가와 시장가격의 괴리에서 수익을 추구하는 전략으로 합병차익거래 유형에 포함되지 않는다.

┌ | 핵심 개념 | 합병차익거래 유형 ─
1. Cash Merger
   피인수 합병회사의 주식을 사거나 피인수 합병회사의 주식을 기초자산으로 하는 옵션에 투자하는 전략이다(피인수 기업은 현금으로만 인수).
2. Stock Swap Mergers
   피인수 합병회사의 주식을 보유하고 있는 투자자는 정해진 교환비율에 따라 인수회사의 주식을 받게 된다. 이러한 거래를 두고 합병차익거래자는 피인수 합병회사 주식을 매수하고 인수회사의 주식을 매도하는데, 이때 교환비율에 의해서 Long/Short ratio가 결정된다.

3. Stock Swap Mergers With Collar
   교환비율과 확률을 가지고 시나리오 분석을 하는 전략이다.

25 ②
출제빈도 중

출제영역 대안투자운용 및 투자전략 > 특별자산 펀드 > 특별자산 펀드의 개요

실물자산은 주식이나 채권과 같이 미래 현금흐름의 순자산가치로 평가되지 않는다.

┌ | 핵심 개념 | 특별자산 펀드의 특징 ─
1. 주로 특별자산인 실물자산을 투자대상으로 한다.
2. 주식, 채권과 달리 물가가 오르면 동반 상승하는 인플레이션 헤징 효과가 있으므로 전통적인 투자대상에 실물자산 펀드를 추가하였을 경우 효율적인 포트폴리오 구성이 가능하다.
3. 실물자산은 순자산가치로 평가되지 않으며 이자율은 그 가치를 결정하는 데 영향을 적게 준다.
4. 세계적으로 실물자산은 모두 달러로 표시된다.
5. 실물자산의 가치는 글로벌 시장의 지역적인 불균형보다는 글로벌 시장의 수요와 공급의 불균형에 의존한다.
6. 최근 수년간 중국, 인도 등 이머징마켓의 높은 경제성장으로 높은 가격 상승을 보여주고 있다.

▌제2과목(투자운용 및 전략Ⅱ/투자분석)

26~30 │ 해외증권 투자운용/투자전략

26 ①
출제빈도 상

출제영역 해외증권 투자운용 및 투자전략 > 해외 투자에 대한 이론적 접근 > 해외 투자의 동기 및 효과

분산투자로 제거할 수 없는 위험은 체계적 위험으로 정치적 요인이나 경기변동, 금융·재정·외환정책 등 한 국가 내의 모든 기업에 공통으로 영향을 미치는 요인에 의하여 발생하는 위험을 말한다. 〈보기〉 중 ㉡ 외환정책은 체계적 위험에 해당되며 나머지 ㉠ 경쟁회사와의 관계, ㉢ 최고경영자의 특성, ㉣ 산업 특유의 요인은 분산투자로 제거할 수 있는 비체계적 위험에 해당된다.

27 ②
출제빈도 상

출제영역 해외증권 투자운용 및 투자전략 > 국제 증권시장 > 국제 주식시장의 의의와 변화

㉡ 한국거래소에 상장된 주식을 달러 표시로 미국 이외의 시장에서 상장하는 것은 EDR 발행을 통해 가능하다.
㉣ 한국거래소에 상장된 주식을 GDR 발행을 통해 뉴욕거래소와 런던거래소에 동시 상장할 수 있다.

28 ④

출제영역 해외증권 투자운용 및 투자전략 > 국제 증권시장 > 국제 채권시장의 의의와 구조

단기채권은 1년 미만의 만기를 가진 단기금융상품으로, 단기국채(T-bill), 어음(Acceptances), 기업어음(CP), 양도성 예금증서(CD) 등이 해당된다.

29 ②

출제영역 해외증권 투자운용 및 투자전략 > 해외증권 투자전략 > 해외투자 포트폴리오의 구축

벤치마크보다 높은 수익률을 추구하는 것은 공격적 전략이지만 거래비용을 줄이는 것은 방어적 전략의 가장 중요한 과제이다. 벤치마크 수익률은 거래비용을 고려하지 않은 것이므로 벤치마크 포트폴리오를 정확하게 모방했다고 하더라도 거래비용만큼 수익률은 낮아지게 된다. 이로 인해 방어적 전략에서는 벤치마크를 모방하면서도 그에 따른 거래비용을 줄일 수 있도록 하여 벤치마크의 수익률에 근접하도록 하는 것이 가장 중요한 과제가 된다.

30 ③

출제영역 해외증권 투자운용 및 투자전략 > 해외증권 투자전략 > 해외투자 포트폴리오의 구축

'국가의 비중은 산업 및 기술분석이 연구의 중심이 된다'는 세계경제를 글로벌화된 산업들의 집합으로 보는 상향식 접근(Bottom-up Approach) 방식의 특징이다.

❚ 제2과목(투자운용 및 전략 Ⅱ/투자분석)

31~42 ❘ 투자분석기법

31 ④

출제영역 투자분석기법 – 기본적 분석 > 유가증권의 가치평가 > 보통주의 가치평가를 위한 성장모형

순이익의 40%를 배당으로 지급하므로 배당성향이 40%이며 유보율은 '1 – 배당성향'으로 60%이다. 성장률(g)은 '유보율 × 자기자본이익률'이므로 $0.6 \times 0.08 = 0.048(4.8\%)$이다.

$$보통주의 가치(P_0) = \frac{D_0(1+g)}{K-g} = \frac{D_1}{K-g} = \frac{4,000원 \times (1+4.8\%)}{12\% - 4.8\%}$$
$$= \frac{4,192}{12\% - 4.8\%} = 58,222원$$

32 ①

출제영역 투자분석기법 – 기본적 분석 > 기업분석(재무제표 분석) > 안정성 지표

ⓒ 총자산회전율 = 순매출 ÷ 총자산

ⓔ 유동비율 = 유동자산 ÷ 유동부채

33 ②

출제영역 투자분석기법 – 기본적 분석 > 기업분석(재무제표 분석) > 보상비율

보상비율에 대한 설명이다. 배당성향은 보통주 주주들의 몫인 이익에서 실제로 그들에게 지불된 금액의 백분율을 측정하는 지표이며, 이자보상비율은 기업이 창출하고 있는 이익으로 지불해야 하는 이자비용을 어느 정도 보상할 수 있는지 그 지불능력을 측정할 때 사용된다. 고정비용보상비율은 기업이 부담하고 있는 고정비용을 이익이 보상하는 정도를 측정할 수 있다.

34 ②

출제영역 투자분석기법 – 기본적 분석 > 기업분석(재무제표 분석) > 레버리지 분석

결합레버리지도(DOL)는 매출액(또는 판매량)의 변화율에 대한 주당순이익의 변화율 비율로 정의된다. 그런데 결합레버리지도는 영업레버리지도와 재무레버리지도의 합이 아니라 곱으로 구한다. 따라서 영업고정비용과 이자비용이 하나라도 존재한다면 결합레버리지는 항상 1보다 크다는 것을 알 수 있다.

35 ③

출제빈도 상

출제영역 투자분석기법 – 기본적 분석 > 주식투자 > 주가배수 모형에 의한 기업가치분석

EPS 계산 시 발행주식수에는 전환증권 발행 등으로 희석되는 주식을 포함시킬 수 있다. 참고로 주가이익비율(PER)은 1주당 가격 / 주당이익(EPS)으로 계산된다. 여기서 주당이익(EPS)은 순이익을 기업이 보통주 주주들에게 모두 지급한다고 가정하였을 때 보통주 1주당 분배될 수 있는 이익의 규모를 말한다.

36 ③

출제빈도 상

출제영역 투자분석기법 – 기본적 분석 > 주식투자 > 주가배수 모형에 의한 기업가치분석

EV/EBITDA 비율은 당기순이익으로 평가하는 PER의 한계점을 보완하고, Tobin's Q 비율은 자기자본을 시가로 평가함으로써, PBR의 장부가평가 문제를 보완한다.

37 ④

출제빈도 중

출제영역 투자분석기법 – 기술적 분석 > 기술적 분석 > 다우이론

기술적 분석의 한계에 대한 설명으로 다우이론의 한계점과는 관련이 없다.

┌─ **| 핵심 개념 | 다우이론의 한계점** ─

다우이론은 주추세와 중기추세를 명확하게 구분하기 어려울 뿐만 아니라 추세전환을 확인할 수 있다고 하더라도 너무 늦게 확인되기 때문에 실제 투자에 도움을 주지 못한다. 또 증권시장의 추세를 예측하는 데 적절하다고 해서 그것이 곧 분산투자의 여부와 방법을 알려주는 단서가 될 수는 없으며, 증권의 위험에 대하여 아무런 정보를 제공해 주지 못한다.

38 ②

출제빈도 중

출제영역 투자분석기법 – 기술적 분석 > 추세분석 > 이동평균선

이동평균선은 이동평균을 하는 분석기간이 길수록 완만해지며, 짧을수록 가팔라지는 경향이 있다.

┌─ **| 핵심 개념 | 이동평균선의 특징** ─

1. 일반적으로 주가가 이동평균선을 돌파하는 시점이 의미 있는 매매시점이다.
2. 이동평균 분석기간이 길수록 이동평균선은 완만해지며, 짧을수록 가팔라지는 경향이 있다.
3. 주가가 이동평균선과 괴리가 지나치게 클 때에는 이동평균선으로 회귀하는 성향이 있다.
4. 주가가 장기 이동평균선을 돌파할 경우에는 주추세가 반전될 가능성이 크다.
5. 강세국면에서 주가가 이동평균선 위에서 움직일 경우 상승세가 지속될 가능성이 높다.
6. 약세국면에서 주가가 이동평균선 아래에서 움직일 경우 하락세가 지속될 가능성이 높다.
7. 상승하고 있는 이동평균선을 주가가 하향 돌파할 경우 추세는 조만간 하락 반전할 가능성이 높다.
8. 하락하고 있는 이동평균선을 주가가 상향 돌파할 경우 추세는 조만간 상승 반전할 가능성이 높다.

39 ③

출제빈도 상

출제영역 투자분석기법 – 산업분석 > 산업연관분석(Input-Output Analysis) > 경제발전과 산업구조 변화

구조조정기에는 단순요소경쟁력이 빠르게 하락하는 시기이며, 고급요소경쟁력의 상승이 가속화되는 시기는 2차 전환점이다.

┌─ **| 핵심 개념 | 경제발전에 따른 요소경쟁력의 변화** ─

1. 성장기
   경제개발이 본격화되어 요소창출을 위한 투자는 모든 면에서 광범위하게 이루어지지만 잉여 노동력이 여전히 임금 상승을 억제하여 고급요소 및 단순요소의 경쟁력이 모두 상승하는 시기
2. 1차 전환점
   요소 창출을 위한 투자가 확대되지만 잉여 노동의 해소로 인한 임금 상승이 단순요소의 경쟁력 증대를 상쇄하는 시기
3. 구조조정기
   경제가 발전하여 고급요소 경쟁력의 상승이 두드러지게 나타나기 시작하지만 국민들의 욕구가 높아지고 임금 상승이 급속히 이루어져 단순요소 경쟁력이 빠르게 하락하는 시기
4. 2차 전환점
   경제가 어느 정도 성숙하여 단순요소 경쟁력의 하락 속도가 완만해지는 가운데 고급요소 경쟁력의 상승이 가속화되는 시기
5. 성숙기
   안정적인 성장궤도에 진입하여 단순요소 경쟁력의 하락이 멈추고 고급요소경쟁력은 계속 상승하여 높은 경제성과를 얻고 이것이 다시 경쟁력 창출요인의 축적으로 연결되는 선순환이 이루어지는 시기

40 ①

출제빈도 상

출제영역 투자분석기법 – 산업분석 > 산업경쟁력 분석 > 산업경쟁력의 개념

산업경쟁력을 분석하는 데에는 기업차원의 접근이 한계를 가질 수 밖에 없다. 그 국가의 기업 경영환경이 좋다고 하더라도 모든 산업에서 경쟁력을 갖출 수는 없고, 그 결과 개별 산업에 따라 서로 다른 경쟁력 수준을 가지게 될 것이기 때문이다. 따라서 산

업경쟁력 분석에서는 기업차원보다 국가차원에서의 접근이 중요한 의미를 갖는다고 할 수 있다.

41 ②
출제빈도 중

출제영역 투자분석기법 – 산업분석 > 산업경쟁력 분석 > 산업경쟁력 분석모형

경쟁자산은 산업의 경쟁력을 뒷받침하는, 즉 경쟁력을 확보할 수 있게 하는 가장 기본적인 요소이다. 경쟁자산에는 기술력, 수요조건, 국가경쟁력, 인적/물적자본 등이 해당된다.

| 핵심 개념 | **산업경쟁력 분석모형**

1. 경쟁자산
   기술력, 인적자본, 물적자본, 인프라, 수요조건, 국가경쟁력
2. 시장구조
   산업의 구성(수직, 수평), 연관산업경쟁력, 경쟁 정도, 정부규제, 시장지배 사업자
3. 산업성과
   산업성장률, 생산성/요금, 외부효과, 수출실직, 해외진출

42 ②
출제빈도 중

출제영역 투자분석기법 – 산업분석 > 산업정책 분석 > 산업정책의 종류

시장집중률은 산업 내 시장점유율 상위 3개 기업이 차지하는 누적시장점유율이므로 1위 기업 30%, 2위 기업 20%, 3위 기업 10%의 합으로 계산할 수 있다. 따라서 시장집중률은 '30% + 20% + 10% = 60%'이다.

▋ 제2과목(투자운용 및 전략 II/투자분석)

43~50 | 리스크관리

43 ①
출제빈도 중

출제영역 리스크관리 > 리스크와 리스크관리의 필요성 > 리스크관리의 실폐사례

메탈게젤샤프트사 파산사건은 원유를 장기공급하는 Short 포지션에 대해 단기 헤지를 함으로써 장기간의 롤링위험에 노출되어 헤지기법의 부적절성과 시장의 불운이 겹쳐 대규모 손실을 입고 회사가 파산한 사건이다. 이 사건은 장기 현물공급계약에 따른 리스크를 단기 선물계약에 의해 헤지하려는 전략을 실행함으로써 갱신리스크(Rollover Risk), 자금조달리스크(Funding Risk), 신용리스크(Credit Risk) 등의 리스크를 내포하고 있다.

44 ②
출제빈도 상

출제영역 리스크관리 > 시장 리스크(Market Risk)의 측정 > VaR의 측정방법

일반적으로 VaR을 측정하는 방법에는 부분가치평가법인 델타분석법과 완전가치평가법인 역사적 시뮬레이션법, 스트레스 검증법, 몬테카를로법 등이 있다.

| 핵심 개념 | **완전가치평가법과 부분가치평가법**

완전가치평가법은 주식옵션의 경우 주가가 변화했을 때 옵션의 가치변화가 얼마나 될 것인가를 측정하기 위해 Black-Scholes 옵션 모형에 주가 변동분을 대입하면 가치변화를 정확하게 측정할 수 있으며 옵션이나 채권과 같은 비선형상품의 VaR을 오차 없이 측정 가능하다.

부분가치평가법인 델타분석법은 정규분포를 이용하기 위해 가치변화를 주가 변동분의 선형함수로 표시하는 부분가치평가법을 이용한다. 따라서 델타분석법에서는 델타에 의존하여 시장 리스크를 측정하기 때문에 옵션과 같은 비선형 수익구조를 가진 상품이 포트폴리오에 포함되어 있는 경우에는 측정된 시장 리스크가 부정확해진다는 단점이 있으며 이러한 단점을 보완하기 위해 델타 외에 감가(델타의 민감도)까지 감안하여 시장 리스크를 측정하는 방법이 제시되고 있다.

45 ③
출제빈도 상

출제영역 리스크관리 > 시장 리스크(Market Risk)의 측정 > VaR의 측정방법

'보유기간 N일의 VaR = 1일 VaR × $\sqrt{N}$'이므로 1일 VaR × $\sqrt{22}$ = 1억원 × 4.6904 = 4.69억원이다.

46 ④
출제빈도 상

출제영역 리스크관리 > 시장 리스크(Market Risk)의 측정 > VaR의 측정방법

역사적 시뮬레이션법은 완전가치평가법이므로 가치평가모형이 필요하다.

47 ③
출제빈도 상

출제영역 리스크관리 > 시장 리스크(Market Risk)의 측정 > VaR의 측정방법

포트폴리오 $VaR_P = \sqrt{VaR_A^2 + VaR_B^2 + 2pVaR_A \times VaR_B}$

포트폴리오 VaR_P
$= \sqrt{300억원^2 + 400억원^2 + 2 \times 0.7 \times 300억원 \times 400억원}$
$= 646.52억원$

| 핵심 개념 | **상관계수에 따른 포트폴리오 VaR_P**

- p(상관계수) = −1 : $VaR_P = VaR_A - VaR_B$
- p(상관계수) = +1 : $VaR_P = VaR_A + VaR_B$
- p(상관계수) = 0 : $VaR_P = \sqrt{VaR_A^2 + VaR_B^2}$

48 ④

출제빈도 **상**

출제영역 리스크관리 > 시장 리스크(Market Risk)의 측정 > VaR의 측정 방법

델타분석법의 한계는 델타 리스크를 제외한 모든 종류의 리스크를 고려하지 않는다는 점이며, 이러한 리스크 측정 방법의 특성상 옵션과 같은 비선형 증권의 리스크를 적절히 반영하지 못한다. 즉, 옵션 포지션이 기초 리스크 요인의 비선형 함수이므로 델타만을 이용하여 계산한 옵션 포지션의 VaR은 신뢰성이 떨어진다. 더욱이 등가격에 가까운 콜옵션과 풋옵션을 동시에 매도한 스트래들 매도 포지션의 경우 콜옵션의 (+) 델타가 풋옵션의 (−) 델타에 의하여 상쇄되기 때문에 델타중립에 가까운 상태가 될 수 있다. 이렇게 델타중립에 가까운 포지션을 취한 경우의 델타분석법에 의한 VaR은 0에 가깝게 된다.

그러나 지수 움직임에 따라 상당한 손실이 발생할 수 있는 가능성이 높은 포지션이기 때문에, 실질적으로 VaR이 0에 가깝다고 하기는 어렵다. 이러한 옵션의 비선형적 특성을 고려하여 VaR 측정의 이론적 정확성을 향상시키는 방법으로 제시되고 있는 것이 델타−감마방법이다.

49 ④

출제빈도 **상**

출제영역 리스크관리 > 시장 리스크(Market Risk)의 측정 > VaR의 측정 방법

RAPM에는 위험조정 수익률의 개념인 RAROC(Risk Adjusted Return on Capital)가 이용되고 있다. RAROC는 투자에서 얻은 수익을 그 수익을 얻기 위해 사용한 리스크로 조정한 것으로 가장 간단한 예는 순수익을 VaR 수치로 나눈 값이다. 따라서 'RAROC = 순이익 0.5억원 ÷ VaR 2억원 = 0.25(25%)'이다.

50 ②

출제빈도 **중**

출제영역 리스크관리 > 신용 리스크(Credit Risk)의 측정 > 신용손실 분포로부터 신용 리스크 측정모형

충당금은 장래에 발생할 것으로 예상되는 비용이나 손실에 대하여 그 원인이 되는 사실은 이미 발생했다고 보고 당해 비용 내지는 손실의 전부 또는 일부를 미리 계상하는 금액을 말한다. 이는 예상되는 손실은 충당금으로 대비한다고 볼 수 있다. 따라서 기대손실은 충당금으로 대비하고, 예상을 초과하는 손실에 대해서는 자기자본으로 대비한다.

제3과목(직무윤리 및 법규/투자운용 및 전략 I 등)

51~55 직무윤리

51 ④

출제빈도 **상**

출제영역 직무윤리 > 금융투자업 직무윤리 > 이해상충 방지 의무

이해상충이 발생할 가능성을 낮추는 것이 곤란할 경우 매매 또는 그 밖의 거래를 중단해야 한다.

| **핵심 개념 | 이해상충의 방지체계**

자본시장법에서는 금융투자업자에게 인가 등록 시부터 아래와 같이 이해상충 방지체계를 갖추도록 의무화하고 있다.

1. 이해상충 발생 가능성의 파악 등 관리 의무
2. 이해상충 발생 가능성 고지 및 저감 후 거래 의무
3. 이해상충 발생 회피 의무
4. 정보교류의 차단(Chinese Wall 구축)
5. 조사분석자료의 작성 대상 및 제공의 제한
6. 자기계약(자기거래)의 금지

52 ①

출제빈도 **상**

출제영역 직무윤리 > 금융투자업 직무윤리 > 금융소비자보호의무

- 금융투자상품 판매 전 금융소비자보호: KCR(Know your Customer Rule, 고객알기제도), 적합성의 원칙, 적정성의 원칙, 설명의무, 손해배상책임, 부당권유의 금지
- 금융투자상품 판매 후 금융소비자보호: 보고 및 기록 의무, 정보의 누설 및 부당이용 금지, 공정성 유지 의무

53 ③

출제빈도 **상**

출제영역 직무윤리 > 금융투자업 직무윤리 > 금융소비자보호의무

㉠, ㉢은 예외적으로 허용되는 경우에 해당하지 않는다.

54 ③

출제빈도 **상**

출제영역 직무윤리 > 금융투자업 직무윤리 > 금융소비자보호의무

합리적 근거 제공의무와 관련한 내용으로 금융소비자에게 중요 사실에 대한 정확한 표시의무를 준수할 때 고려해야 할 사항과는 거리가 먼 내용이다.

55 ①

출제빈도 **상**

출제영역 직무윤리 > 직무윤리의 준수절차 및 위반 시의 제재 > 직무윤리의 준수절차

준법감시업무 중 일부를 준법감시업무를 담당하는 임직원에게 위임할 수 있다.

▮ 제3과목(직무윤리 및 법규/투자운용 및 전략 I 등)

56~62 ┃ 자본시장과 금융투자업에 관한 법률

56 ③

출제빈도 ⑤

집합투자업자는 투자자로부터 일상적인 운용지시를 받지 않고 재산적 가치가 있는 투자대상 자산을 취득·처분 그 밖의 방법으로 운용하고 그 결과를 투자자 또는 기금관리주체 등에게 배분하여 귀속시키는 것이다.

┌─ | 핵심 개념 | 금융투자업 ─

1. 투자매매업
   자기의 계산으로 금융투자상품의 매매, 증권의 발행·인수 또는 그 청약의 권유·청약·청약의 승낙하는 것
2. 투자중개업
   타인의 계산으로 금융투자상품의 매매, 그 청약의 권유·청약, 청약의 승낙 또는 증권의 발행·인수에 대한 청약의 권유, 청약, 청약의 승낙하는 것
3. 집합투자업
   2인 이상에게 투자권유하여 모은 금전 등을 투자자로부터 일상적인 운용지시를 받지 않고 자산을 취득·운용·처분하고 그 결과를 투자자에게 배분·귀속하는 것
4. 투자자문업
   금융투자상품의 가치 또는 투자판단(종류, 종목, 취득·처분, 취득 처분의 방법, 수량·가격 및 시기 등에 대한 판단)에 관하여 자문하는 것
5. 투자일임업
   투자자로부터 금융투자상품에 대한 투자판단의 전부 또는 일부를 일임받아 투자자별로 구분하여 그 투자자의 재산상태나 투자 목적 등을 고려하여 금융투자상품등을 취득·처분 그 밖의 방법으로 운용하는 것
6. 신탁업
   신탁 설정자(위탁자)와 신탁을 인수하는 자(수탁자)의 특별한 신임관계에 기하여 위탁자가 특정의 재산권을 수탁자에게 이전하거나 기타의 처분을 하고 수탁자로 하여금 일정한 자(수익자)의 이익을 위하여 또는 특정 목적을 위하여 그 재산권을 관리, 처분하게 하는 신탁을 영업으로 하는 것

57 ④

출제빈도 ⑤

| 오답 해설 |

①, ② 증권은 원본 대비 손실률이 100% 이하인 경우로 원본초과손실 가능성이 없으며, 원본 대비 손실률이 100%를 초과하는 경우 파생상품으로 분류한다.
③ 회수금액 산정 시 포함 항목에는 투자자가 중도해지 등에 따라 지급하는 환매, 해지 수수료, 각종 세금, 발행인, 거래상대방이 채무불이행으로 지급하지 않은 미지급액 등을 포함한다. 다만, 투자자가 지급하는 판매수수료, 보험계약에 따라 사업비, 위험보험료 등은 투자금액 산정 시 제외되는 항목이다.

58 ④

출제빈도 ⑤

투자매매업자 또는 투자중개업자는 주권 등 일정한 증권의 모집 또는 매출과 관련된 계약을 체결한 날부터 그 증권이 최초로 증권시장에 상장된 후 40일 이내에 그 증권에 대한 조사분석자료를 공표하거나 특정인에게 제공할 수 없으며, 대상증권에는 주권, 전환사채, 신주인수권부사채, 교환사채가 있다.

┌─ | 핵심 개념 | 불건전 영업행위의 금지 ─

선행매매의 금지, 조사분석자료 공표 후 매매금지, 조사분석자료 작성자에 대한 성과보수 금지, 모집·매출과 관련된 조사분석자료의 공표·제공금지, 투자권유대행인·투자권유자문인력 이외의 자의 투자권유 금지, 일임매매의 금지 등 투자자보호 또는 건전한 거래질서를 해할 우려가 있는 행위는 금지된다.

59 ②

출제빈도 ⑥

집합투자업자는 자산운용보고서를 작성하여 신탁업자의 확인을 받아 3개월에 1회 이상 투자자에게 제공해야 한다. 다만 MMF의 자산운용보고서를 1개월에 1회 이상 공시하는 경우 자산운용보고서를 제공하지 않아도 된다.

┌─ | 핵심 개념 | 자산운용보고서 제공의 예외 ─

1. 투자자가 수령 거부의사를 서면, 전화·전신·팩스, 전자우편 또는 이와 비슷한 전자통신의 방법으로 표시한 경우
2. MMF의 자산운용보고서를 월 1회 이상 공시하는 경우
3. 상장된 환매금지형 집합투자기구의 자산운용보고서를 3개월에 1회 이상 공시하는 경우
4. 집합투자규약에 10만원 이하의 투자자에게 제공하지 않는다는 내용을 정한 경우

60 ③

출제영역 자본시장과 금융투자업에 관한 법률/금융위원회 규정 > 집합투자업자의 영업행위 규칙 > 집합투자업자 행위 규칙

지방채, 특수채, 파생결합증권은 동일종목 증권에 집합투자자산 총액의 30% 투자 가능하다.

| 핵심 개념 | 동일종목 증권 투자 제한의 예외

1. 동일종목 증권에 100% 투자 가능

국채, 통안채, 정부보증채, 부동산 및 부동산 관련 자산을 기초로 발행된 ABS로 그 기초자산의 합계액이 유동화자산 가액의 70% 이상인 ABS, 특별자산 투자목적회사가 발행한 지분증권, 사업수익권 등

2. 동일종목 증권에 30% 투자 가능

지방채, 특수채, 법률에 의하여 직접 설립된 법인이 발행한 어음, 파생결합증권, 금융기관이 발행한 어음 또는 CD, 금융기관이 발행한 채권, 금융기관이 지급보증한 채권 및 어음, OECD 가입 국가 또는 중국이 발행한 채권, 지분증권의 시가총액이 10%를 초과하는 경우, 그 시가총액 비중까지 투자 가능, 동일종목의 증권에 ETF 자산총액의 30%까지 투자 가능 등

61 ①

출제영역 자본시장과 금융투자업에 관한 법률/금융위원회 규정 > 증권발행시장 공시제도 > 투자설명서 제도

증권신고서를 제출하고 효력이 발생한 후에 투자설명서를 사용할 수 있다.

| 핵심 개념 | 투자설명서의 사용방법

1. 증권신고서의 효력이 발생한 후 투자설명서를 사용할 수 있다.
2. 증권신고서가 수리된 후 신고의 효력이 발생하기 전에 예비투자설명서(신고의 효력이 발생되지 아니한 사실을 덧붙여 적은 투자설명서)를 사용할 수 있다.
3. 증권신고서가 수리된 후 신문, 방송, 잡지 등을 이용한 광고, 안내문, 홍보전단 또는 전자전달매체를 통하여 간이투자설명서(투자설명서에 기재해야 할 사항 중 그 일부를 생략하거나 중요한 사항만을 발췌하여 기재 또는 표시한 문자, 전자문서를 말함)를 사용할 수 있다.
4. 집합투자증권의 경우 간이투자설명서만을 가지고 사용할 수 있으나 투자자가 투자설명서의 사용을 별도로 요청하는 경우에는 그러하지 않는다. 다만, 집합투자증권의 간이투자설명서를 교부하거나 사용하는 경우에는 투자자에게 투자설명서를 별도로 요청할 수 있음을 알려야 한다.

62 ③

출제영역 자본시장과 금융투자업에 관한 법률/금융위원회 규정 > 집합투자업자의 영업행위 규칙 > 집합투자업자 행위 규칙

이해관계인이 되기 6개월 이전에 체결한 계약에 따른 거래는 이해관계인 거래제한의 예외이다.

제3과목(직무윤리 및 법규/투자운용 및 전략Ⅰ 등)

63~66 | 금융위원회규정

63 ③

출제영역 자본시장과 금융투자업에 관한 법률/금융위원회 규정 > 증권발행시장 공시제도 > 증권신고서제도

CB(전환사채), BW(신주인수권부사채), 교환사채(EB) 등 주권 관련 사채권 및 이익참가부사채권은 일괄 신고·제출 가능 증권으로 증권신고서 제출이 면제되는 것은 아니다.

| 핵심 개념 | 증권신고서 적용 면제 증권

1. 모집 매출 등 공모 총액이 10억원 미만인 경우(소액공모 공시제도에 의한 서류는 제출해야 함)
2. 국채증권, 지방채증권, 특수채 등
3. 국가 또는 지방자치단체가 원리금의 지급을 보증한 채무증권
4. 국가 또는 지방자치단체가 소유하는 증권을 미리 금융위와 협의하여 매출의 방법으로 매각하는 경우 그 증권
5. 도시철도의 건설 및 운영과 주택건설사업의 목적으로 설립된 지방공사가 발행하는 채권
6. 국제금융기구가 금융위와의 협의를 거쳐 기획재정부 장관의 동의를 받아 발행하는 증권
7. 한국주택금융공사가 권리금 지급을 보증하는 주택저당증권 및 학자금 대출증권
8. 전자단기사채 등으로서 만기가 3개월 이내인 증권

64 ①

출제영역 자본시장과 금융투자업에 관한 법률/금융위원회 규정 > 금융투자업자에 대한 규제·감독 > 영업행위 규칙

금융투자업자가 아닌 자는 금융투자업자의 영위업무 또는 금융투자상품에 관한 광고를 해서는 안 된다. 다만 협회, 금융지주회사는 투자광고를 할 수 있으며, 증권의 발행인 및 매출인은 그 증권의 투자광고를 할 수 있다.

65 ①

출제영역 자본시장과 금융투자업에 관한 법률/금융위원회 규정 > 금융투자업자에 대한 규제·감독 > 영업행위 규칙

| 오답 해설 |

② 선행매매금지: 직접 규제
③ 과당매매금지: 직접 규제
④ 임직원 겸직금지: 정보교류 차단장치

1. 일반 규제
   신의성실의무, 투자자의 이익을 해하면서 자기 또는 제3자의 이익도모 금지, 직무 관련 정보 이용 금지, 선관주의의무(자산관리업자에게만 적용)
2. 직접 규제
   선행매매금지, 과당매매금지, 이해관계인의 투자자 재산(집합투자재산, 신탁재산, 투자일임재산) 거래 제한 등
3. 정보교류 차단장치(Chineses Wall): 사내외 정보차단벽 간 정보 제공, 임직원 겸직, 사무공간·전산설비 공동이용 등 정보교류 금지

66 ③　　　　　　　　　　　출제빈도 ❸

출제영역 자본시장과 금융투자업에 관한 법률/금융위원회 규정 > 신탁업자의 영업행위 규칙 > 신탁업자의 영업행위 규칙

신탁재산에 속한 채권과 채무는 상계처리가 가능하다. 다만 신탁재산에 속한 채권과 신탁재산에 속하지 않은 채무와는 상계할 수 없다.

| 핵심 개념 | 신탁재산의 독립성 및 독립성을 위한 장치

1. 신탁재산의 독립성
   ① 위탁자로부터의 독립: 신탁의 설정으로 수탁자에게 이전된 재산은 대내외적으로 수탁자 명의의 재산이 되므로 위탁자로부터 독립되며, 위탁자의 채권자에 의한 강제집행으로부터 자유로울 수 있다.
   ② 수탁자로부터의 독립: 신탁의 설정으로 수탁자에게 이전된 재산은 수탁자 명의의 재산이 되지만 독립된 목적재산으로서 수탁자의 고유재산과는 구분관리되고 계산도 독립적으로 이루어진다.
   ③ 신탁재산에 대하여는 강제집행 또는 경매를 할 수 없다고 규정하고 있어, 수탁자의 고유재산에 속하는 채무의 채권자는 신탁재산에 대해 권리를 주장하는 것은 불가능하다.
2. 독립성을 위한 장치
   ① 수탁자의 채권자는 신탁재산에 대해 강제집행할 수 없다.
   ② 신탁재산은 수탁자의 파산재단을 구성하지 않는다.
   ③ 신탁재산에 속한 채권과 신탁재산에 속하지 않은 채무와는 상계할 수 없다.
   ④ 신탁재산은 수탁자의 상속재산에 속하지 않는다.
   ⑤ 신탁재산에 관하여 부합·혼화·가공이 있는 경우 신탁재산은 다른 소유자에게 속하는 것으로 간주한다.
   ⑥ 소유권 이외의 신탁재산은 수탁자의 취득으로 인하여 혼동으로 소멸하지 않는다.

▌제3과목(직무윤리 및 법규/투자운용 및 전략 I 등)

67~69　　한국금융투자협회규정

67 ④　　　　　　　　　　　출제빈도 ❸

출제영역 한국금융투자협회규정 > 금융투자회사의 영업 및 업무에 관한 규정 > 투자권유 등

일반투자자가 신용융자거래 또는 유사해외통화선물거래를 하고자 하는 경우 핵심설명서를 추가로 교부하고 그 내용을 충분히 설명해야 한다.

68 ③　　　　　　　　　　　출제빈도 ❶

출제영역 한국금융투자협회규정 > 금융투자회사의 영업 및 업무에 관한 규정 > 직원 채용 및 복무 기준

투자자가 자신의 계좌 또는 자산을 관리하는 직원의 징계내역 열람을 서면으로 신청하는 경우 회사는 지체 없이 해당 직원의 동의서를 첨부하여 협회에 징계내역 열람신청을 하여야 한다. 다만 해당 직원이 투자자의 징계내역 열람에 동의하지 않는 경우 협회는 열람신청을 하지 않아도 되며, 조회를 신청한 투자자에게 해당 직원이 징계내역 열람에 동의하지 않는다는 사실을 통보해야 한다. 따라서 투자자가 자신을 관리하는 직원의 징계내역을 열람하기 위해서는 해당 직원의 동의서가 필요하다.

69 ②　　　　　　　　　　　출제빈도 ❸

출제영역 한국금융투자협회규정 > 금융투자회사의 영업 및 업무에 관한 규정 > 투자광고

A4용지 기준 9포인트 이상의 활자체로 투자자가 쉽게 알아볼 수 있도록 표시해야 하며 신문에 전면으로 게재하는 광고물의 경우 10포인트 이상의 활자체로 표시해야 한다.

▌제3과목(직무윤리 및 법규/투자운용 및 전략 I 등)

70~75　　주식투자운용/투자전략

70 ③　　　　　　　　　　　출제빈도 ❸

출제영역 주식투자운용 및 투자전략 > 전략적 자산배분 > 자산배분 전략의 준비사항

분산 가능성이 아닌 포괄성에 대한 설명이다.

| 핵심 개념 | 자산집단의 기본적인 성격

1. 동질성
   자산집단 내의 자산들은 상대적으로 동일한 특성을 가져야 한다.
2. 배타성
   자산집단이 서로 배타적이어서 겹치는 부분이 없어야 한다.
3. 분산 가능성
   각 자산집단은 분산투자를 통해 위험을 줄여서 효율적 포트폴리오를 구성하는 데 기여해야 한다. 이를 위해서는 각 자산집단이 서로 독립적이어야 한다.
4. 포괄성
   자산배분의 대상이 되는 자산집단들 전체는 투자 가능한 대부분의 자산을 포함하는 것이 좋다. 투자대상이 확대될수록 동일위험 수준에서 획득 가능한 수익률의 수준이 올라감으로써 효율적 투자기회선이 확대되는 결과를 낳는다.
5. 충분성
   자산집단 내에서 실제 투자할 대상의 규모와 수가 충분해야 한다. 투자자의 투자활동에 따른 유동성의 문제가 발생하지 않을 정도로 개별 자산집단의 규모가 충분히 커야 한다.

71 ②

출제영역 주식투자운용 및 투자전략 > 전략적 자산배분 > 전략적 자산배분 실행 과정

전략적 자산배분은 '투자자의 투자 목적 및 투자자제약조건의 파악 → 자산집단의 선택 → 자산종류별 기대수익, 위험, 상관관계의 추정 → 최적 자산 구성의 선택' 4단계를 거쳐 실행된다.

72 ①

출제영역 주식투자운용 및 투자전략 > 전술적 자산배분 > 전술적 자산배분 정의 및 운용과정

자산배분의 변경으로 인한 운용성과에 대한 책임은 의사결정자가 책임진다. 이는 전략적 자산배분과 달리 기금운용자들이 독자적인 판단에 의해 자산구성을 변경하게 되므로 그 성공 여부에 대한 책임을 질 수밖에 없다.

73 ②

출제영역 주식투자운용 및 투자전략 > 보험자산배분 > 보험자산배분 정의 및 운용과정

위험자산에 투자하면서 극단적으로 위험을 회피하려고 하는 비정상적인 투자자들이 선호한다.

┌─ **| 핵심 개념 | 포트폴리오 보험을 선호하는 투자자의 특성**

1. 위험자산에 투자하면서 극단적으로 위험을 회피하는 전략으로 비정상적인 투자자들이다.
2. 일반적인 투자자들보다 하락 위험을 더 싫어하는 특성을 가진다.
3. 매년 보험지급액을 확보해야 하는 보험, 내부규정에 의한 최저 투자 수익률을 달성해야 하는 기금, 연금생활자와 같이 정기적으로 이자소득을 목표로 하는 투자자 중 기대수익률이 높은 유형 등의 투자자들이 보험자산배분을 활용한다.

74 ②

출제영역 주식투자운용 및 투자전략 > 주식 포트폴리오 운용전략 > 패시브 운용(Passive Management)

동일가중방식은 모든 종목을 동일하게 취급한다. 그러나 실질적으로는 훨씬 많은 수의 소형기업이 존재하기 때문에 소형기업의 가중치가 높아지는 경향이 있다. 또한 이 방식에 따라 인덱스 포트폴리오를 구성하면 가중치를 일치시키기 위해 주기적으로 거래가 발생하고 결과적으로 많은 거래비용이 발생하게 된다.

75 ②

출제영역 주식투자운용 및 투자전략 > 주식 포트폴리오 구성의 실제 > 주식 포트폴리오 구성 과정

주식 포트폴리오의 구성 순서는 다음과 같다.
• 1단계: 투자유니버스 선정

투자대상 종목군 선정기준 – 투자제외 기준 – 투자대상 종목 1차 Screening 과정
• 2단계: 모델 포트폴리오 구성
업종배분 전략 – Style 투자 – Passive VS Active
• 3단계: 실제 포트폴리오 구성
모델 포트폴리오 복제 – 운용재량권 한도 내 펀드 스타일별 특화
• 4단계: 트레이딩
• 5단계: 성과측정 및 재조정
모델 포트폴리오 성과 및 실제 포트폴리오 성과 비교 및 포트폴리오 업그레이딩, 리밸런싱

▌제3과목(직무윤리 및 법규/투자운용 및 전략 I 등)

76~81 | 채권투자운용/투자전략

76 ④

출제영역 채권투자운용 및 투자전략 > 채권의 개요와 채권시장 > 채권의 분류와 종류

'금융복리채 만기상환금액 = 액면가 × (1 + 표면이율 ÷ 연이자지급횟수)^{전체이자지급횟수}'이므로 '10,000원 × (1 + 0.1 ÷ 4)^{12} = 13,449원'이다.

77 ③

출제영역 채권투자운용 및 투자전략 > 채권의 개요와 채권시장 > 채권의 분류와 종류

액면이자율이 특정 기준금리에 연동되기는 하지만 변동금리채권과는 반대로 기준금리가 상승하면 현금흐름이 감소하도록 설정된 채권은 역변동금리채권이다.

78 ④

출제영역 채권투자운용 및 투자전략 > 채권의 개요와 채권시장 > 채권의 분류와 종류

수의상환채권의 가치는 일반채권의 가치에 콜옵션의 가치가 더해지므로 시장금리가 하락할 경우 발행자는 채권을 중도상환하고 새롭게 채권을 발행하는 것이 유리하다(금리하락=낮은 금리로 자금 조달 가능).

| 핵심 개념 | 수익상환채권과 수익상환청구채권

1. 수익상환채권(Callable bond)

발행기업이 미래 일정기간 동안에 정해진 가격으로 채권을 상환할 수 있는 권리를 가진 채권이다. 시장이자율이 하락하면 채권 발행기업은 수익상환권을 행사하여 채권을 콜행사 가격(Call price)으로 매입하고 낮은 이자율로 다시 채권을 발행할 수 있다. 그러므로 채권자(투자자)에게는 불리하여 수익상환채권은 일반사채보다 높은 액면이자율을 가지며 만기수익률도 높은 것이 일반적이다. 수익상환채권의 가치는 '일반채권가치 − 콜옵션 가치'로 나타낸다. 콜옵션부사채에 투자하는 경우 불리한 점은 첫째, 현금흐름이 일정치 않다는 것이고, 둘째, 수익률이 하락하는 경우 발행자의 중도상환 요구로 재투자위험에 노출될 수 있다는 점이다.

2. 수익상환청구채권(Putable bond)

채권 보유자가 일정기간 동안 정해진 가격(상환 요구가격, put price)으로 원금의 상환을 청구할 수 있는 권리를 가진 채권이다. 수익률이 상승하여 채권 가격이 상환 요구 가격 이하로 하락하면 투자자는 put option을 행사한다. 수익상환청구채권의 가치는 '일반채권가치 + 풋옵션가치'로 나타낸다.

79 ①
출제빈도 중

출제영역 채권투자운용 및 투자전략 > 채권의 개요와 채권시장 > 채권 발행시장

채권은 주식과는 달리 개인투자자에 의해 소화되기는 어렵기 때문에 대부분 금융기관이나 법인 등 기관투자가 간의 대량매매 형태로 거래되고 개별 경쟁매매보다는 상대매매에 의해 거래가 이루어지므로 장내거래보다는 장외거래가 더 높은 비중을 가지고 있다.

| 핵심 개념 | 채권유통시장의 기능

1. 채권의 양도를 통하여 유통성과 시장성을 부여해 준다.
2. 투자자에게 투자원본의 회수와 투자수익의 실현을 가능하게 한다.
3. 채권의 공정한 가격 형성을 가능하게 한다.
4. 채권의 담보력을 높여준다.
5. 발행시장에서 발행되는 채권의 가격의 결정을 도와주는 기능을 담당한다.

80 ③
출제빈도 상

출제영역 채권투자운용 및 투자전략 > 듀레이션과 볼록성 > 듀레이션

영구채권의 듀레이션은 '$(1 + i) \div i$'이므로 '$(1 + 0.10) \div 0.10 = 11$년'이다.

81 ④
출제빈도 중

출제영역 채권투자운용 및 투자전략 > 금리체계 > 수익률 곡선 및 선도 이자율

- 채권가격 = 1년차 이자 ÷ (1 + 1년 만기 현물이자율)^1 + (2년차 이자 + 원금) ÷ (1 + 2년 만기 현물이자율)^2

  = 12,000원 ÷ $(1 + 0.0874)^1$ + 112,000원 ÷ (1 + 2년 만기 현물이자율)^2 = 102,000원

- 102,000원 − 11,035.49 = 112,000원 ÷ (1 + 2년 만기 현물이자율)^2

→ (1 + 2년 만기 현물이자율)^2 = 112,000원 ÷ 90,964.51

→ 2년 만기 현물이자율 = $\sqrt{\dfrac{112,000}{90,964.51}} - 1 = 0.1096(10.96\%)$

제3과목(직무윤리 및 법규/투자운용 및 전략Ⅰ 등)

82~87 | 파생상품투자운용/투자전략

82 ②
출제빈도 상

출제영역 파생상품투자운용 및 투자전략 > 선물 총론 > 선물거래 전략

헤지를 위해서는 현물 포지션과 반대되는 선물 포지션을 취해야 한다.

83 ②
출제빈도 상

출제영역 파생상품투자운용 및 투자전략 > 선물 총론 > 선물거래 전략

스프레드 축소전략이 바람직하다. 스프레드가 축소되는 약세장에서는 근월물(3월물) 가격이 원월물(9월물) 가격에 비해 덜 떨어질 것으로 예상하므로 근월물(3월물)을 매입하고 원월물(9월물)을 매도하는 전략이 바람직하다(참고로 스프레드는 원월물 가격에서 근월물 가격을 차감한 수치를 말하며 일반적으로 원월물의 가격이 근월물의 가격보다 높다).

| 핵심 개념 | 시간 스프레드

동일한 품목 내에서 서로 만기가 다른 두 선물계약에 대해 각각 매수와 매도 포지션을 동시에 취하는 전략으로서, 만기가 다른 선물계약의 가격들이 서로 변동폭이 다르다는 것을 전제로 하여 포지션을 구축하게 된다는 특징이 있다.

전략 1. 스프레드 축소전략(근월물 매입/원월물 매도)

첫 번째 전략은 강세시장에서는 근월물 가격이 원월물보다 많이 오를 것이고 약세장에서는 근월물의 가격이 원월물에 비해 덜 떨어질 것이라는 예상에 의거한 것이다. 즉, 근월물이 원월물에 비해 상대적으로 강세를 보임에 따라 두 선물계약의 가격차이가 지금보다는 더 적어진다는 예상에 근거하여 구축되는 포지션인 것이다. 따라서 이 전략은 강세 스프레드 (Bull spread)라고도 불리운다.

전략2 스프레드 확대전략(근월물 매도/원월물 매수)

두 번째 전략은 위와는 반대로 강세장에서는 근월물의 가격보다 원월물의 가격이 많이 오를 것이고 약세장에서는 근월물의 가격이 보다 많이 떨어질 것이라는 예상에 의거하여 구축되는 포지션이다. 이는 근월물이 원월물에 비해 약세를 보일 것이므로 두 계약의 가격차이가 지금보다 더 벌어질 것이라는 예상에 근거하여 구축되는 포지션인 바 이를 약세 스프레드(Bear spread) 라고도 부른다.

84 ①
출제빈도 상

출제영역 파생상품투자운용 및 투자전략 > 옵션 기초 > 만기일 이전의 옵션거래(전매도, 환매수)

풋옵션의 내재가치는 '기초자산 가격 > 행사가격'이므로 내재가치는 0이다. 이때 시간가치는 옵션 프리미엄 2.5이며 현재 풋옵

션의 가격상태는 내재가치는 없고 시간가치만 있는 외가격 (OTM) 상태이다.

85 ④

출제영역 파생상품투자운용 및 투자전략 > 옵션 기초 > 옵션의 정의

①~④ 중 풋옵션 매수만 가격 하락을 예상할 때 취하는 전략이다.

> | 핵심 개념 | **가격 상승 및 하락에 따른 옵션 전략**
>
> 1. 가격 상승 예상 시 옵션 전략
>   콜매수, 풋매도, 강세콜(풋)스프레드
> 2. 가격 하락 예상 시 옵션 전략
>   풋매수, 콜매도, 약세콜(풋)스프레드

86 ③

출제빈도 상

출제영역 파생상품투자운용 및 투자전략 > 옵션을 이용한 합성전략 > 스트래들(Straddle)

스트래들 매수 포지션에 대한 설명이다. 행사가격이 200Point인 콜옵션과 풋옵션의 프리미엄 합이 5Point이므로 콜옵션의 경우 기초자산의 가격이 205Point 이상, 풋옵션의 경우 기초자산의 가격이 195Point 이하일 때 이익을 볼 수 있다.

87 ②

출제빈도 상

출제영역 파생상품투자운용 및 투자전략 > 옵션 및 옵션 합성 포지션의 분석 > 옵션 포지션 가치의 민감도 분석

다른 변화 없이 시간만 경과할 경우 콜옵션 매수 포지션일 때 손실을 보게 된다.

> | 핵심 개념 | **콜옵션 매수, 매도 포지션**
>
> 1. 콜옵션 매수 포지션
>   • 기초자산이 상승하면 이익이다.
>   • 상승하면 할수록 더욱 이익에 가속도가 붙는다.
>   • 다른 변화 없이 시간만 경과할 경우 손실이다.
>   • 변동성이 증가하면 이익이다.
>   • 이자율이 상승하면 이익이다.
> 2. 콜옵션 매도 포지션
>   • 기초자산 상승 시 옵션 프리미엄이 상승한 만큼 손해이다.
>   • 자산 가격이 상승할수록 손실에는 가속도가 붙는다.
>   • 다른 변화 없이 시간만 경과할 경우 옵션 프리미엄이 하락한 만큼 이익이다.
>   • 변동성 증가 시 옵션 프리미엄 상승에 따라 손실이다.
>   • 이자율이 상승하여 콜옵션의 가치가 상승하면 손실이다.

제3과목(직무윤리 및 법규/투자운용 및 전략 l 등)

88~91 | 투자운용결과분석

88 ③

출제빈도 중

출제영역 투자운용결과분석 > 성과평가 기초사항 > 투자수익률 계산

시간가중수익률(산술평균, 기하평균)의 계산은 아래와 같다.

1. 각 기간수익률을 계산한다.
   • 1기간 수익률: (12,000원 + 200원) ÷ 10,000원 = 1.22
   • 2기간 수익률: (13,000원 + 250원) ÷ 12,000원 = 1.1042
2. 시간가중 산술평균수익률(총수익률을 투자기간으로 나누어 계산)
   총수익률 = 1.22 × 1.1042 − 1 = 0.3471
   시간가중 산술평균수익률 = 0.3471 ÷ 2 = 0.1735(17.35%)
3. 시간가중 기하평균수익률($\sqrt{(1 + 총수익률)} - 1$로 계산)
   $\sqrt{1 + 0.3471} - 1 = 0.1606(16.06\%)$

89 ②

출제빈도 중

출제영역 투자운용결과분석 > 성과평가 기초사항 > 투자수익률 계산

〈보기〉는 운용회사의 평균적인 수익률을 계산해서 분석할 때 고려해야 할 사항 중 생존계정의 오류 문제에 대한 내용이다.

> | 핵심 개념 | **운용사의 수익률 분석 시 고려사항**
>
> 1. 대표 펀드
>   대표 펀드로 선정되지 않은 펀드의 성과는 누락됨으로써 더 나은 판단을 할 수 있는 가능성을 차단하는 문제가 생긴다.
> 2. 생존계정의 오류 문제
>   성과를 측정하는 시점에 운용되고 있는 펀드만을 대상으로 성과를 측정할 때 생길 수 있는 오류를 의미한다. 성과가 좋은 펀드의 경우 신규 자금이 유입되는 등 운용이 지속되지만, 운용성과가 좋지 않은 펀드의 경우 투자자들의 환매 증가 등으로 펀드가 해지되어 과거의 운용기록(record)으로만 남는 경향이 있다.
> 3. 성과의 이전 가능성
>   운용사의 합병에 따른 수익률 측정이나 펀드매니저가 다른 운용사로 이직하였을 때 운용능력을 어느 시점부터 측정해야 하는가에 대한 문제가 있다.
> 4. 시간에 따른 성과 변동의 문제
>   운용성과를 측정하는 기간에 따라 운용성과는 상당한 편차를 보인다. 특정 기간에 좋은 성과를 보인 운용사라고 하더라도 다른 기간에는 좋지 않은 성과를 보이는 경우가 흔히 발생한다.

90 ②

출제빈도 상

출제영역 투자운용결과분석 > 기준 지표 > 기준 지표의 의의

벤치마크는 일반에게 공개된 정보로부터 계산할 수 있어야 하며, 원하는 기간마다 기준 지표 자체의 수익률을 계산할 수 있어야 한다.

┌─ | 핵심 개념 | 벤치마크(기준 지표)의 바람직한 특성 ─────────

1. 명확성
   기준 지표를 구성하고 있는 종목명과 비중이 정확하게 표시되어야 하며, 원칙이 있고 객관적인 방법으로 구성되어야 한다.
2. 투자 가능성
   실행 가능한 투자대안이어야 한다. 적극적인 운용을 하지 않는 경우 기준 지표의 구성 종목에 투자하여 보유할 수 있어야 한다.
3. 측정 가능성
   일반에게 공개된 정보로부터 계산할 수 있어야 하며, 원하는 기간마다 기준 지표 자체의 수익률을 계산할 수 있어야 한다.
4. 적합성
   기준 지표가 매니저의 운용 스타일이나 성향에 적합하여야 한다.
5. 투자의견을 반영
   펀드매니저가 현재 벤치마크를 구성하는 종목에 대한 투자지식(긍정적, 부정적, 중립적)을 가져야 한다. 즉, 해당 종목에 대한 상태를 판단할 수 있어야 한다.
6. 사전적으로 결정
   벤치마크는 평가기간이 시작되기 전에 미리 정해져야 한다.

91 ③
출제빈도 하

출제영역 | 투자운용결과분석 > 성과 발표 방법 > 성과 측정 및 표시 방법

회사는 모의실험된 또는 모형포트폴리오의 성과를 실제성과에 연결시키지 않아야 한다.

▌ 제3과목(직무윤리 및 법규/투자운용 및 전략Ⅰ 등)

92~95 | 거시경제

92 ①
출제빈도 중

출제영역 | 거시경제분석 > 경제모형과 경제정책의 분석: IS−LM모형 > 재정정책과 통화정책에 대한 논의

일반적으로 유동성 함정은 경제가 극심한 불황 상태에 있을 때 발생한다. 그 결과 통화정책은 아무 효과가 없게 되고, 재정정책의 효과가 극대화된다. 이 경우 경기확대정책으로서 정부 지출을 늘리거나 세금(세율)을 낮추는 등 확대재정정책을 시행하게 되면, 유동성 함정하에서 IS곡선이 우측으로 이동하여 이자율은 불변인 채로 국민소득을 크게 증가시킬 수 있다.

93 ③
출제빈도 상

출제영역 | 거시경제분석 > 이자율의 결정과 기간구조 > 이자율의 결정이론

케인즈학파는 이자율 수준이 통화량의 영향을 받는다고 보고 있지만 고전학파는 이자율이 통화량과 관계없이 결정된다고 본다.

94 ②
출제빈도 상

출제영역 | 거시경제분석 > 이자율의 변동요인 분석 > 거시경제변수와 이자율의 변동

유동성 효과, 소득 효과, 피셔 효과에 대한 설명이다.

95 ①
출제빈도 상

출제영역 | 거시경제분석 > 경기변동과 경기예측 > 경기지수, 물가지수 및 통화 관련 지표

GDP 디플레이터$\left(=\dfrac{\text{명목 GDP}}{\text{실질 GDP}}\times100\right)$는 명목GDP와 실질GDP 간의 비율이다. 국민경제 전체의 물가압력을 측정하는 지수로 사용되며, 통화량 목표설정에 있어서도 GDP 디플레이터가 기준 물가상승률로 사용된다.

▌ 제3과목(직무윤리 및 법규/투자운용 및 전략Ⅰ 등)

96~100 | 분산투자기법

96 ①
출제빈도 상

출제영역 | 분산투자기법 > 포트폴리오 관리 > 포트폴리오 위험분산 효과

분산투자를 통해 체계적 위험은 줄일 수 없으나 비체계적 위험은 줄일 수 있다.

97 ④
출제빈도 상

출제영역 | 분산투자기법 > 자본자산 가격결정 모형 > 증권시장선

'균형가격(요구수익률) > 추정기대수익률'일 때 알파(α)값이 (＋)이면 과대평가, '균형가격(요구수익률) < 추정기대수익률'일 때 알파(α)값이 (−)이면 과소평가된 것으로 본다.

1. 주식 A의 요구수익률 K = Rf + β(Rm − Rf)
   Rf: 무위험이자율, β: 베타(변동성), Rm: 기대수익률
   0.06 + 1.25(0.12 − 0.06) = 0.135(13.5%)
2. 주식 A의 알파(α)는 '주식의 요구수익률 13.5% − 추정기대수익률 12.5% = 1%'이므로 주식 A는 과대평가되어 있다.

| 오답 해설 |

④ 베타 1.1일 때
   요구수익률: 0.06 + 1.1(0.12 − 0.06) = 0.126(12.6%)
   알파(α): '주식의 요구수익률 12.6% − 추정기대수익률 12.5% = 0.1%'이므로 과대평가되어 있다.

98 ③

출제영역 분산투자기법 > 자본자산 가격결정 모형 > 자본시장선

이성적 투자자는 위험선호도와 관계없이 모두 동일하게 시장포트폴리오를 선택한다. 또한 투자자들의 위험선호도에 따라 무위험자산과 시장포트폴리오에 대한 투자비율을 결정하여 최적 포트폴리오를 구성한다.

99 ④

출제영역 분산투자기법 > 포트폴리오 투자전략과 투자성과평가 > 포트폴리오 투자전략

포뮬러 플랜은 주가가 낮을 때 주식을 매입하고 주가가 높을 때 매각하는 방법으로 운용한다.

> ┌ **| 핵심 개념 | 포뮬러 플랜** ─────────
>
> 포뮬러 플랜(Formula Plan)은 일정한 규칙에 따라서 기계적으로 자산배분을 하는 방법으로 비율계획법이라고도 한다. 구체적으로 공격적 투자수단인 주식과 방어적 투자수단인 채권 사이를 경기변동에 따라 번갈아 가면서 투자하는 방법인데 주가가 낮을 때 주식을 매입하고 주가가 높을 때 매각하는 방식으로 운용하는 것이다. 포뮬러 플랜은 자산배분 결정을 적극적으로 하는 투자전략이다.

100 ②

출제영역 분산투자기법 > 포트폴리오 투자전략과 투자성과평가 > 포트폴리오 투자전략

포트폴리오 리밸런싱에 대한 설명이다. 포트폴리오 리밸런싱(Portfolio Rebalancing)의 목적은 상황 변화가 있을 경우 포트폴리오가 갖는 원래의 특성을 그대로 유지하고자 하는 것이다. 주로 구성종목의 상대 가격의 변동에 따른 투자비율의 변화를 원래대로의 비율로 환원시키는 방법을 사용한다.

투자자산운용사 실전 모의고사
| 제5회 |

빠른 채점표

01	④	02	①	03	③	04	①	05	③	06	②	07	④	08	③	09	①	10	③
11	②	12	③	13	③	14	①	15	③	16	④	17	④	18	②	19	③	20	④
21	③	22	④	23	③	24	②	25	②	26	①	27	③	28	①	29	②	30	③
31	②	32	③	33	③	34	①	35	③	36	④	37	④	38	①	39	①	40	①
41	③	42	②	43	②	44	①	45	⑤	46	③	47	④	48	③	49	①	50	③
51	④	52	①	53	④	54	②	55	①	56	③	57	②	58	③	59	③	60	②
61	④	62	③	63	④	64	②	65	②	66	③	67	④	68	①	69	②	70	③
71	④	72	④	73	④	74	②	75	①	76	③	77	②	78	②	79	②	80	④
81	②	82	①	83	④	84	③	85	④	86	②	87	②	88	③	89	②	90	④
91	②	92	②	93	③	94	④	95	③	96	②	97	③	98	④	99	③	100	②

전 문항 해설특강 바로보기

제1과목 (01~20)

제2과목(1) (21~35)

제2과목(2) (36~50)

제3과목(1) (51~62)

제3과목(2) (63~81)

제3과목(3) (82~100)

01~07 | 세제 관련 법규/세무전략

01 ④   출제빈도 ❸

출제영역 | 금융투자세제 > 국세기본법 > 수정신고, 경정청구 및 기한 후 신고

과세표준 및 세액을 과다하게 신고하거나 결손금 또는 환급세액을 과소신고한 때에는 경정청구할 수 있다.

| 핵심 개념 | 수정신고, 경정청구의 사유

1. 수정신고의 사유
   ① 과세표준 및 세액을 미달하게 신고한 경우
   ② 원천징수 의무자가 연말정산 과정에서 근로소득만 있는 자의 소득을 누락하거나 세무조정 과정에서 누락한 경우
   ③ 결손금 또는 환급세액을 과다하게 신고한 경우
2. 경정청구의 사유
   ① 과세표준 및 세액을 과다하게 신고한 경우
   ② 결손금 또는 환급세액을 과소신고한 경우

02 ①   출제빈도 ❸

출제영역 | 금융투자세제 > 소득세법 > 소득세의 의의

현행 소득세법은 기본적으로 소득원천설의 입장을 취하고 있다.

| 핵심 개념 | 소득원천설

소득원천설은 일정한 수입원천으로부터 계속적, 반복적으로 생기는 수입을 소득으로 보고 일시적, 우발적인 소득은 원천(源泉)을 알 수 없기 때문에 과세소득에서 제외하자는 것이다. 다만 이자소득, 배당소득과 같이 법령에 열거되지 않더라도 유사한 소득에 대해서 과세하는 예외사항을 감안할 때 현행 소득세법은 순자산증가설의 입장을 일부 수용하고 있다고 볼 수 있다.

03 ③   출제빈도 ❸

출제영역 | 금융투자세제 > 소득세법 > 납세의무자

국외에서 근무하는 공무원 또는 거주자나 내국법인의 국외 사업장 또는 해외 현지법인(내국법인이 직·간접적으로 100% 출자한 경우로 한정) 등에 파견된 임원 또는 직원은 거주자로 본다.

04 ①   출제빈도 ❸

출제영역 | 금융투자세제 > 소득세법 > 소득의 구분 및 계산구조

(가)에 들어갈 내용은 산출세액이다.

| 핵심 개념 | 소득세의 계산구조

- 종합소득금액 − 종합소득공제 = 과세표준
- 과세표준 × 세율 = 산출세액
- 산출세액 − 세액공제액, 세액감면액 = 결정세액
- 결정세액 + 가산세 + 추가 납부할 세액 = 총결정세액
- 총결정세액 − 기납부세액 = 차감납부할 세액

05 ③   출제빈도 ❸

출제영역 | 금융투자세제 > 이자소득, 배당소득 및 양도소득 > 이자 배당 소득금액의 계산 및 귀속연도

이자소득에 대해서는 필요경비가 인정되지 않는다. 따라서 이자소득금액은 해당 과세기간의 총수입금액으로 한다.

06 ②   출제빈도 ❸

출제영역 | 금융투자세제 > 이자소득, 배당소득 및 양도소득 > 금융소득에 대한 과세방법

외국법인으로부터 받은 배당소득에 대하여는 외국납부세액 공제의 방법으로 이중과세 조정을 하게 된다. 따라서 이중과세 조정 대상 배당소득의 요건에 해당하지 않는다.

07 ④   출제빈도 ❸

출제영역 | 절세전략 > 세무전략: 금융자산 TAX-PLANNING > 금융소득 종합과세 시의 금융거래 통보 여부

금융자산에 투자한 원금은 통보되지 않지만 투자기간과 이자금액을 알고 있으므로 투자한 원금에 대한 환산은 가능하다.

| 핵심 개념 | 금융거래 통보내용

1. 소득자의 인적사항
   성명, 주민등록번호, 주소, 거주구분(거주자·비거주자)
2. 소득지급내역
   지급일자, 소득종류, 소득발생기간, 소득지급액
3. 원천징수내역
   세율, 소득세액, 농특세액, 지방소득세액
4. 기타관리항목
   계좌번호 및 증서번호, 신탁 이익 여부 등

08~15 | 금융상품

08 ③   출제빈도 ❸

출제영역 | 금융상품 개론 > 금융상품의 개요 > 재형 및 절세목적 금융상품

주택청약종합저축은 소득공제되는 상품이다.

| 핵심 개념 | 절세금융상품 종류 및 절세유형

1. ISA: 비과세
2. 비과세해외주식 투자전용펀드: 비과세
3. 연금저축: 세액공제
4. 퇴직연금(IRP/DC형) 가입자 추가 납입분: 세액공제
5. 주택청약종합저축: 소득공제
6. 저축성보험: 비과세
7. 비과세종합저축: 비과세
8. 조합출자금: 비과세
9. 조합예탁금: 세금우대
10. 농어가목돈마련저축: 비과세

09 ①

출제영역 예금 및 신탁상품 > 예금의 종류 > 입출금식 및 적립식 예금

만 65세 이상인 거주자는 누구나 가입 가능하다.

10 ③

출제영역 예금 및 신탁상품 > 예금의 종류 > 목돈마련 예금

ELS(주가연계증권)는 원금보장형과 원금비보장형으로 발행된다.

11 ②

출제영역 예금 및 신탁상품 > 신탁상품의 개념과 특징 > 신탁상품 특징

금전신탁은 신탁계약 및 법령 범위 내에서 운용방법을 정해야 하며, 예금은 원칙적으로 운용방법에 제한이 없다.

12 ③

출제영역 예금 및 신탁상품 > 신탁상품의 종류 > 금전신탁

은행 발행 채권은 예금자보호대상에서 제외된다.

┌─ │ 핵심 개념 │ **예금자보호대상 · 비보호대상 금융상품**

1. 예금자보호대상 금융상품
   - 은행: 각종 예금, 당좌예금, 요구불예금, 표지어음, 주택청약부금, 상호부금, 재형저축, 연금신탁, 퇴직신탁 등 원금이 보전되는 신탁 등
   - 투자매매업자, 투자중개업자: 증권계좌 예수금, 원금이 보전되는 금전신탁(예금자보호대상 금융상품으로 운용되는 확정기여형 및 개인퇴직계좌 적립금) 등
   - 보험회사: 개인이 가입한 보험계약(변액보험 제외), 퇴직보험계약, 원금이 보전되는 금전신탁(예금자보호대상 금융상품으로 운용되는 확정기여형 및 개인퇴직계좌 적립금) 등
   - 종합금융회사: 발행어음, 표지어음, 종금형 CMA
   - 상호저축은행: 보통예금, 저축예금, 정기예금, 정기적금, 신용부금, 표지어음 등
2. 예금자비보호대상 금융상품
   - 은행: 양도성 예금증서(CD), 환매조건부채권(RP), 특정금전신탁, 집합투자상품(수익증권, 뮤추얼펀드, MMF), 은행발행 채권, 주택청약저축, 주택청약종합저축 등
   - 투자매매업자, 투자중개업자: 금융투자상품(수익증권, 뮤추얼펀드, MMF), 청약자 예수금, 제세금예수금, 선물, 옵션거래 예수금, RP, 증권사 발행 채권, CMA(RP형, MMF형, MMW형), 랩어카운트, ELS, ELW 등
   - 보험회사: 법인보험계약, 보증보험계약, 재보험계약, 변액보험주계약 등
   - 종합금융회사: 금융투자상품(수익증권, 뮤추얼펀드, MMF), RP, 종금사 발행채권, 기업어음 등
   - 상호저축은행: 저축은행발행 채권(후순위채) 등

13 ③

출제영역 보장성 금융상품 > 생명보험상품 > 생명보험상품의 종류

보험금 정액 유무에 따라 정액보험과 부정액보험으로 분류하며, 보험금이 항상 일정액인 보험을 정액보험, 보험금이 일정하게 확정되어 있지 않은 보험을 부정액보험이라 한다.

14 ①

출제영역 보장성 금융상품 > 손해보험상품 > 손해보험상품의 종류

장기손해보험의 보험료는 순보험료와 부가보험료로 구성되며 순보험료는 위험보험료와 저축보험료, 부가보험료는 신계약비, 유지비, 수금비로 구분된다.

15 ③

출제영역 투자성 금융상품 > 펀드상품 > 집합투자기구 개념

집합투자기구의 구성형태는 투자신탁, 투자회사, 투자조합이다.

┌─ │ 핵심 개념 │ **집합투자기구 구성형태**

1. 투자신탁
   집합투자업자인 위탁자가 신탁업자에게 신탁한 재산을 신탁업자로 하여금 그 집합투자업자의 지시에 따라 투자 운영하는 신탁 형태의 집합투자기구
2. 투자회사
   - 상법에 따른 주식회사 형태의 집합투자기구(= 투자회사)
   - 상법에 따른 유한회사 형태의 집합투자기구(= 투자유한회사)
   - 상법에 따른 합자회사 형태의 집합투자기구(= 투자합자회사)
3. 투자조합
   - 민법에 따른 조합 형태의 집합투자기구(= 투자조합)
   - 상법에 따른 익명조합 형태의 집합투자기구(= 투자익명조합)

▌제1과목(금융상품 및 세제)

16~20 │ 부동산 관련 상품

16 ④

출제영역 부동산 개론 > 부동산 투자의 기초 > 부동산의 법률적 측면

│ 오답 해설 │
① 물건을 사실상 지배하는 자에 대해 인정해주는 물권은 점유권이다.
② 소유권은 특정 물건에 대하여 배타적, 포괄적으로 사용, 수익, 처분할 수 있는 권리이다.
③ 유치권이 성립하려면 목적물이 타인의 물건 또는 유가증권이어야 한다. 또한 피담보채권이 목적물과 관련이 있어야 하며, 채권이 변제기에 있어야 하고, 유치권자가 목적물을 점유하고 있으며, 당사자 사이에 유치권의 발생을 배제하는 특약이 없어야 한다.

17 ④

출제빈도 **상**

출제영역 부동산 개론 > 부동산 투자의 기초 > 부동산의 경제적 측면

투기현상이 심한 경우 지가의 상승은 활발하더라도 건축활동은 별도의 양상을 보이는 경우도 있어 부동산 경기가 호황이라고 속단하기 어렵다.

18 ②

출제빈도 **상**

출제영역 부동산 개론 > 부동산 투자의 이해 > 부동산 투자 결정 과정

내부수익률에 대한 설명이다. 내부수익률은 투자안의 현금유입의 현재가치와 현금유출의 현재가치를 일치시키는 할인율로 순현재가치를 0으로 만드는 할인율과 같다. 요구수익률은 투자로부터 얻어져야 할 최소한의 수익률을 의미하며 내부수익률이 요구수익률보다 크면 그 투자안은 채택되어야 하고, 내부수익률이 요구수익률보다 작으면 기각되어야 한다.

> **| 핵심 개념 | 간편법의 공식**
>
> 1. 순소득 승수 = 총투자액 ÷ 순운용소득
> 2. 투자이율 = 순운용소득 ÷ 총투자액
> 3. 자기자본이율 = 순운용소득 ÷ 자기자본투자액

19 ③

출제빈도 **상**

출제영역 부동산 투자상품의 이해 > 부동산 가치평가 > 부동산 가치분석 과정

최유효이용의 원칙은 부동산에만 적용되는 원칙으로 부동산 가치추계 원칙들 중에서 가장 중추적인 기능을 담당하고 있다.

> **| 핵심 개념 | 부동산 가치추계의 원칙**
>
> 1. 예측의 원칙
>   부동산의 가치는 해당 부동산에 대한 과거로부터 현재까지의 편익보다는 미래의 예상되는 편익에 더 큰 영향을 받는다.
> 2. 수요·공급의 원칙
>   부동산의 가치도 일반 재화와 같이 기본적으로 수요와 공급에 의해서 결정된다. 따라서 대상 부동산에 대한 감정평가 시에는 시장의 수요와 공급을 조사하여 이를 반영해야 한다.
> 3. 최유효이용의 원칙
>   부동산 가격은 최유효이용을 전제로 파악되는 가격을 표준으로 하여 형성된다는 원칙이다.
> 4. 외부성의 원칙
>   대상 부동산의 가치가 외부적 요인에 의하여 영향을 받는다는 원칙이다. 외부적 요인이 대상 부동산의 가치에 긍정적인 효과를 미칠 때 외부경제, 부정적인 효과를 미칠 때 외부불경제라 한다.

20 ④

출제빈도 **상**

출제영역 리츠업무 > 부동산 투자회사법의 이해 > 현행 부동산 투자회사법의 주요 내용

개발관리 부동산 투자회사는 부동산투자회사법상 부동산 투자회사와 관련이 없다.

> **| 핵심 개념 | 부동산 투자회사의 종류**
>
> 1. 자기관리 부동산 투자회사
>   자산운용 전문인력을 포함한 임직원을 상근으로 두고, 자산의 투자·운용을 직접 수행하는 부동산 투자회사
> 2. 위탁관리 부동산 투자회사
>   자산의 투자·운용을 자산관리회사에 위탁하는 부동산 투자회사
> 3. 기업구조조정 부동산 투자회사
>   법에서 정하는 기업구조조정 부동산을 투자대상으로 하며, 자산의 투자운용을 자산관리 회사에 위탁하는 부동산 투자회사

▌ 제2과목(투자운용 및 전략 II/투자분석)

21~25 │ 대안투자운용/투자전략

21 ③

출제빈도 **상**

출제영역 대안투자운용 및 투자전략 > PEF(Private Equity Fund) > PEF(Private Equity Fund)의 운용

PEF 등기·등록사항에서 유한책임사원의 내역을 제외하고 있는데, 이는 펀드 출자자의 내역을 비공개하고 있는 자본시장법 원칙을 PEF에도 동일하게 적용하고 있는 것이다. 반면, 업무 집행을 수행하는 무한책임사원은 PEF의 실질적인 운용자로서 대외적인 책임을 지게 되므로 등기·등록의 대상으로 규정하고 있다.

22 ④

출제빈도 **상**

출제영역 대안투자운용 및 투자전략 > PEF(Private Equity Fund) > PEF(Private Equity Fund)의 운용

PEF 재산운용은 세 가지 방식으로 투자한 금액이 2년 이내에 펀드재산의 50% 이상이어야 한다.

23 ③

출제빈도 **상**

출제영역 대안투자운용 및 투자전략 > 헤지펀드 > 헤지펀드의 개요

㉠ Long – Short
㉡ 펀드 오브 헤지펀드
㉣ 매도전문 펀드

24 ②

출제빈도 **중**

출제영역 대안투자운용 및 투자전략 > 헤지펀드 > 전환증권 차익거래

기초자산인 주식에서 배당률이 낮은 전환사채를 선호한다.

> **| 핵심 개념 | 전환증권 차익거래자가 선호하는 전환사채**
>
> 1. 델타 트레이딩과 감마 트레이딩에서 수익을 얻을 수 있도록 기초자산의 변동성이 크고 볼록성(Convexity)이 큰 전환사채
> 2. 유동성이 높은 전환사채와 기초주식을 쉽게 빌릴 수 있는 전환사채
> 3. 낮은 전환프리미엄(Conversion premium)을 가진 회사채

4. 기초주식의 Short position에서 기초자산의 원보유자로부터 기초자산인 주식에서 발생하는 배당금에 대한 청구를 줄이기 위해서 배당이 없거나 낮은 배당률을 갖는 기초자산의 전환사채
5. 낮은 내재변동성(Implied volatility)으로 발행된 전환사채

25 ②

출제빈도 중

출제영역 대안투자운용 및 투자전략 > 특별자산 펀드 > 특별자산 펀드의 운용

천연자원 기업에 대한 투자는 실물자산의 가격 움직임에 낮은 베타를 가지고 있다. 낮은 베타를 갖고 있다는 의미는 실물자산(원유)의 가격 하락이 기업(원유생산기업) 주가에 큰 영향을 주지 않는다는 것으로 해석할 수 있다. 이는 기업의 주가는 전체 주식시장의 움직임에 의존적이며, 기업이 가지고 있는 고유한 위험과 운용위험이 반영되기 때문이다.

| 핵심 개념 | **특별자산펀드의 유형**

1. 실물자산에 대한 직접투자
   실물자산과 관련된 소유로부터 발생되는 저장비용을 부담해야 한다.
2. 천연자원 기업
   기업의 주식 투자는 결국 기업고유의 위험뿐만 아니라 체계적 또는 시장위험에 노출되어 있다.
3. 실물자산 선물거래(Commodity Futures Contracts)
   거래소에서 거래되므로 주식과 동일한 장점을 가지고 있으며, 실물자산의 인도를 필요로 하지 않는다. 또한 실물자산 투자에 대한 전체 금액을 지급할 필요도 없다(기초자산 거래금액의 10%).
4. 실물스왑, 선도거래(Commodity Swap and Commodity Forward Contracts)
   투자자에게 맞춤형 상품을 제공해준다. 다만 유동성이 적다.
5. Commodity Linked Notes
   선물계약을 롤링(rolling)할 걱정을 하지 않아도 되며, 채무증서를 통해 투자제한 없이 실물자산에 대한 투자를 수행할 수 있다. 또한 개별 실물자산의 가격 또는 바스켓 가격과 관련하여 추적오차(trackin error)를 걱정할 필요가 없으며 이는 발행자가 부담한다.

▌제2과목(투자운용 및 전략 II/투자분석)

26~30 │ 해외증권 투자운용/투자전략

26 ①

출제빈도 상

출제영역 해외증권 투자운용 및 투자전략 > 해외 투자에 대한 이론적 접근 > 해외 투자의 동기 및 효과

미국의 대표적인 주가지수로는 S&P500, 다우존스(Dow Jones) 산업지수, NASDAQ 지수가 있다. MSCI 지수는 글로벌 펀드의 투자기준이 되는 대표적인 국제주가지수로 크게 미국, 유럽 등 선진국 중심의 세계지수(World Index)와 아시아, 중남미 등의 신흥시장 지수(Emerging Markets Index)로 나눌 수 있다.

27 ③

출제빈도 상

출제영역 해외증권 투자운용 및 투자전략 > 국제 증권시장 > 국제 주식시장의 의의와 변화

거래비용의 절감은 현지 투자자 입장에서 복수상장의 효과이다. 국제분산투자를 꾀하는 투자자의 경우 해외 기업의 자국 거래소 상장은 현지투자자로 하여금 해외주식투자에서 발생할 수 있는 정보비용이나 거래비용을 절약할 수 있도록 해줌으로써 더 낮은 비용으로 국제 분산투자를 가능하게 한다.

28 ①

출제빈도 중

출제영역 해외증권 투자운용 및 투자전략 > 해외증권 투자전략 > 해외 투자전략

ⓛ 해외주식에 대한 양도소득세는 양도소득 과세표준의 22%(지방소득세 포함)이다.
ⓒ 주식투자한 해당 국가에서 이미 세금을 냈다고 하더라도 국내에서 양도소득세를 신고해야 한다. 다만, 외국에서 주식양도와 관련된 세금을 납부하였다면 외국납부세액공제를 적용받을 수 있다.
ⓔ 국내 거주자가 해외 주식시장에 상장된 외국법인의 주식 또는 비상장 법인의 주식을 매매하고 발생한 양도차익은 양도소득세 과세대상으로 반드시 신고해야 한다.

29 ②

출제빈도 중

출제영역 해외증권 투자운용 및 투자전략 > 해외증권 투자전략 > 해외 투자전략

딤섬본드는 쿠폰(이자)이 낮아 대부분의 수익은 환차익에서 발생하므로 표면이율보다 위안화 가치의 방향성이 중요하다.

30 ③

출제빈도 중

출제영역 해외증권 투자운용 및 투자전략 > 해외증권 투자전략 > 해외 투자의 환위험 관리와 성과평가

통화를 분산시켜 환노출을 최소화해야 한다. 따라서 투자대상국 통화로 단일화시키는 것은 바람직하지 않다.

| 핵심 개념 | **해외 투자 시 환노출 헤지 방법**

1. 선물환, 통화선물, 통화옵션, 통화스왑 등과 같은 통화파생상품을 이용한다.
2. 투자대상국의 주식파생상품 혹은 금리파생상품을 이용하여 해당국 통화에 대한 노출을 최소화하면서 투자자산 가격의 노출은 그대로 보유한다.
3. 투자대상 증권과 환율 간의 상관관계를 이용한 내재적 헤지 달러화의 가치와 높은 양의 상관관계를 가지는 주식에 투자하는 미국의 투자자라면 환손실과 주가에서의 환율요인이 상쇄됨으로써 투자의 환노출이 낮아지는 결과를 가져 온다.
4. 통화의 분산
   여러 종류의 통화에 분산투자함으로써 환노출을 줄일 수 있다.
5. 아무런 헤지도 하지 않음
   헤지를 하는 것이 헤지비용만을 초래하는 결과를 가져올 수 있기 때문에 헤지를 하지 않는 것도 하나의 가능성으로 고려해야 된다.

31~42 │ 투자분석기법

31 ②

출제영역 투자분석기법 – 기본적 분석 > 기업분석(재무제표 분석) > 현금흐름 분석

차입금 상환은 현금유출 항목에 해당한다.

│ 핵심 개념 │ 재무활동으로 인한 현금흐름

1. 현금유입: 차입금 차입, 유상증자, 자기주식 처분
2. 현금유출: 차입금 상환, 자기주식의 취득, 신주, 사채 등의 발행비용

32 ③

출제영역 투자분석기법 – 기본적 분석 > 기업분석(재무제표 분석) > 수익성 지표

• 총자산이익률(ROA) 20% = 매출액순이익률 × 총자산회전률 2
• 매출액순이익률 = 총자산이익율 20% ÷ 총자산회전률 2 = 10%

│ 핵심 개념 │ 재무활동으로 인한 현금흐름

• 총자산이익률(ROA)
= 순이익 ÷ 총자산 = (순이익 ÷ 순매출액) × (순매출액 ÷ 총자산)
= 매출액순이익률 × 총자산회전률

33 ③

출제영역 투자분석기법 – 기본적 분석 > 기업분석(재무제표 분석) > 안정성 지표

부채–자기자본의 비율이 낮으면 낮을수록 기업의 이익은 더욱 안정적이고, 이 회사가 발행한 주식의 위험은 그만큼 더 낮아지게 되며 그 결과 주주들의 기대수익률도 더 낮아지게 되므로 부채–자기자본의 비율은 주주들의 기대수익률과 정(+)의 관계이다.

34 ①

출제영역 투자분석기법 – 기본적 분석 > 기업분석(재무제표 분석) > 수익성 지표 지표

'영업이익 ÷ 매출액'은 매출액영업이익률을 구하는 공식으로 매출액 한 단위가 창출하는 영업이익을 의미하며 자기자본이익률을 결정하는 구성요소와 거리가 멀다.

│ 핵심 개념 │ 자기자본이익률(ROE) 계산식

$$
\begin{aligned}
\text{자기자본이익률(ROE)} \\
= \frac{\text{순이익}}{\text{자기자본}} = \frac{\text{순이익}}{\text{매출액}} \times \frac{\text{매출액}}{\text{총자산}} \times \frac{\text{총자산}}{\text{자기자본}} \\
= \frac{\text{ROA}}{\text{자기자본비율}} = \frac{\text{ROA}}{1 - \frac{\text{총부채}}{\text{총자산}}}
\end{aligned}
$$

35 ③

출제영역 투자분석기법 – 기본적 분석 > 주식투자 > 주가배수 모형에 의한 기업가치분석

1. 배당성향 = 1 – 사내유보율 0.4
= 0.6
2. g(성장률) = 사내유보율 0.4 × ROE 0.2 = 0.08
3. PER = 배당성향 ÷ (K – g) = 0.6 ÷ (0.12 – 0.08) = 15

36 ④

출제영역 투자분석기법 – 기본적 분석 > 주식투자 > EVA 모형

1. WACC(가중평균자본비용)
= 타인자본 50억원 × 조달비용 8% + 자기자본 500억원 × 기회비용 12% = 10%
2. 경제적 부가가치(EVA)
= 투자자본(IC) 100억원 × (투하자본이익률(ROIC) 20% – 가중평균자본비용(WACC) 10%)
= 10억원

│ 핵심 개념 │ EVA 경제적 부가가치 공식

1. 경제적 부가가치(EVA) = 투자자본(IC) × 투하자본이익률(ROIC) – 가중평균자본비용(WACC)
2. ROIC(투자자본이익률) = (매출액 × 투하자본) × (세후 영업이익 / 매출액)
3. WACC(가중평균자본비용) = (타인자본 × 조달비용) + (자기자본 × 기회비용)

37 ④

출제영역 투자분석기법 – 기술적 분석 > 추세분석 > 이동평균선을 이용한 분석 방법

거래량 분석은 이동평균선을 이용한 분석방법과 거리가 멀다.

│ 핵심 개념 │ 이동평균선을 이용한 분석방법

1. 방향성 분석
5일, 20일, 60일, 120일 이동평균선의 방향이 상승 중인지 하락 중인지를 확인하는 방법으로 단기·중기·장기 이동평균선의 방향이 차례로 전환되기 때문에 쉽게 추세 전환을 판단할 수가 있다.
2. 배열도 분석
배열도란 특정 시점에서 주가와 이동평균선들의 수직적 배열상태를 나타내는 표현으로, 정배열이란 '현재 주가 > 단기 이동평균선 > 중기 이동평균선 > 장기 이동평균선' 순서로 위에서 아래로 배열된 상태를 말하며 역배열은 반대의 경우이다. 따라서 정배열의 구조를 가진 종목은 전형적인 상승종목이며, 역배열의 구조를 가진 종목은 전형적인 하락종목이다.
3. 지지선·저항선 분석
이동평균 가격은 일정기간 동안의 매도세와 매수세의 평균 가격이다. 따라서 주가가 이 수준을 하회하게 되면 일정기간 동안 매수한 투자자는 평균적으로 손실을 보게 된다.
4. 크로스 분석
이동평균선 분석 중에서 가장 널리 알려진 분석방법으로, 단기 이동평균선이 장기 이동평균선을 아래에서 위로 상향 돌파하는 골든크로스와 단기 이동평균선이 장기 이동평균선을 위에서 아래로 하향 돌파하는 데드크로스가 있다.

5. 이격도 분석

이격도란 현재의 주가와 이동평균선의 괴리도가 어느 정도인가를 나타내는 지표이다. 만약 20일 이격도가 105라면 현재 주가가 20일 이동평균선보다 5% 위에 위치하고 있음을 나타낸다. 따라서 이격도는 현주가의 과열이나 침체 정도를 파악하는 중요한 척도가 된다.

6. 밀집도 분석

이동평균선들의 밀집 혹은 수렴은 주가가 변화하는 한 반드시 발생한다. 이동평균선이 밀집화된다는 것은 투자기간이 다른 투자자들의 평균 매수가격이 유사한 수준으로 수렴되고 있음을 나타낸다.

38 ①
출제빈도 상

출제영역 투자분석기법 – 기술적 분석 > 패턴분석 > 지속형 패턴

삼각형에 대한 설명이다. 삼각형은 반복적으로 등락을 하는 동안 점점 그 등락 폭이 줄어들어 전체적인 주가의 움직임이 삼각형 모양을 이루고 있다. 삼각형에서 고점들을 이은 추세선은 강력한 저항선으로, 각 저점들을 이은 추세선이 강력한 지지선으로 작용하므로 점점 그 폭이 줄어들게 되어 결국 두 추세선을 수렴하게 된다.

| 오답 해설 |

② 깃발형: 주가가 거의 수직에 가까운 빠른 속도로 움직인 이후 기존의 주가 움직임에 일시적으로 반발하는 세력들이 등장하여 잠시 횡보 국면을 보이는 과정에서 나타나는데, 이때 주가의 수직적인 움직임은 마치 깃대와 같다.

③ 직사각형: 매도 세력과 매수 세력이 서로 균형을 이루고 있으나 거래가 활발하지 못한 경우에 나타나게 된다. 주가가 수주일에서 수개월에 걸쳐 장기간 매수·매도 양 세력이 서로 균형을 이루면서 횡보하는 모양으로, 위·아래 두 저항선과 지지선이 수평으로 평행선을 이루고 있다.

④ 다이아몬드형: 확대형과 대칭 삼각형이 서로 합쳐진 모양으로, 주가의 큰 변동이 있고 난 이후 많이 나타나는 패턴이다. 다이아몬드형이 형성되는 동안 주식 시장은 과열된 상황에서 점차 안정되는 과정을 겪는다. 따라서 패턴의 초기에는 거래량이 크게 증가하지만 점차 주가가 수렴하면서 거래량도 감소한다.

39 ①
출제빈도 상

출제영역 투자분석기법 – 기술적 분석 > 지표 분석 > 추세반전형 지표

ROC(Rate of Change)는 금일 주가와 n일 전 주가 사이의 차이(difference)를 나타내는 지표이다. ROC를 이용한 투자전략은 기본적으로 0선을 상향 돌파하면 매수하고, 0선을 하향 돌파하면 매도하는 전략이다. 이는 0선을 중심으로 상승 추세와 하락 추세가 전환되기 때문이다.

| 핵심 개념 | 스토캐스틱

스토캐스틱은 %K와 %D 두 지표로 나타낸다. 주요선은 %K이며 %K의 이동평균선을 %D라 부르며 %K선이 %D선을 상향 돌파하여 상승할 때 매수신호로 본다.

40 ①
출제빈도 상

출제영역 투자분석기법 – 산업분석 > 산업연관분석(Input-Output Analysis) > 산업연관분석의 활용

산업연관분석은 산업 간의 연관관계를 수량적으로 파악하고자 하는 분석기법이다. 이는 한 나라에서 생산되는 모든 재화와 서비스의 산업 간 거래관계를 체계적으로 기록한 통계표인 산업연관표의 분석을 통해 이루어진다.

41 ③
출제빈도 상

출제영역 투자분석기법 – 산업분석 > 산업구조 변화 분석 > 경제발전과 산업구조 변화

경제발전 단계 중 구조조정기에 대한 설명이다.

| 핵심 개념 | 경제발전 단계

1. 성장기

경제개발이 본격화되어 요소창출을 위한 투자는 모든 면에서 광범위하게 이루어지지만 잉여 노동력이 여전히 임금 상승을 억제하여 고급요소 및 단순요소의 경쟁력이 모두 상승하는 시기

2. 1차 전환점

요소 창출을 위한 투자가 확대되지만 잉여 노동의 해소로 인한 임금 상승이 단순요소의 경쟁력 증대를 상쇄하는 시기

3. 구조조정기

경제가 발전하여 고급요소 경쟁력의 상승이 두드러지게 나타나기 시작하지만 국민들의 욕구가 높아지고 임금 상승이 급속히 이루어져 단순요소 경쟁력이 빠르게 하락하는 시기

4. 2차 전환점

경제가 어느 정도 성숙하여 단순요소 경쟁력의 하락속도가 완만해지는 가운데 고급요소 경쟁력의 상승이 가속화되는 시기

5. 성숙기

안정적인 성장궤도에 진입하여 단순요소 경쟁력의 하락이 멈추고 고급요소 경쟁력은 계속 상승하여 높은 경제성과를 얻고 이것이 다시 경쟁력 창출요인의 축적으로 연결되는 선순환이 이루어지는 시기

42 ②
출제빈도 중

출제영역 투자분석기법 – 산업분석 > 산업정책 분석 > 산업정책의 종류

허핀달(HHI) 지수에 대한 설명이다.

제2과목(투자운용 및 전략 II/투자분석)

43~50 | 리스크관리

43 ②
출제빈도 하

출제영역 리스크관리 > 리스크와 리스크관리의 필요성 > 리스크의 정의

시장위험(Market Risk)이란 시장가격의 변동으로부터 발생하는 위험으로서 주식위험, 이자율위험, 환위험, 상품가격위험 등이 포함된다.

- 재무위험: 시장위험, 신용위험, 유동성위험, 운영위험, 법적위험
- 시장위험: 이자율위험, 환위험, 주식위험, 상품가격위험

44 ① 출제빈도 ❸

출제영역 리스크관리 > 시장 리스크(Market Risk)의 측정 > VaR의 측정 방법

95% 신뢰구간에서 계산한 1일 VaR이 10억원이라는 의미는 이 회사가 포트폴리오를 보유함으로써 향후 1일 동안에 10억원을 초과하여 손실을 보게 될 확률이 5%임을 의미한다.

👆 저자의 Tip

만약 99% 신뢰구간에서 계산한 1일 VaR이 10억원인 경우에는 향후 1일 동안 10억원을 초과하여 손실을 보게 될 확률이 1%라는 의미로 해석할 수 있습니다.

45 ① 출제빈도 ❸

출제영역 리스크관리 > 시장 리스크(Market Risk)의 측정 > VaR의 측정 방법

비선형상품의 VaR을 오차 없이 측정할 수 있는 방법은 완전가치 평가법이다. 완전가치평가법은 주식옵션의 경우 주가가 변화했을 때 옵션의 가치변화가 얼마나 될 것인가를 측정하기 위해 Black-Scholes 옵션모형에 주가변동분을 대입하면 옵션 포지션의 가치변화를 정확하게 측정할 수 있다. 몬테카를로 시뮬레이션, 역사적 시뮬레이션, 스트레스 검증법이 완전가치평가법에 해당된다. 델타분석법은 부분가치평가법이다.

46 ③ 출제빈도 ❸

출제영역 리스크관리 > 시장 리스크(Market Risk)의 측정 > VaR의 측정 방법

등가격에 가까운 콜옵션과 풋옵션을 동시에 매도한 스트래들 매도 포지션의 경우, 콜옵션의 (+)의 델타가 풋옵션의 (−)의 델타에 의하여 상쇄되기 때문에 델타중립에 가까운 상태가 될 수 있다. 이렇게 델타중립에 가까운 포지션을 취한 경우의 델타분석법에 의한 VaR은 0에 가깝게 된다. 또한 옵션 포지션의 VaR을 델타분석법에 의해서 측정할 경우, 옵션 매입 포지션의 위험은 실제(옵션의 매입 포지션은 손실이 제한되어 있음)보다 과대평가되고 옵션 매도포지션의 위험은 실제(옵션의 매도 포지션은 손실이 무제한)보다 과소평가된다.

47 ④ 출제빈도 ❸

출제영역 리스크관리 > 시장 리스크(Market Risk)의 측정 > VaR의 측정 방법

포트폴리오 VaRp 공식에서
$(\text{VaR}_P = \sqrt{VaR_A^2 + VaR_B^2 + 2 \times p \times VaR_A \times VaR_B})$ 상관계수

는 최저 −1에서 최고 +1까지의 범위를 가진다. 각 자산과의 상관계수가 +1이면 포트폴리오 VaR은 개별 포지션 VaR의 합으로 계산하고 각 자산의 상관계수가 −1이면 포트폴리오 VaR은 개별 포지션 VaR을 차감하여 계산한다. 또한 상관계수는 0일 때 포트폴리오의 VaR = $\sqrt{3억원^2 + 2억원^2} = 3.6056억원$으로 계산된다.

48 ③ 출제빈도 ❸

출제영역 리스크관리 > 시장 리스크(Market Risk)의 측정 > VaR의 측정 방법

- 99% 신뢰도 1일 VaR: 3억원 × 2.33 ÷ 1.65 = 4.2364억원
- 99% 신뢰도 10일 VaR: 3억원 × 2.33 ÷ 1.65 × $\sqrt{10}$ = 13.3966 억원
- 합계: 4.23억원 + 13.39억원 = 17.62억원

49 ① 출제빈도 ❸

출제영역 리스크관리 > 시장 리스크(Market Risk)의 측정 > VaR의 한계

VaR 사용 시 유의해야 할 점은 VaR 측정이 과거의 데이터에 의존하여 추정된다는 사실이다. 따라서 VaR 추정치의 신뢰성은 과거의 역사적 자료를 이용하여 추정치가 얼마나 안정적인가에 달려 있다.

| 핵심 개념 | VaR의 한계점

1. VaR 측정이 과거의 데이터에 의존하여 추정된다.
2. VaR의 측정은 보유하고 있는 모든 상품의 가격 자료를 필요로 하지만 이용에 제한이 있는 경우가 종종 있다.
3. VaR을 어떤 모형에 사용되고 있는가에 따라 그 측정치가 차이가 난다.
4. VaR은 설정하는 보유기간에 따라서도 달라지게 된다.

50 ③ 출제빈도 ❸

출제영역 리스크관리 > 시장 리스크(Market Risk)의 측정 > VaR의 측정 방법

단 한 개의 리스크 요소에 주로 의존하는 경우에는 이 분석법이 적절히 사용될 수 있다. 따라서 다른 측정법의 대체방법이라기보다는 보완적인 방법으로 최악의 경우의 변화를 측정하는데 유용하다.

51~55 직무윤리

51 ④
출제빈도 ⑧

출제영역 직무윤리 > 금융투자업 직무윤리 > 금융소비자보호의무

| 오답 해설 |

① 일반투자자를 대상으로 한다.

② 금융소비자 보호의무 중 금융상품판매 단계에 해당한다.

③ 고객의 투자목적, 재산상황, 투자경험 등의 정보를 파악하고 서명(전자서명을 포함), 기명날인, 녹취, 그 밖에 전자우편 또는 이와 비슷한 전자통신, 우편, 전화자동응답시스템의 방법으로 확인받아야 한다.

52 ①
출제빈도 ⑧

출제영역 직무윤리 > 금융투자업 직무윤리 > 금융소비자보호의무

투자자의 이해수준에 따라 설명의 정도를 달리할 수 있다.

53 ④
출제빈도 ⑧

출제영역 직무윤리 > 금융투자업 직무윤리 > 금융소비자보호의무

예외적으로 허용되는 행위에 포함된다.

┌ | 핵심 개념 |

1. 손실보전 등의 금지원칙
   ① 투자자가 입을 손실의 전부 또는 일부를 보전하여 줄 것을 사전에 약속하는 행위
   ② 투자자가 입은 손실의 전부 또는 일부를 사후에 보전하여 주는 행위
   ③ 투자자에게 일정한 이익을 보장할 것을 사전에 약속하는 행위
   ④ 투자자에게 일정한 이익을 사후에 제공하는 행위

2. 손실보전 등과 관련하여 예외적으로 인정되는 행위
   ① 회사가 자신의 위법(과실로 인한 위법을 포함) 행위 여부가 불명확한 경우 사적 화해의 수단으로 손실을 보상하는 행위(다만, 증권투자의 자기책임원칙에 반하는 경우에는 제외)
   ② 회사의 위법행위로 인하여 회사가 손해를 배상하는 행위
   ③ 분쟁조정 또는 재판상 화해절차에 따라 손실을 보상하거나 손해를 배상하는 행위

54 ②
출제빈도 ⑧

출제영역 직무윤리 > 금융투자업 직무윤리 > 금융소비자보호의무

판매 후 모니터링 제도는 금융소비자와 판매계약을 맺은 날로부터 7영업일 이내에 판매직원이 아닌 제3자가 금융소비자와 통화하여 설명의무 이행 여부를 확인해야 한다.

55 ①
출제빈도 ⑧

출제영역 직무윤리 > 직무윤리의 준수절차 및 위반 시의 제재 > 직무윤리의 준수절차

ⓒ 외부에서 내부를 관찰할 수 있도록 개방형 형태로 설치되어야 한다.

ⓒ 다른 고객이 사이버룸 사용 고객을 직원으로 오인하지 않도록 사이버룸 사용 고객에게 명패, 명칭, 개별 직통전화 등을 사용하도록 하거나 제공하여서는 안 된다.

┌ | 핵심 개념 | **특정 금융소비자의 전용 공간 제공 시 준수해야 할 사항**

1. 당해 공간은 직원과 분리되어야 하며, 영업장 및 영업점 영업관리자의 통제가 용이한 장소에 위치하여야 한다.

2. 사이버룸의 경우 반드시 '사이버룸'임을 명기(문패 부착)하고 외부에서 내부를 관찰할 수 있도록 개방형 형태로 설치되어야 한다.

3. 회사는 다른 고객이 사이버룸 사용 고객을 직원으로 오인하지 않도록 사이버룸 사용 고객에게 명패, 명칭, 개별 직통전화 등을 사용하도록 하거나 제공하여서는 안 된다.

4. 영업점장 및 영업관리자는 사이버룸 등 고객 전용 공간에서 이루어지는 매매거래의 적정성을 모니터링하고 이상매매가 발견되는 경우 지체 없이 준법감시인에게 보고하여야 한다.

56~62 자본시장과 금융투자업에 관한 법률

56 ③
출제빈도 ⑧

출제영역 자본시장과 금융투자업에 관한 법률/금융위원회 규정 > 금융투자업자에 대한 규제·감독 > 건전성 규제

| 오답 해설 |

① 금융투자업자는 매 분기마다 보유자산에 대해 '정상 – 요주의 – 고정 – 회수의문 – 추정손실'의 5단계로 분류한다.

② 금융투자업자는 매 분기 말 '고정' 이하로 분류된 채권에 대하여 적정한 회수예상가액을 산정해야 한다.

④ 금융투자업자는 '회수의문' 또는 '추정손실'로 분류된 부실자산을 조기에 대손상각하여 자산의 건전성을 확보해야 한다.

57 ②
출제빈도 ⑧

출제영역 자본시장과 금융투자업에 관한 법률/금융위원회 규정 > 금융투자업자에 대한 규제·감독 > 건전성 규제

순자본비율이 100% 미만 또는 영업용 순자본비율이 150% 미만이 된 경우에는 지체 없이 금융감독원장에게 보고해야 한다.

┌ | 핵심 개념 | **순자본비율 공식**

1. 순자본비율 $= \dfrac{\text{영업용순자본} - \text{총위험액}}{\text{필요 유지자기자본}}$

2. 영업용 순자본비율 $= \dfrac{\text{영업용 순자본}}{\text{총 위험액}} \times 100$

3. 영업용 순자본 = 순자산액 − 차감 항목 + 가산 항목
  - 차감 항목: 재무상태표상 자산 중 즉시 현금화가 곤란한 자산
  - 가산 항목: 재무상태표에서 부채로 계상되었으나 실질적인 채무이행
    의무가 없거나 실질적으로 자본의 보완적 기능을 하는 항목 등

┌─ **| 핵심 개념 | 적기시정조치**
│
│ 1. 경영개선 권고: 순자본비율 100% 미만
│ 2. 경영개선 요구: 순자본비율 50% 미만
│ 3. 경영개선 명령: 순자본비율 0% 미만

58 ③

출제빈도 **상**

출제영역 자본시장과 금융투자업에 관한 법률/금융위원회 규정 > 투자매
매업자 및 투자중개업자에 대한 영업행위 규제 > 투자자 재산보
호를 위한 규제

㉠ 투자자예탁금을 신탁업자에 신탁할 수 있는 금융투자업자는
은행, 한국산업은행, 중소기업은행, 보험회사이다.

㉡ 예치 금융투자업자가 다른 회사에 흡수합병되거나 신설합병
또는 예치 금융투자업자가 금융투자업의 전부나 일부를 양도
하는 경우 예외적으로 투자자예탁금을 양도하거나 담보로 제
공할 수 있다.

59 ③

출제빈도 **중**

출제영역 자본시장과 금융투자업에 관한 법률/금융위원회 규정 > 투자자
문업자 및 투자일임업자의 영업행위 규칙 > 투자자문업자 및 투
자일임업자의 영업행위 규칙

투자자의 자산을 집합하여 운용하는 행위는 투자일임업자에게만
적용되는 금지행위이다.

┌─ **| 핵심 개념 | 투자자문업자 및 투자일임업자의 영업행위규칙**
│
│ 1. 공통금지행위
│ ① 투자자로부터 금전·증권, 그 밖의 재산의 보관·예탁을 받는 행위
│ ② 투자자에게 금전·증권, 그 밖의 재산을 대여하거나 투자자에 대한 제3
│   자의 금전·증권, 그 밖의 재산의 대여를 중개·주선 또는 대리하는 행위
│ ③ 투자권유자문인력 또는 투자운용인력이 아닌 자에게 투자자문 또는
│   투자일임업을 수행하게 하는 행위
│ ④ 계약으로 정한 수수료 외의 대가를 추가로 받는 행위
│ ⑤ 투자자문에 응하거나 투자일임재산을 운용하는 경우 금융투자상품 등
│   의 가격에 중대한 영향을 미칠 수 있는 투자판단에 관한 자문 또는 매
│   매 의사를 결정한 후 이를 실행하기 전에 그 금융투자상품을 자기의
│   계산으로 매매하거나 제3자에게 매매를 권유하는 행위
│ 2. 투자일임업자의 금지행위
│ ① 정당한 사유 없이 투자자의 운용방법의 변경 또는 계약의 해지 요구에
│   응하지 않는 경우
│ ② 자기 또는 관계인이 인수한 증권을 투자일임재산으로 매수하는 행위
│ ③ 자기 또는 관계인수인이 발행인 또는 매출인으로부터 직접 증권의 인
│   수를 의뢰받아 인수조건 등을 정하는 업무를 담당한 법인의 특정 증권
│   등에 대하여 인위적인 시세를 형성하여 투자일임재산으로 그 특정 증
│   권 등을 매매하는 행위
│ ④ 특정 투자자의 이익을 해하면서 자기 또는 제3자의 이익을 도모하는
│   행위
│ ⑤ 투자일임재산으로 자기가 운용하는 다른 투자일임재산, 집합투자재산
│   또는 신탁재산과 거래하는 행위

⑥ 투자일임재산으로 투자일임업자 또는 그 이해관계인의 고유재산과 거
래하는 행위

60 ②

출제빈도 **중**

출제영역 자본시장과 금융투자업에 관한 법률/금융위원회 규정 > 투자자
문업자 및 투자일임업자의 영업행위 규칙 > 투자자문업자 및 투
자일임업자의 영업행위 규칙

투자일임업자는 투자일임보고서 작성대상 기간이 지난 후 2개월
이내에 직접 또는 우편발송 등의 방법으로 교부해야 한다. 다만
일반투자자가 전자우편을 통하여 투자일임보고서를 받는다는 의
사표시를 한 경우에는 전자적 투자 조언 장치를 활용하여 투자일
임업을 수행하는 경우 전자우편을 통하여 보낼 수 있다.

61 ④

출제빈도 **상**

출제영역 자본시장과 금융투자업에 관한 법률/금융위원회 규정 > 금융투
자업자에 대한 규제·감독 > 건전성 규제

금융투자업자는 계열회사발행 증권을 한도 내에서 예외적으로
취득하거나 대주주 및 대주주의 특수관계인에 대하여 예외적으
로 신용공여를 하는 경우 재직이사 전원의 찬성에 의한 이사회 결
의를 거쳐야 한다. 다만, 단일거래금액이 자기자본의 10/10,000
과 10억원 중 적은 금액의 범위인 경우에는 이사회 결의가 불필
요하다.

62 ③

출제빈도 **중**

출제영역 자본시장과 금융투자업에 관한 법률/금융위원회 규정 > 집합투
자업자의 영업행위 규칙 > 집합투자업자 행위 규칙

집합투자재산으로 부동산을 취득하는 경우 집합투자기구의 계산
으로 금전 차입이 예외적으로 허용되며 그 차입 한도는 부동산
집합투자기구의 경우 순자산의 200%, 기타 집합투자기구의 경
우 부동산 가액의 70%까지 가능하다. 또한 차입금은 부동산에
운용하는 방법으로 사용해야 한다. 다만 불가피한 사유 발생 시
일시적으로 현금성자산에 대한 투자는 가능하다.

┌─ **| 핵심 개념 | 금전차입, 대여 등의 제한**
│
│ 1. 집합투자업자는 집합투자재산을 운용함에 있어서 집합투자기구의 계산
│   으로 금전을 차입하지 못한다. 다만, 예외적으로 대량 환매청구 및 대량
│   매수청구가 발생할 때 차입 당시 순자산 총액의 10%를 초과하여 금전차
│   입이 가능하다.
│ 2. 집합투자업자는 집합투자재산을 운용함에 있어서 집합투자재산으로 금
│   전을 대여해서는 안 된다.
│ 3. 집합투자재산으로 해당 집합투자기구 외의 자를 위한 채무보증 및 담보
│   제공은 금지된다.
│ 4. 특례
│ ① 금전차입 특례
│   집합투자재산으로 부동산을 취득하는 경우 집합투자기구의 계산으로
│   금전 차입이 예외적으로 허용되며 그 한도는 순자산의 200%, 기타 집
│   합투자기구는 부동산 가액의 70%까지이며, 차입금은 부동산에 운용하
│   는 방법으로 사용해야 한다. 다만, 불가피한 사유 발생 시 일시적으로
│   현금성자산에 투자 가능하다.

② 금전대여 특례

부동산 개발사업을 영위하는 법인에 대해 예외적으로 대여 가능하며 그 한도는 집합투자기구 순자산 총액의 100%까지 가능하다.

▌제3과목(직무윤리 및 법규/투자운용 및 전략 I 등)

63~66 │ 금융위원회규정

63 ④
출제빈도 **상**

출제영역 자본시장과 금융투자업에 관한 법률/금융위원회 규정 > 집합투자기구의 구성 등 > 투자신탁

투자자가 소유한 집합투자증권의 평가금액이 10만원 이하인 경우 교부의무가 면제된다.

64 ②
출제빈도 **상**

출제영역 자본시장과 금융투자업에 관한 법률/금융위원회 규정 > 금융투자업자에 대한 규제·감독 > 건전성 규제

회계감사는 경영공시 사유에 해당하지 않는다.

┌ │ 핵심 개념 │ 금융투자업자의 경영공시

금융투자업자는 상장법인 공시의무 사항이 발생한 경우, 부실채권 또는 특별손실이 발생한 경우, 임직원이 형사처벌을 받은 경우, 그 밖에 다음의 경우에는 금융위원에 보고하고, 인터넷 홈페이지 등을 이용하여 공시해야 한다.

1. 동일 기업집단별(동일 기업집단이 아닌 경우 개별 기업별)로 금융투자업자의 직전 분기 말 자기자본의 100분의 10에 상당하는 금액을 초과하는 부실채권의 발생
2. 금융사고 등으로 금융투자업자의 직전 분기 말 자기자본의 100분의 2에 상당하는 금액을 초과하는 손실이 발생하였거나 손실이 예상되는 경우
3. 민사소송 패소 등의 사유로 금융투자업자의 직전 분기 말 자기자본의 100분의 1에 상당하는 금액을 초과하는 손실이 발생한 경우
4. 적기시정조치, 인가 또는 등록의 취소 등의 조치를 받은 경우
5. 회계기간 변경을 결정한 경우
6. 상장법인이 아닌 금융투자업자에게 재무구조, 채권채무관계, 경영환경, 손익구조 등에 중대한 변경을 초래하는 사실이 발생하는 경우

65 ②
출제빈도 **중**

출제영역 금융위원회규정 > 장외거래 및 주식 소유제한 > 장외거래

증권의 대차거래 내역을 협회를 통하여 당일에 공시하여야 한다.

66 ③
출제빈도 **상**

출제영역 금융위원회규정 > 불공정거래행위에 대한 규제 > 시장질서 교란행위 규제

매매유인이나 부당이득을 얻을 목적 등이 없다고 할지라도 허수성 주문을 대량으로 제출하거나 가장성 매매, 통정성 매매, 풍문유포 등을 하여 시세에 부당한 영향을 주거나 줄 우려가 있다고

판단되면 해당 행위자에게 과징금을 부과할 수 있다.

┌ │ 핵심 개념 │ 시장질서 교란행위 규제

1. 정보이용 교란행위

다음의 자가 상장증권, 장내파생상품 또는 이를 기초자산으로 하는 파생상품의 매매, 그 밖의 거래에 미공개 정보를 이용하거나 타인에게 이용하게 하는 행위

① 내부자 등으로부터 나온 미공개(중요) 정보인 점을 알면서 이를 받거나 전득한 자
② 직무와 관련하여 미공개 정보를 생산하거나 알게 된 자
③ 해킹, 절취, 기망, 협박 등 부정한 방법으로 정보를 알게 된 자
④ ②, ③의 자들로부터 나온 정보인 점을 알면서 이를 받거나 전득한 자

2. 시세관여 교란행위

상장증권 또는 장내파생상품에 관한 매매 등과 관련하여 다음 중 어느 하나에 해당하는 행위

① 거래성립 가능성이 희박한 호가를 대량으로 제출하거나 호가를 제출한 후 해당 호가를 반복적으로 정정·취소
② 권리이전을 목적으로 하지 않고 거짓으로 꾸민 매매
③ 손익이전 또는 조세회피 목적으로 타인과 서로 짜고 하는 매매
④ 풍문을 유포하거나 거짓으로 계책을 꾸며 상장증권 등의 수급상황이나 가격에 대하여 오해를 유발하거나 가격을 왜곡할 우려가 있는 행위

▌제3과목(직무윤리 및 법규/투자운용 및 전략 I 등)

67~69 │ 한국금융투자협회규정

67 ④
출제빈도 **상**

출제영역 한국금융투자협회규정 > 금융투자회사의 영업 및 업무에 관한 규정 > 투자권유 등

일반투자자가 고난도 금융투자상품 이외의 공모의 방법으로 발행된 파생결합증권을 매매하는 경우 핵심설명서를 추가로 교부하고 그 내용을 충분히 설명해야 한다. 다만 파생결합증권 중 주식워런트증권, 상장지수증권, 금적립계좌 등은 제외된다.

68 ①
출제빈도 **상**

출제영역 한국금융투자협회규정 > 금융투자회사의 영업 및 업무에 관한 규정 > 조사분석자료 작성 및 공표

조사분석자료는 금융투자회사의 임직원 및 제3자의 작성이 가능하다. 다만 제3자가 작성한 분석자료를 공표하는 경우 제3자의 성명을 조사분석자료에 기재해야 한다.

69 ②
출제빈도 **하**

출제영역 한국금융투자협회규정 > 증권 인수업무 등에 관한 규정 > 주식의 인수

주식의 공모가격 산정에 대해 협회가 특정 모형을 제시하지는 않는다.

| 핵심 개념 | 주식의 공모가격 산정 방법 |

기업공개를 위한 주식의 공모가격 산정에 대한 방법은 협회가 구체적인 가격평가모형을 제시하지 않고 있으며 수요예측 등을 통해 다음의 방법으로 결정한다.

기업공개를 위한 주식의 공모가격 산정에 대한 방법은 협회가 구체적인 가격평가모형을 제시하지 않고 있으며 수요예측 등을 통해 다음의 방법으로 결정한다.

1. 인수회사와 발행회사가 협의하여 단일 가격으로 정하는 방법
2. 기관투자자를 대상으로 수요예측을 실시하고 그 결과를 감안하여 인수회사와 발행회사가 합의하여 정하는 방법
3. 대표주관회사가 사전에 정한 방법에 따라 기관투자자들로부터 경매의 방식으로 입찰 가격과 수량을 제출받은 후 최저 공모 가격 이상의 입찰에 대해 해당 입찰자가 제출한 가격으로 정하는 방법
4. 대표주관회사가 사전에 정한 방법에 따라 기관투자자들로부터 경매의 방식으로 입찰 가격과 수량을 제출받은 후 산정한 단일 가격으로 정하는 방법

| 핵심 개념 | 대표주관계약 체결 |

금융투자회사는 기업공개 또는 장외법인공모를 위한 주식의 인수를 의뢰받은 때에는 대표주관계약을 체결하고, 주식인수의뢰서 사본, 대표주관계약서 및 발행회사의 사업자등록증 사본을 계약 체결일로부터 5영업일 이내에 협회에 신고해야 한다.

제3과목(직무윤리 및 법규/투자운용 및 전략Ⅰ 등)

70~75 주식투자운용/투자전략

70 ③
출제빈도 상

출제영역 주식투자운용 및 투자전략 > 운용과정과 주식투자 > 주식투자의 중요성

준강형 효율적 시장가설에 대한 설명이다.

| 핵심 개념 | 효율적 시장가설 |

1. 약형 효율적 시장가설
   과거 주가의 움직임은 미래 주가의 움직임의 방향이나 그 크기에 어떤 정보도 제공하지 않는다. 즉, 기술적 분석은 아무런 가치가 없다.
2. 준강형 효율적 시장가설
   일단 정보가 공개되면 즉각적으로 주가에 반영되기 때문에 공개된 정보는 종목을 선정하는 데 아무런 도움이 되지 않는다. 따라서 공개된 정보로부터 이익을 얻는 것은 불가능하다.
3. 강형 효율적 시장가설
   기업에 대해 알려졌거나 알 수 있는 정보는 주식의 분석에 도움이 되지 않는다. 알려진 정보나 예측 가능한 정보라면 이미 주가에 반영되어 있을 것이며, 예측할 수 없는 정보라면 그 효과 또한 불규칙적이다.
4. 비효율 시장가설
   효율적 시장가설이 성립하지 않는 이유를 설명하는 것으로 위험기피적인 투자자의 성향, 투자자들의 과민반응과 과소반응, 프레이밍효과, 군집현상, 차익거래의 제약으로 설명된다.

71 ④
출제빈도 상

출제영역 주식투자운용 및 투자전략 > 전략적 자산배분 > 전략적 자산배분의 실행방법

연기금, 생명보험, 자산운용회사 등의 기관투자자들이 시장에서 실행하고 있는 자산배분을 모방하여 전략을 구성하는 방법이다. 상당히 많은 전략적 자산배분의 출발점으로 타 기관투자가의 자산배분을 참고로 하고 있기 때문에 보편화되어 있는 방법이다.

| 핵심 개념 | 전략적 자산배분 실행방법 |

1. 시장가치 접근방법
   여러 가지 투자자들의 포트폴리오 내 구성비중을 각 자산이 시장에서 차지하는 시가총액의 비율과 동일하게 포트폴리오를 구성하는 방법이다.
2. 위험수익 최적화 방법
   기대수익과 위험 간의 관계를 고려하여 동일한 위험 수준에서 최대한으로 보상받을 수 있는 지배원리에 의하여 포트폴리오를 구성하는 방법이다.
3. 투자자별 특수상황을 고려하는 방법
   운용기관의 위험, 취소 요구수익률, 다른 자산과의 잠재적인 결합 등을 고려하여 수립하는 투자전략이다.
4. 다른 유사한 기관투자자들의 자산배분을 모방하는 방법
   연기금, 생명보험, 자산운용회사 등의 기관투자자들의 시장에서 실행하고 있는 자산배분을 모방하여 전략적 자산구성을 하는 방법이다.

72 ④
출제빈도 중

출제영역 주식투자운용 및 투자전략 > 보험자산배분 > 보험자산배분 정의 및 운용과정

보험자산배분 전략은 위험자산과 무위험자산 간에 투자자금을 할당하는 방식을 토대로 한다. 이 방식은 오로지 포트폴리오 가치에만 의존하며, 미래 시장 상황에 대한 견해와 투자성과에 대한 예측은 위험자산의 선택에만 영향을 주고 위험자산과 무위험자산 간의 투자자금 할당에는 영향을 미치지 못한다.

73 ④
출제빈도 상

출제영역 주식투자운용 및 투자전략 > 주식 포트폴리오 운용전략 > 패시브 운용(Passive Management)

동일 가중방식은 모든 종목을 동일하게 취급한다. 그러나 실질적으로는 훨씬 많은 수의 소형기업이 존재하기 때문에 소형기업의 가중치가 높아지는 경향을 가진다. 또한 이 방식에 따라 인덱스 포트폴리오를 구성하면 가중치를 일치시키기 위해 주기적으로 거래가 발생하고 결과적으로 많은 거래비용이 발생하게 된다.

| 핵심 개념 |

1. 주가가중방식
   절대적인 주당 가격이 가중치가 된다. 주가지수는 각 주가의 합을 조정된 주식수로 나눈 값이다.
2. 시가가중 주가지수
   발행된 주식수에 주가를 곱한 값인 시가총액이 가중치가 된다. 지수를 구성하는 종목의 모든 발행주식을 보유했을 때의 성과를 나타낸다.

3. 유동시가 가중방식

정부나 지배주주 등이 보유하고 있는 주식을 제외하고 실제로 거래 가능한 주식을 유동주식이라 하는데, 유동주식 수에 주가를 곱한 값이 유동시가총액을 가중치로 사용하는 지수를 유동시가가중 주가지수라 한다. 최근에는 국내 주가지수인 KOSPI와 KOSPI200도 유동시가 가중방식을 채택하였다.

74 ②
출제빈도 상

출제영역 주식투자운용 및 투자전략 > 주식 포트폴리오 운용전략 > 준액티브(Semi-Active) 운용

시장 전체를 대상으로 하는 지수보다 나은 성과를 보일 것으로 기대되는 세부 자산군에 집중된 지수를 이용하는 세부 자산군을 선택하는 전략을 사용한다.

┌─ | 핵심 개념 | 인핸스드 인덱스펀드

전통적인 인덱스펀드는 낮은 운용비용을 바탕으로 액티브펀드보다 나은 성과를 추구했으나 인핸스드 인덱스펀드는 인덱스펀드의 장점을 살리면서도 초과수익을 추구함으로써 안정적으로 인덱스펀드보다 나은 성과를 달성하려는 목적을 가지고 있다. 이러한 점에서 '인덱스 + 알파 펀드'라 부른다.

75 ①
출제빈도 중

출제영역 주식투자운용 및 투자전략 > 주식 포트폴리오 운용전략 > 수익·위험구조 변경을 위한 운용

투자기간에 대한 제한이 없는 것은 델타헤징을 이용한 운용의 장점에 해당하며 나머지는 단점에 대한 설명이다.

┌─ | 핵심 개념 | 델타헤징 전략과 장·단점

1. 델타헤징 전략

투자기간의 만기까지 원하는 수익·위험구조와 동일한 델타를 가지도록 주식이나 선물 등의 포지션을 지속적으로 변화시킴으로써 만기에 원하는 수익·위험구조가 달성되도록 하는 운용방식이다. 이러한 운용의 대표적인 것이 포트폴리오 인슈런스 전략이다.

2. 델타헤징 운용의 장점과 단점

① 장점

- 투자기간에 대한 제한이 없다.
- 사전에 지불해야 하는 비용이 없다.
- 운용기간 동안 실제 시장 상황을 반영하여 수익·위험구조가 결정된다.
- 현물 운용 시 액티브 운용을 통해 추가적인 수익을 기대할 수 있다.

② 단점

- 사전에 수익·위험구조가 확정되지 않고 운용능력에 따라 변화할 가능성이 존재한다.
- 델타헤징에 따른 매매수수료가 과다하게 발생하여 파생상품의 거래수수료보다도 높은 비용이 발생할 수 있다.
- 실제의 모수가 미래의 모수보다 불리한 경우에는 수익률이 낮아질 수 있는 등의 단점도 있다.

| 제3과목(직무윤리 및 법규/투자운용 및 전략Ⅰ 등)

76~81 | 채권투자운용/투자전략

76 ③
출제빈도 상

출제영역 채권투자운용 및 투자전략 > 채권의 개요와 채권시장 > 채권의 분류와 종류

1. 패리티 가격: 전환대상주식의 시장가격 ÷ 전환가격 × 액면가
= 18,000원 ÷ 20,000원 × 10,000원 = 9,000원

2. 패리티: 주가 ÷ 전환가격 × 100
= 18,000원 ÷ 20,000원 × 100 = 90%

3. 괴리: 전환사채시장가격 − 패리티 가격
= 11,000원 − 9,000원 = 2,000원

4. 괴리율: 괴리 ÷ 패리티 가격 × 100
= 2,000 ÷ 9,000원 × 100 = 22.2%

77 ②
출제빈도 상

출제영역 채권투자운용 및 투자전략 > 채권의 개요와 채권시장 > 채권의 분류와 종류

패리티(Parity)에 대한 설명이다. 패리티는 '주가 ÷ 전환가격 × 100'으로 계산되며 전환가격이 일정하기 때문에 주가가 상승하면 패리티도 오르고 반대로 주가가 떨어지면 패리티도 떨어진다. 이처럼 패리티는 주가와 상관관계가 있기 때문에 전환사채 투자를 할 경우 무엇보다도 중요한 지표라 할 수 있다. 일반적으로 패리티가 100을 초과(주가가 전환가격을 상회)하면 초과할수록 주식가치가 크게 되어 주가가 전환사채시장 가격을 변동시키는 큰 요인이 된다.

┌─ | 핵심 개념 | 전환사채 용어

1. 괴리(원) = 전환사채시장 가격 − 패리티 가격

2. 괴리율 = 전환사채시장 가격 − 패리티 가격 ÷ 패리티 가격 × 100

3. 전환가치(패리티 가격) = 전환된 주식들의 시장가치를 나타내며, 일반적으로 전환대상 주식의 시장가격을 전환 주수로 곱한 것으로 표시된다.

78 ②
출제빈도 상

출제영역 채권투자운용 및 투자전략 > 채권의 개요와 채권시장 > 채권의 분류와 종류

신주인수권부사채는 신주인수권이 행사된 후에도 사채권이 존속하고, 대주주 지분의 하락 우려가 있으며 주가 변동에 따른 행사시기의 불확실에 따른 자본구조 불확실을 단점으로 들 수 있다. 투자자 측면에서는 주가 약세 시 불이익을 받을 수 있으며 인수권 행사 후에는 낮은 이율의 사채만 존속하게 되는 단점이 있다.

79 ②

출제영역 채권투자운용 및 투자전략 > 채권 가격결정과 채권수익률 > 채권 가격결정

시간이 지날수록, 만기가 짧아질수록 채권의 가격은 액면가에 수렴한다.

─ **│핵심 개념│ 채권가격결정의 특성** ──────

1. 가격/수익률의 관계
   채권 가격과 수익률은 서로 역의 관계를 가지며 볼록(Convex)한 형태를 가진다.
2. 이표율/수익률의 관계
   • 이표율 = 수익률인 경우 액면가에 거래된다.
   • 이표율 > 수익률인 경우 액면가보다 비싸게 거래된다.
   • 이표율 < 수익률인 경우 액면가보다 싸게 거래된다.
3. 시간 경과에 따른 채권가격의 진행 경로
   시간이 지날수록 즉, 만기가 짧아질수록 채권의 가격은 액면가에 수렴하게 되면 이를 'pull-to-par' 현상이라 한다.

80 ④

출제영역 채권투자운용 및 투자전략 > 듀레이션과 볼록성 > 듀레이션

모두 맥컬레이 듀레이션의 특징이며 참고로 듀레이션은 채권가격의 변동성, 즉 민감도를 의미한다.

─ **│핵심 개념│ 맥컬레이 듀레이션의 의의와 특성** ──────

1. 듀레이션은 채권의 일련의 현금흐름 잔존기간을 그 현재가치를 가중치로 사용하여 가중평균한 가중평균 잔존만기이다.
2. 듀레이션은 최초 투자 당시의 만기수익률에 의한 투자수익을 수익률 변동 위험 없이 실현할 수 있는 투자의 가중평균 회수기간이다(면역 전략).
3. 듀레이션은 시점이 다른 일련의 현금흐름을 가진 채권을 현금흐름이 한 번만 발생하는 채권으로 등가 전환할 때의 그 채권의 잔존만기에 해당된다.
4. 듀레이션은 일련의 현금흐름의 현재가치들의 무게 중심 역할을 하는 균형점이다.
5. 무액면금리채권(Zero Coupon Bond)의 만기는 바로 듀레이션이다.
6. 이표채권의 경우 액면금리가 낮을수록 듀레이션은 길어진다.
7. 만기가 길수록 듀레이션 역시 길어진다(Deep Discount Bond는 예외).
8. 이자율이 i%인 영구채권의 듀레이션은 (1+i) / i 이다.

81 ②

출제영역 채권투자운용 및 투자전략 > 채권운용전략 > 적극적 채권운용 전략

ⓒ 잔존기간이 단축됨에 따라 수익률이 하락하는 효과를 이용하는 전략은 롤링효과이다.
ⓒ 단기채권과 장기채권은 매도하고 중기채권만을 보유하는 전략을 바벨(Barbell)형 전략이라고 한다.

82~87 │ 파생상품투자운용/투자전략

82 ①

출제영역 파생상품투자운용 및 투자전략 > 선물 총론 > 선물거래의 경제적 기능

현물가격과 선물가격 간의 관계에서 선물가격이 현물가격보다 높고 선물가격 내에서 만기가 먼 원월물(Deferred futures)의 가격이 만기가 가까운 근월물(Nearby futures)의 가격보다 높은 경우 콘탱고(Contango) 상태 또는 정상시장(Normal market)이라고 표현한다. 다만 선물가격이 이론선물가격이 높은 경우에만 매수차익거래가 발생하므로 콘탱고 상태라고 언제나 매수차익거래(현물 매수 + 선물 매도)가 발생하는 것은 아니다.

83 ④

출제영역 파생상품투자운용 및 투자전략 > 선물 총론 > 선물거래 전략

선물계약수 = (포트폴리오 금액 × 베타) ÷ (KOSPI200 선물지수 × 25만원)
= (100억원 × 1.2) ÷ (250 × 25만원) = 192계약 매도

👆 **저자의 Tip**

주식 포트폴리오를 보유한 경우 가격하락 위험이 있기 때문에 선물 매도 포지션입니다.

84 ③

출제영역 파생상품투자운용 및 투자전략 > 옵션 프리미엄과 풋-콜 패리티 > 풋-콜 패리티와 그 응용

풋-콜 패리티 = P + S = C + X ÷ (1 + r)
= P + 206 = 10 + 206 ÷ (1 + 4%)
→ P = 2.07pt

85 ④

출제영역 파생상품투자운용 및 투자전략 > 옵션 프리미엄과 풋-콜 패리티 > 풋-콜 패리티와 그 응용

풋-콜 패리티 = P + S = C + B
P(풋옵션) 매수 + S(주식) 매수 = C(콜옵션 매수) + B(채권 매수)

86 ②

출제영역 파생상품투자운용 및 투자전략 > 옵션 프리미엄과 풋-콜 패리티 > 풋-콜 패리티와 그 응용

컨버전 전략은 합성 매도 포지션과 현물 매수 포지션을 병행하는 전략이다. 여기서 합성 매도는 동일한 행사 가격의 '풋옵션 매수

+ 콜옵션 매도'를 통해서 기초자산 가격의 하락 시 이익을 보도록 포지션을 구축하는 방법이다. 이러한 합성 매도 포지션과 현물 매수 포지션을 동시에 취할 경우 우리는 옵션만기 시점과 동일한 시점에서 만기가 되는 가상적인 선물을 이용한 매수차익거래 포지션을 만들어낼 수 있게 되는데 이를 컨버전 전략이라 한다.

저자의 Tip

합성 매도 포지션은 행사 가격이 100인 풋옵션을 매수하는 동시에 행사 가격이 100인 콜옵션을 매도할 경우 기초자산 가격이 100보다 떨어질 경우 떨어진 만큼 이익, 100 이상일 경우 오른 만큼 손해를 보는 포지션, 다시 말해 100에 대한 선물 매도포지션과 동일한 포지션이 창출된다.

87 ②

출제빈도 중

출제영역 파생상품투자운용 및 투자전략 > 옵션 및 옵션 합성 포지션의 분석 > 옵션 프리미엄의 민감도 지표

감마는 만기가 짧고 등가격 옵션일수록 크다. 이유는 콜옵션의 프리미엄 구조를 그래프로 나타내면 그래프의 기울기 변화가 가장 큰 지점, 즉 볼록한 지점은 바로 기초자산 가격이 행사가격과 비슷한 지점이 되는데 이는 옵션이 등가격(ATM)일 때 볼록도가 커지기 때문이다.

제3과목(직무윤리 및 법규/투자운용 및 전략 I 등)

88~91 | 투자운용결과분석

88 ③

출제빈도 중

출제영역 투자운용결과분석 > 성과평가 기초사항 > 펀드의 회계처리

체결일을 기준으로 회계처리해야 한다. 유가증권 등의 거래는 주문(order), 체결(execution), 결제(settlement)의 과정을 거치는데, 이러한 과정이 동시에 발생하지 않고 지연되는 것이 보통이다. 우리나라 주식거래의 경우 체결일부터 제3영업일에 결제가 발생하며, 채권의 거래는 익영업일에 주로 결제가 일어난다. 해외 상품에 대한 거래나 외국 증권시장에서의 거래에서는 체결 이후 결제에 걸리는 기간이 더 길어지기도 한다. 소유권의 이전이나 거래대금과 유가증권의 교환은 결제일에 발생하지만, 이때까지 회계처리를 지연시키지 말고 체결일에 모든 회계처리를 하는 것이 체결일 기준 회계처리방식이다.

89 ②

출제빈도 상

출제영역 투자운용결과분석 > 기준 지표 > 기준 지표의 바람직한 특성과 종류

시장지수는 운용에 특이한 제약조건이 없는 경우에 적합하고 일반성이 적은 펀드를 평가할 때는 맞춤포트폴리오를 기준 지표로 활용한다. 특정 분야에 집중 투자할 때 적합한 지수는 섹터/style이다.

| 핵심 개념 | 기준지표의 종류

1. 시장지수
   펀드 운용에 특이한 제약조건이 없는 경우에 적합하다.
2. 섹터/style 지수
   특정 분야에 집중 투자하는 경우에 적합하다.
3. 합성지수
   복수의 자산 유형에 투자하는 경우에 적합하다.
4. 정상포트폴리오
   채권형 BM(벤치마크)으로 많이 활용된다.
5. 맞춤포트폴리오
   일반성이 적은 펀드를 평가하기 위한 기준지표이다.

90 ④

출제빈도 중

출제영역 투자운용결과분석 > 위험조정 성과지표 > 위험조정 성과지표의 유형

잔차위험(Tracking error)은 정보비율을 계산할 때 분모로 초과수익의 표준편차를 뜻한다. 정보비율이란 적극적인 투자성과 위험을 고려하여 평가하려는 목적을 가지고 있으며, 투자자들이 수익률을 선호하고 위험을 회피하려 한다고 가정한다. 정보비율의 특징은 펀드의 위험조정 후 수익률이 잔차위험 또는 분산 가능한 위험에 대한 노출로 달성된 것인가를 파악하고자 하는 데 있다.

91 ②

출제빈도 상

출제영역 투자운용결과분석 > 성과 특성 분석 > 포트폴리오 및 스타일 분석

포트폴리오 분석에 대한 설명이다. 포트폴리오 분석은 펀드 내 자산의 배분비율 및 배분비율 변화 추이를 분석하는 것에서부터 시작하는 것이 일반적이다. 먼저 펀드 내의 투자자산 종류별 구성현황, 즉 주식, 채권, 유동성 등의 배분비율 및 배분비율 변화 추이를 분석하거나 해외에 투자하는 펀드의 경우 지역별 투자자산의 배분현황 및 배분현황 변화 추이를 분석한다.

제3과목(직무윤리 및 법규/투자운용 및 전략 I 등)

92~95 | 거시경제

92 ②

출제빈도 중

출제영역 거시경제분석 > 경제모형과 경제정책의 분석: IS-LM모형 > 재정정책과 통화정책에 대한 논의

확대재정정책은 한편으로는 국민소득을 증가시키지만 다른 한편으로는 이자율 상승으로 인한 민간투자의 위축으로 국민소득이 감소하게 된다. 이처럼 확대재정정책이 이자율을 상승시켜 민간투자를 위축시키는 현상을 구축효과(Crowding out effect)라고 한다.

93 ③

> **출제영역** 거시경제분석 > 경제모형과 경제정책의 분석: IS-LM모형 > 재정정책과 통화정책에 대한 논의

통화주의자(항상 소득 가설)는 소비가 항상 소득(Pemanent income)에만 의존하므로 세금 감소가 일시적이냐 영구적이냐에 따라 효과가 달라진다. 즉 일시적 세금 감소는 항상 소득(영구소득이라고도 함)을 변동시키지 못해 소비에는 변동이 없으나 영구적 세금 감소는 항상 소득을 변동시켜 소비에 영향을 주게 된다. 결국 케인즈학파의 확대재정정책은 일시적 세금 변동이므로 총수요에는 아무런 변동이 없게 된다. 한편, 합리적 기대학파는 '리카르도 불변 정리(RET; Ricardian Equivalence Theorem)'를 주장했다. 합리적 경제주체는 현재 세금의 감소를 미래 세금의 증가로 인식하기 때문에 세금 감소는 민간의 저축을 증가시킬 뿐 총수요에는 변동이 없다는 것이다. 즉 합리적 기대학파는 정부 공채를 부(wealth)로 간주하지 않음으로써, 소비가 증가하지 않아 총수요가 변동하지 않게 된다고 주장했다.

94 ④

> **출제영역** 거시경제분석 > 경기변동과 경기예측 > 경기지수, 물가지수 및 통화 관련 지표

상용근로자수는 경기후행지수이다.

| 핵심 개념 | 경기종합지수 개별경제지표(출처: 통계청)

1. 선행 종합지수(7개): 재고순환지표, 경제심리지수, 건설수주액(실질), 기계류내수출하지수(선박 제외), 수출입물가비율, 코스피, 장단기금리차
2. 경기동행지수(7개): 광공업생산지수, 서비스업생산지수(도소매업 제외), 소매판매액지수, 내수출하지수, 건설기성액(실질), 수입액(실질), 비농림어업취업자수
3. 후행 종합지수(5개): 생산자제품재고지수, 소비자물가지수변화율(서비스), 소비재수입액(실질), 취업자수, CP유통수익률

95 ③

> **출제영역** 거시경제분석 > 경기변동과 경기예측 > 경기전망을 위한 계량적 방법

경기확산지수가 50% 이상이면 상승국면으로, 50% 이하면 하강국면으로 판단한다. 때문에 경기확산지수가 90에서 60으로 하락했더라도 상승국면으로 본다.

▌제3과목(직무윤리 및 법규 / 투자운용 및 전략 I 등)

96~100 | 분산투자기법

96 ②

> **출제영역** 분산투자기법 > 포트폴리오 관리 > 포트폴리오 기대수익과 위험

1. 베타(β) = 공분산 ÷ 분산 = 0.03 ÷ 0.02 = 1.5
2. 주식 A의 요구수익률 K = Rf + β × (Rm-Rf)

= 8% + 1.5 × (15% - 8%) = 0.185
3. A주식의 내재가치 = D_1 ÷ (K-g)

= 1,500 ÷ (0.185 - 0.1) = 17,647원

97 ③

> **출제영역** 분산투자기법 > 단일 지표 모형 > 단일 지표 모형에 의한 포트폴리오 선택

체계적 위험은 주식과 채권 등 모든 증권에 공통된 위험의 일부로 분산투자에 의해 제거될 수 없는 위험을 말한다. 따라서 ⓒ, ⓔ은 체계적 위험에 대한 설명이며, 나머지 보기는 비체계적 위험(충분한 분산투자로 제거 가능한 위험을)에 대한 설명이다.

98 ④

> **출제영역** 분산투자기법 > 자본자산 가격결정 모형 > 증권시장선

'요구수익률 13% < 기대수익률 15%'일 때 자산은 증권시장선(SML) 위에 위치하므로 과소평가된 상태이다. 이는 요구수익률을 기준으로 요구수익률이 기대수익률보다 크다면 과대평가, 요구수익률이 기대수익률보다 작다면 과소평가된 상태로 볼 수 있다.

저자의 Tip

증권시장선(SML)에서 균형은 요구수익률입니다. 만약 기대수익률이 요구수익률보다 높다면 증권시장선(SML) 위에 위치하므로 저평가되었다고 말하며 기대수익률이 높기 때문에 매입해야 합니다.
반대로 기대수익률이 요구수익률보다 낮다면 증권시장선(SML) 아래에 위치하므로 과대평가 되었다고 말하며 공매도를 통한 손실방어전략을 취해야 합니다.

99 ③

> **출제영역** 분산투자기법 > 단일 지표 모형 > 단일 지표 모형에 의한 포트폴리오 선택

포트폴리오의 베타는 개별 자산의 베타를 투자비중으로 가중평균하여 계산한다. 다만 이 문제에서 무위험자산의 베타는 0이므로 포트폴리오 베타는 0.3 × 1.2 + 0.7 × 0 = 0.36이다.

100 ②

> **출제영역** 분산투자기법 > 포트폴리오 투자전략과 투자성과평가 > 포트폴리오 투자전략

단순매입 · 보유전략(Naive buy-and-hold strategy)은 특정 우량증권이나 포트폴리오를 선택하고자 하는 의도적인 노력 없이 단순히 무작위적으로 선택한 증권을 매입하여 보유하는 투자전략이다. 이 전략은 무작위적(random)으로 포트폴리오를 구성하고 분산투자의 종목수를 증가시키면 증권시장 전체의 평균적인 기대수익률을 얻을 수 있다는 포트폴리오 이론에 근거를 두고 있다. 이때 부담하게 되는 위험은 보유하는 포트폴리오의 구성 종목수에 따라 달라지는데 종목수가 많아지면 시장 전체의 평균적 위험, 즉 체계적 위험만 부담하게 된다.

2022 에듀윌 투자자산운용사 실전 봉투모의고사

발 행 일	2021년 10월 21일 초판
저 자	김범곤
펴 낸 이	박명규
펴 낸 곳	(주)에듀윌
등록번호	제25100-2002-000052호
주 소	08378 서울특별시 구로구 디지털로34길 55
	코오롱싸이언스밸리 2차 3층

ISBN 979-11-360-1248-7 (13320)

www.eduwill.net
대표전화 1600-6700

여러분의 작은 소리
에듀윌은 크게 듣겠습니다.

본 교재에 대한 여러분의 목소리를 들려주세요.
공부하시면서 어려웠던 점, 궁금한 점,
칭찬하고 싶은 점, 개선할 점, 어떤 것이라도 좋습니다.

에듀윌은 여러분께서 나누어 주신 의견을
통해 끊임없이 발전하고 있습니다.

에듀윌 도서몰 book.eduwill.net
• 부가학습자료 및 정오표: 에듀윌 도서몰 → 도서자료실
• 교재 문의: 에듀윌 도서몰 → 문의하기 → 교재(내용,출간) / 주문 및 배송

에듀윌 투자자산운용사 실전 봉투모의고사

이름

생년월일

실시일자

수험번호

01	①	②	③	④
02	①	②	③	④
03	①	②	③	④
04	①	②	③	④
05	①	②	③	④
06	①	②	③	④
07	①	②	③	④
08	①	②	③	④
09	①	②	③	④
10	①	②	③	④
11	①	②	③	④
12	①	②	③	④
13	①	②	③	④
14	①	②	③	④
15	①	②	③	④
16	①	②	③	④
17	①	②	③	④
18	①	②	③	④
19	①	②	③	④
20	①	②	③	④
21	①	②	③	④
22	①	②	③	④
23	①	②	③	④
24	①	②	③	④
25	①	②	③	④
26	①	②	③	④
27	①	②	③	④
28	①	②	③	④
29	①	②	③	④
30	①	②	③	④
31	①	②	③	④
32	①	②	③	④
33	①	②	③	④
34	①	②	③	④
35	①	②	③	④
36	①	②	③	④
37	①	②	③	④
38	①	②	③	④
39	①	②	③	④
40	①	②	③	④
41	①	②	③	④
42	①	②	③	④
43	①	②	③	④
44	①	②	③	④
45	①	②	③	④
46	①	②	③	④
47	①	②	③	④
48	①	②	③	④
49	①	②	③	④
50	①	②	③	④
51	①	②	③	④
52	①	②	③	④
53	①	②	③	④
54	①	②	③	④
55	①	②	③	④
56	①	②	③	④
57	①	②	③	④
58	①	②	③	④
59	①	②	③	④
60	①	②	③	④
61	①	②	③	④
62	①	②	③	④
63	①	②	③	④
64	①	②	③	④
65	①	②	③	④
66	①	②	③	④
67	①	②	③	④
68	①	②	③	④
69	①	②	③	④
70	①	②	③	④
71	①	②	③	④
72	①	②	③	④
73	①	②	③	④
74	①	②	③	④
75	①	②	③	④
76	①	②	③	④
77	①	②	③	④
78	①	②	③	④
79	①	②	③	④
80	①	②	③	④
81	①	②	③	④
82	①	②	③	④
83	①	②	③	④
84	①	②	③	④
85	①	②	③	④
86	①	②	③	④
87	①	②	③	④
88	①	②	③	④
89	①	②	③	④
90	①	②	③	④
91	①	②	③	④
92	①	②	③	④
93	①	②	③	④
94	①	②	③	④
95	①	②	③	④
96	①	②	③	④
97	①	②	③	④
98	①	②	③	④
99	①	②	③	④
100	①	②	③	④

수험번호 마킹: ⓪ ① ② ③ ④ ⑤ ⑥ ⑦ ⑧ ⑨

에듀윌 투자자산운용사 실전 봉투모의고사

수험번호

⓪	①	②	③	④	⑤	⑥	⑦	⑧	⑨
⓪	①	②	③	④	⑤	⑥	⑦	⑧	⑨
⓪	①	②	③	④	⑤	⑥	⑦	⑧	⑨
⓪	①	②	③	④	⑤	⑥	⑦	⑧	⑨
⓪	①	②	③	④	⑤	⑥	⑦	⑧	⑨
⓪	①	②	③	④	⑤	⑥	⑦	⑧	⑨
⓪	①	②	③	④	⑤	⑥	⑦	⑧	⑨

이름

생년월일

실시일자

01	① ② ③ ④	21	① ② ③ ④	41	① ② ③ ④	61	① ② ③ ④	81	① ② ③ ④
02	① ② ③ ④	22	① ② ③ ④	42	① ② ③ ④	62	① ② ③ ④	82	① ② ③ ④
03	① ② ③ ④	23	① ② ③ ④	43	① ② ③ ④	63	① ② ③ ④	83	① ② ③ ④
04	① ② ③ ④	24	① ② ③ ④	44	① ② ③ ④	64	① ② ③ ④	84	① ② ③ ④
05	① ② ③ ④	25	① ② ③ ④	45	① ② ③ ④	65	① ② ③ ④	85	① ② ③ ④
06	① ② ③ ④	26	① ② ③ ④	46	① ② ③ ④	66	① ② ③ ④	86	① ② ③ ④
07	① ② ③ ④	27	① ② ③ ④	47	① ② ③ ④	67	① ② ③ ④	87	① ② ③ ④
08	① ② ③ ④	28	① ② ③ ④	48	① ② ③ ④	68	① ② ③ ④	88	① ② ③ ④
09	① ② ③ ④	29	① ② ③ ④	49	① ② ③ ④	69	① ② ③ ④	89	① ② ③ ④
10	① ② ③ ④	30	① ② ③ ④	50	① ② ③ ④	70	① ② ③ ④	90	① ② ③ ④
11	① ② ③ ④	31	① ② ③ ④	51	① ② ③ ④	71	① ② ③ ④	91	① ② ③ ④
12	① ② ③ ④	32	① ② ③ ④	52	① ② ③ ④	72	① ② ③ ④	92	① ② ③ ④
13	① ② ③ ④	33	① ② ③ ④	53	① ② ③ ④	73	① ② ③ ④	93	① ② ③ ④
14	① ② ③ ④	34	① ② ③ ④	54	① ② ③ ④	74	① ② ③ ④	94	① ② ③ ④
15	① ② ③ ④	35	① ② ③ ④	55	① ② ③ ④	75	① ② ③ ④	95	① ② ③ ④
16	① ② ③ ④	36	① ② ③ ④	56	① ② ③ ④	76	① ② ③ ④	96	① ② ③ ④
17	① ② ③ ④	37	① ② ③ ④	57	① ② ③ ④	77	① ② ③ ④	97	① ② ③ ④
18	① ② ③ ④	38	① ② ③ ④	58	① ② ③ ④	78	① ② ③ ④	98	① ② ③ ④
19	① ② ③ ④	39	① ② ③ ④	59	① ② ③ ④	79	① ② ③ ④	99	① ② ③ ④
20	① ② ③ ④	40	① ② ③ ④	60	① ② ③ ④	80	① ② ③ ④	100	① ② ③ ④

에듀윌 투자자산운용사 실전 봉투모의고사

번호					번호					번호					번호				
01	①	②	③	④	21	①	②	③	④	41	①	②	③	④	61	①	②	③	④
02	①	②	③	④	22	①	②	③	④	42	①	②	③	④	62	①	②	③	④
03	①	②	③	④	23	①	②	③	④	43	①	②	③	④	63	①	②	③	④
04	①	②	③	④	24	①	②	③	④	44	①	②	③	④	64	①	②	③	④
05	①	②	③	④	25	①	②	③	④	45	①	②	③	④	65	①	②	③	④
06	①	②	③	④	26	①	②	③	④	46	①	②	③	④	66	①	②	③	④
07	①	②	③	④	27	①	②	③	④	47	①	②	③	④	67	①	②	③	④
08	①	②	③	④	28	①	②	③	④	48	①	②	③	④	68	①	②	③	④
09	①	②	③	④	29	①	②	③	④	49	①	②	③	④	69	①	②	③	④
10	①	②	③	④	30	①	②	③	④	50	①	②	③	④	70	①	②	③	④
11	①	②	③	④	31	①	②	③	④	51	①	②	③	④	71	①	②	③	④
12	①	②	③	④	32	①	②	③	④	52	①	②	③	④	72	①	②	③	④
13	①	②	③	④	33	①	②	③	④	53	①	②	③	④	73	①	②	③	④
14	①	②	③	④	34	①	②	③	④	54	①	②	③	④	74	①	②	③	④
15	①	②	③	④	35	①	②	③	④	55	①	②	③	④	75	①	②	③	④
16	①	②	③	④	36	①	②	③	④	56	①	②	③	④	76	①	②	③	④
17	①	②	③	④	37	①	②	③	④	57	①	②	③	④	77	①	②	③	④
18	①	②	③	④	38	①	②	③	④	58	①	②	③	④	78	①	②	③	④
19	①	②	③	④	39	①	②	③	④	59	①	②	③	④	79	①	②	③	④
20	①	②	③	④	40	①	②	③	④	60	①	②	③	④	80	①	②	③	④

81	①	②	③	④
82	①	②	③	④
83	①	②	③	④
84	①	②	③	④
85	①	②	③	④
86	①	②	③	④
87	①	②	③	④
88	①	②	③	④
89	①	②	③	④
90	①	②	③	④
91	①	②	③	④
92	①	②	③	④
93	①	②	③	④
94	①	②	③	④
95	①	②	③	④
96	①	②	③	④
97	①	②	③	④
98	①	②	③	④
99	①	②	③	④
100	①	②	③	④

이름

생년월일

실시일자

수험번호

⓪ ① ② ③ ④ ⑤ ⑥ ⑦ ⑧ ⑨
⓪ ① ② ③ ④ ⑤ ⑥ ⑦ ⑧ ⑨
⓪ ① ② ③ ④ ⑤ ⑥ ⑦ ⑧ ⑨
⓪ ① ② ③ ④ ⑤ ⑥ ⑦ ⑧ ⑨
⓪ ① ② ③ ④ ⑤ ⑥ ⑦ ⑧ ⑨
⓪ ① ② ③ ④ ⑤ ⑥ ⑦ ⑧ ⑨
⓪ ① ② ③ ④ ⑤ ⑥ ⑦ ⑧ ⑨

에듀윌 투자자산운용사 실전 봉투모의고사

문항	①	②	③	④	문항	①	②	③	④	문항	①	②	③	④	문항	①	②	③	④	문항	①	②	③	④
01	①	②	③	④	21	①	②	③	④	41	①	②	③	④	61	①	②	③	④	81	①	②	③	④
02	①	②	③	④	22	①	②	③	④	42	①	②	③	④	62	①	②	③	④	82	①	②	③	④
03	①	②	③	④	23	①	②	③	④	43	①	②	③	④	63	①	②	③	④	83	①	②	③	④
04	①	②	③	④	24	①	②	③	④	44	①	②	③	④	64	①	②	③	④	84	①	②	③	④
05	①	②	③	④	25	①	②	③	④	45	①	②	③	④	65	①	②	③	④	85	①	②	③	④
06	①	②	③	④	26	①	②	③	④	46	①	②	③	④	66	①	②	③	④	86	①	②	③	④
07	①	②	③	④	27	①	②	③	④	47	①	②	③	④	67	①	②	③	④	87	①	②	③	④
08	①	②	③	④	28	①	②	③	④	48	①	②	③	④	68	①	②	③	④	88	①	②	③	④
09	①	②	③	④	29	①	②	③	④	49	①	②	③	④	69	①	②	③	④	89	①	②	③	④
10	①	②	③	④	30	①	②	③	④	50	①	②	③	④	70	①	②	③	④	90	①	②	③	④
11	①	②	③	④	31	①	②	③	④	51	①	②	③	④	71	①	②	③	④	91	①	②	③	④
12	①	②	③	④	32	①	②	③	④	52	①	②	③	④	72	①	②	③	④	92	①	②	③	④
13	①	②	③	④	33	①	②	③	④	53	①	②	③	④	73	①	②	③	④	93	①	②	③	④
14	①	②	③	④	34	①	②	③	④	54	①	②	③	④	74	①	②	③	④	94	①	②	③	④
15	①	②	③	④	35	①	②	③	④	55	①	②	③	④	75	①	②	③	④	95	①	②	③	④
16	①	②	③	④	36	①	②	③	④	56	①	②	③	④	76	①	②	③	④	96	①	②	③	④
17	①	②	③	④	37	①	②	③	④	57	①	②	③	④	77	①	②	③	④	97	①	②	③	④
18	①	②	③	④	38	①	②	③	④	58	①	②	③	④	78	①	②	③	④	98	①	②	③	④
19	①	②	③	④	39	①	②	③	④	59	①	②	③	④	79	①	②	③	④	99	①	②	③	④
20	①	②	③	④	40	①	②	③	④	60	①	②	③	④	80	①	②	③	④	100	①	②	③	④

에듀윌 투자자산운용사 실전 봉투모의고사

이름

생년월일

실시일자

수험번호

	0 1 2 3 4 5 6 7 8 9
	0 1 2 3 4 5 6 7 8 9
	0 1 2 3 4 5 6 7 8 9
	0 1 2 3 4 5 6 7 8 9
	0 1 2 3 4 5 6 7 8 9
	0 1 2 3 4 5 6 7 8 9
	0 1 2 3 4 5 6 7 8 9

번호	답	번호	답	번호	답	번호	답	번호	답
01	① ② ③ ④	21	① ② ③ ④	41	① ② ③ ④	61	① ② ③ ④	81	① ② ③ ④
02	① ② ③ ④	22	① ② ③ ④	42	① ② ③ ④	62	① ② ③ ④	82	① ② ③ ④
03	① ② ③ ④	23	① ② ③ ④	43	① ② ③ ④	63	① ② ③ ④	83	① ② ③ ④
04	① ② ③ ④	24	① ② ③ ④	44	① ② ③ ④	64	① ② ③ ④	84	① ② ③ ④
05	① ② ③ ④	25	① ② ③ ④	45	① ② ③ ④	65	① ② ③ ④	85	① ② ③ ④
06	① ② ③ ④	26	① ② ③ ④	46	① ② ③ ④	66	① ② ③ ④	86	① ② ③ ④
07	① ② ③ ④	27	① ② ③ ④	47	① ② ③ ④	67	① ② ③ ④	87	① ② ③ ④
08	① ② ③ ④	28	① ② ③ ④	48	① ② ③ ④	68	① ② ③ ④	88	① ② ③ ④
09	① ② ③ ④	29	① ② ③ ④	49	① ② ③ ④	69	① ② ③ ④	89	① ② ③ ④
10	① ② ③ ④	30	① ② ③ ④	50	① ② ③ ④	70	① ② ③ ④	90	① ② ③ ④
11	① ② ③ ④	31	① ② ③ ④	51	① ② ③ ④	71	① ② ③ ④	91	① ② ③ ④
12	① ② ③ ④	32	① ② ③ ④	52	① ② ③ ④	72	① ② ③ ④	92	① ② ③ ④
13	① ② ③ ④	33	① ② ③ ④	53	① ② ③ ④	73	① ② ③ ④	93	① ② ③ ④
14	① ② ③ ④	34	① ② ③ ④	54	① ② ③ ④	74	① ② ③ ④	94	① ② ③ ④
15	① ② ③ ④	35	① ② ③ ④	55	① ② ③ ④	75	① ② ③ ④	95	① ② ③ ④
16	① ② ③ ④	36	① ② ③ ④	56	① ② ③ ④	76	① ② ③ ④	96	① ② ③ ④
17	① ② ③ ④	37	① ② ③ ④	57	① ② ③ ④	77	① ② ③ ④	97	① ② ③ ④
18	① ② ③ ④	38	① ② ③ ④	58	① ② ③ ④	78	① ② ③ ④	98	① ② ③ ④
19	① ② ③ ④	39	① ② ③ ④	59	① ② ③ ④	79	① ② ③ ④	99	① ② ③ ④
20	① ② ③ ④	40	① ② ③ ④	60	① ② ③ ④	80	① ② ③ ④	100	① ② ③ ④

에듀윌 투자자산운용사 실전 봉투모의고사

01	①	②	③	④
02	①	②	③	④
03	①	②	③	④
04	①	②	③	④
05	①	②	③	④
06	①	②	③	④
07	①	②	③	④
08	①	②	③	④
09	①	②	③	④
10	①	②	③	④
11	①	②	③	④
12	①	②	③	④
13	①	②	③	④
14	①	②	③	④
15	①	②	③	④
16	①	②	③	④
17	①	②	③	④
18	①	②	③	④
19	①	②	③	④
20	①	②	③	④
21	①	②	③	④
22	①	②	③	④
23	①	②	③	④
24	①	②	③	④
25	①	②	③	④
26	①	②	③	④
27	①	②	③	④
28	①	②	③	④
29	①	②	③	④
30	①	②	③	④
31	①	②	③	④
32	①	②	③	④
33	①	②	③	④
34	①	②	③	④
35	①	②	③	④
36	①	②	③	④
37	①	②	③	④
38	①	②	③	④
39	①	②	③	④
40	①	②	③	④
41	①	②	③	④
42	①	②	③	④
43	①	②	③	④
44	①	②	③	④
45	①	②	③	④
46	①	②	③	④
47	①	②	③	④
48	①	②	③	④
49	①	②	③	④
50	①	②	③	④
51	①	②	③	④
52	①	②	③	④
53	①	②	③	④
54	①	②	③	④
55	①	②	③	④
56	①	②	③	④
57	①	②	③	④
58	①	②	③	④
59	①	②	③	④
60	①	②	③	④
61	①	②	③	④
62	①	②	③	④
63	①	②	③	④
64	①	②	③	④
65	①	②	③	④
66	①	②	③	④
67	①	②	③	④
68	①	②	③	④
69	①	②	③	④
70	①	②	③	④
71	①	②	③	④
72	①	②	③	④
73	①	②	③	④
74	①	②	③	④
75	①	②	③	④
76	①	②	③	④
77	①	②	③	④
78	①	②	③	④
79	①	②	③	④
80	①	②	③	④
81	①	②	③	④
82	①	②	③	④
83	①	②	③	④
84	①	②	③	④
85	①	②	③	④
86	①	②	③	④
87	①	②	③	④
88	①	②	③	④
89	①	②	③	④
90	①	②	③	④
91	①	②	③	④
92	①	②	③	④
93	①	②	③	④
94	①	②	③	④
95	①	②	③	④
96	①	②	③	④
97	①	②	③	④
98	①	②	③	④
99	①	②	③	④
100	①	②	③	④

**최종정리
OX노트**

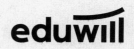

세제 관련 법규/세무전략

01 조세의 (   )에 따라 직접세와 간접세로 분류한다.

02 대표적인 간접세로는 부가가치세, 주세, 인지세, 증권거래세, 개별소비세가 있다.   (○ / X)

03 세법에서 정하는 기한이 근로자의 날이면 그 다음 날을 기한으로 한다.   (○ / X)

04 상속세의 납세의무 성립일은 상속에 의하여 재산을 취득하는 때이다.   (○ / X)

05 상속세 및 증여세는 정부가 과세표준과 세액을 결정함으로써 확정된다.   (○ / X)

06 결손금 및 환급세액을 과소신고한 경우 수정신고를 할 수 있다.   (○ / X)

07 5억원 이상의 국세채권은 (   )년간 행사하지 않으면 국세징수권의 소멸시효가 완성되고 이로 인하여 납세의무도 소멸한다.

08 국세채권과 일반채권이 경합된 경우에는 채권자 평등원칙이 배제되고 국세채권이 기타채권에 우선하는 권리를 갖는다.   (○ / X)

09 이의신청·심사청구·심판청구는 처분청의 처분을 안 날로부터 (   )일 이내에 제기해야 한다.

10 심사청구·심판청구 절차는 취소소송의 전제요건이 되어 본절차를 거치지 아니하고는 취소소송을 제기할 수 없다.   (○ / X)

📋 정답 & 상세해설

01 전가성

02 ○
직접세에는 소득세, 법인세, 상속세와 증여세, 종합부동산세가 있다.

03 ○
세법에서 정하는 기한이 공휴일(근로자의 날 포함)이면 그 다음 날을 기한으로 한다.

04 X
상속세의 경우 상속이 개시되는 때 납세의무가 성립한다.

05 ○
정부가 과세표준과 세액을 결정함으로써 납세의무가 확정되는 것을 부과확정이라 한다.

06 X
결손금 또는 환급세액을 과소신고하거나 과세표준 및 세액을 과다신고한 경우 경정청구를 할 수 있다.

07 10
5억원 미만의 일반적인 경우, 국세징수권의 소멸시효는 5년이다.

08 ○

09 90

10 ○
이의신청은 청구인의 선택에 따라 본절차를 생략할 수 있지만 심사청구와 심판청구는 생략이 불가능하다.

11 우리나라 소득세는 (　　　　)을 취하고 있으므로 (　　　　)만 과세대상으로 보는데 이를 (　　　　) 과세방법이라 한다.

12 우리나라 소득세 제도는 소득발생지에 불구하고 주소지를 납세지로 한다. (○ / X)

13 퇴직소득과 양도소득은 분리과세한다. (○ / X)

14 소득세를 원천징수함으로써 과세를 종결하는 것을 (　　　　)라 한다.

15 국내에서 거주자나 비거주자에게 일정한 소득을 지급하는 자는 그 거주자나 비거주자에 대한 소득세를 원천징수하며 그 징수일이 속하는 달의 다음 달 (　　　　)일까지 정부에 납부해야 한다.

16 거주자와 비거주자는 국적을 기준으로 구분한다. (○ / X)

17 연금소득은 연 1,200만원 이하일 때 종합과세 또는 분리과세를 선택하여 과세를 종결할 수 있다. (○ / X)

18 원칙적으로 소득세법상 과세기간은 5월 1일 ~ 5월 31일까지이다. (○ / X)

19 종합소득세 과세표준은 종합소득금액에서 종합소득공제를 차감하여 계산한다. (○ / X)

20 지방소득세는 총 결정세액의 (　　　　)%를 납부한다.

21 채권의 매매차익과 환매조건부 매매차익은 이자소득으로 본다. (○ / X)

22 종신형 연금보험의 이자소득세 비과세요건을 충족하기 위해서는 사망 시까지 중도해지가 불가능하다. (○ / X)

23 집합투자기구로부터의 이익은 투자대상에서 발생하는 소득의 내용별로 소득을 구분하여 과세한다. (○ / X)

---

11 소득원천설, 열거된 소득, 열거주의

12 ○

13 X
퇴직소득과 양도소득은 분류과세한다.

14 분리과세

15 10

16 X
거주자란 국내에 주소를 두거나 183일 이상 거소를 둔 개인을 말한다. 따라서 거주자와 비거주자를 구분하는데 국적은 아무런 관계가 없다.

17 ○
종합과세 또는 분리과세를 선택하여 과세를 종결하는 것을 선택적 분리과세라고 한다.

18 X
원칙적으로 소득세법상 과세기간은 소득이 발생한 기간으로 1월 1일 ~ 12월 31일까지이다.

19 ○
종합소득금액 - 종합소득공제 = 종합소득세 과세표준

20 10

21 X
채권의 매매차익은 이자소득이 아니며 환매조건부 매매차익은 이자소득으로 본다.

22 ○

23 X
집합투자기구로부터의 이익은 배당소득으로 과세한다.

24 신탁의 이익은 이자소득으로 과세한다. (○ / X)

25 기명채권과 비영업대금의 이익은 약정에 의한 이자지급일을 수입시기로 본다. (○ / X)

26 배당소득금액은 '배당소득 – Gross-up'이다. (○ / X)

27 잉여금 처분에 의한 배당은 실제 지급받을 날을 수입시기로 본다. (○ / X)

28 금융소득이 2,000만원 이하인 경우라도 (   )에서 지급받은 원천징수되지 않은 이자와 배당소득은 종합과세한다.

29 직장공제회 초과반환금은 기본세율로 원천징수된다. (○ / X)

30 금융소득 종합과세 계산 시 비교산출세액은 세부담이 줄어드는 것을 방지하기 위한 것이다. (○ / X)

31 외국법인으로부터 받은 배당소득은 이중과세 조정대상 배당소득에 해당된다. (○ / X)

32 귀속법인세 계산 시 적용되는 귀속법인세율은 (   )%이다.

33 사실상 자산이 이전되더라도 등기·등록이 없는 경우 양도로 보지 않는다. (○ / X)

34 미등기 자산을 양도한 경우 양도소득 기본공제 250만원을 공제받을 수 없다. (○ / X)

35 부동산을 이용할 수 있는 권리인 지상권, 전세권, 등기된 부동산임차권은 양도소득세가 과세되지 않는다. (○ / X)

36 미등기 자산을 양도할 경우 양도소득세율은 (   )%이다.

📋 정답 & 상세해설

24 X
신탁의 이익은 재산권에서 발생하는 소득의 내용별로 구분하여 과세한다.

25 ○

26 X
배당소득금액은 '배당소득 + Gross-up'이다.

27 X
잉여금 처분에 의한 배당은 당해 법인의 잉여금 처분 결의일을 수입시기로 본다.

28 국외

29 ○

30 ○

31 X
외국법인으로부터 받은 배당소득은 이중과세 조정대상 배당소득에서 제외된다.

32 5

33 ○

34 ○

35 X
부동산을 이용할 수 있는 권리는 양도소득세 과세대상자산의 범위에 포함된다.

36 70

37 주식을 3년 이상 보유하고 양도한 경우 장기보유 특별공제를 적용받을 수 있다. (○ / X)

38 증권거래세는 원칙적으로 주권의 (   )을 과세표준으로 한다.

39 영리법인이 재산을 유증받은 경우 상속세가 과세된다. (○ / X)

40 증여공제자는 (   ) 기준으로 (   )년간 공제된다.

41 상속개시 전 (   )년 이내 상속인에게, (   )년 이내 비상속인에게 증여한 재산은 다시 합산하여 상속세를 과세한다.

42 증여재산가액이 증여재산 공제범위 이내라면 증여세를 신고하지 않아도 된다. (○ / X)

43 금융소득을 절세하기 위해서는 여러 금융기관을 이용하여 금융 관련 소득을 분산하는 것이 좋다. (○ / X)

44 금융소득 종합과세 기준금액 2,000만원은 원천징수되기 전의 금액을 기준으로 판단한다. (○ / X)

37 X
장기보유 특별공제는 토지, 건물을 3년 이상 보유한 경우 적용되는 것으로 주식의 양도는 장기보유 특별공제가 적용되지 않는다.

38 양도가액

39 X
영리법인의 경우 상속세가 아닌 법인세가 과세된다.

40 수증자, 10

41 10, 5

42 X
증여재산에 대한 증여세가 없더라도 증여받은 재산에 대한 자금 출처조사를 대비하여 증여세는 반드시 신고하는 것이 좋다.

43 X
여러 곳의 금융기관을 이용하는 것보다는 금융재산에 대해 전반적인 관리를 해줄 수 있는 하나의 금융기관을 선택하여 이용하는 것이 좋다.

44 ○

01 농업협동조합 중앙회는 신용협동기구에 속한다. (○ / ×)

02 우체국예금, 상호저축은행, 새마을금고는 비은행 금융회사에 속한다. (○ / ×)

03 ( )는 투자권유를 통해 2인 이상으로부터 모은 금전 등을 투자자의 일상적인 운용지시 없이 투자대상 자산에 운용하고 그 결과를 투자자에게 배분 및 귀속시키는 업무를 한다.

04 원본 초과 손실이 있다면 파생상품으로 본다. (○ / ×)

05 ISA는 전 금융기관을 통틀어 1인 1계좌만 가입할 수 있다. (○ / ×)

06 ISA는 운용방식에 따라 일임형, 신탁형, 중개형 ISA로 구분된다. (○ / ×)

07 ISA는 금융소득의 크기와 관계 없이 소득이 발생하면 누구나 가입이 가능하다. (○ / ×)

08 재형저축의 최소 가입기간은 ( )년이며, 납입 한도는 연간 ( )만원이다.

09 재형저축은 실적배당형 상품이다. (○ / ×)

10 재형저축은 이자와 배당소득세를 비과세하지만 농특세 1.4%를 부과한다. (○ / ×)

11 소장펀드는 5,000만원 이하 근로소득자라면 누구나 가입할 수 있다. (○ / ×)

12 소장펀드의 연간 납입액이 1,000만원이라면 400만원에 대해 소득공제를 받을 수 있다. (○ / ×)

📋 정답 & 상세해설

01 ×
농업협동조합 중앙회는 은행 중 특수은행에 속한다. 추가로 한국산업은행, 한국수출입은행, 중소기업은행, 수산업협동조합 중앙회도 특수은행에 포함된다.

02 ○
상호저축은행, 신용협동기구(신용협동조합, 새마을금고, 농업협동조합, 수산업협동조합 및 산림조합의 상호금융 등), 우체국예금이 비은행 금융회사에 해당한다.

03 집합투자업자

04 ○

05 ○
ISA는 일임형, 신탁형, 중개형 중 하나만 가입할 수 있다.

06 ○

07 ×
금융소득 2,000만원 초과자는 ISA 가입이 불가능하다.

08 7, 1,200

09 ×
재형저축은 원금이 보장되는 원금보장형 상품이다.

10 ○

11 ○

12 ×
소장펀드의 연간 납입 한도는 600만원이며, 600만원의 40%인 240만원에 대해서 세액공제를 적용받을 수 있다.

13 소장펀드는 실적배당형 상품으로 국내 주식의 (　　　　)% 이상을 투자해야 한다.

14 연금저축의 연간 납입 한도는 퇴직연금 및 다른 연금저축과 합산하여 1,800만원이다.　　(○ / X)

15 연금저축은 만 55세 이후 연금수령 시 가입자의 연령에 따라 최소 3.3% ~ 최대 5.5%의 연금소득세가 부과된다.　　(○ / X)

16 총급여 5,500만원 또는 종합소득금액 4,000만원을 초과할 경우 연금저축 세액공제율은 (　　　　)%이다.

17 IRP에 입금된 퇴직금을 연금으로 수령하면 퇴직소득세의 (　　　　)%만 과세된다.

18 퇴직연금을 중도해지할 경우 납입금액에 대해서 기타소득세 16.5%가 부과된다.　　(○ / X)

19 주택청약종합저축에 가입하고 소득공제 요건을 충족한 경우 최대 240만원의 소득공제를 받을 수 있다.　　(○ / X)

20 보험차익을 비과세받기 위한 월 적립식 저축성보험의 가입 한도는 월 (　　　　)만원이다.

21 환급청구가 있으면 언제든지 조건없이 지급하는 예금을 저축성예금이라 한다.　　(○ / X)

22 수시입출금식 예금에는 보통예금, 저축예금, MMDA, CMA가 있다.　　(○ / X)

23 MMDA는 500만원 이상의 목돈을 1개월 이내의 초단기로 운용할 때 유리하다.　　(○ / X)

24 ELS(주가연계증권)는 원금비보장형으로만 발행된다.　　(○ / X)

25 ELD(주가연계예금)는 주가지수 하락 시에도 원금지급이 보장된다.　　(○ / X)

---

13 40

14 ○

15 ○

16 16.5

17 70

18 X
　납입금액이 아니라 세액공제받은 납입액 및 운용수익에 대해서
　기타소득세 16.5%가 부과된다.

19 X
　연간 납부금액 한도는 240만원이며 이 중 40%를 소득공제받을
　수 있으므로 최대 96만원의 소득공제를 받을 수 있다.

20 150

21 X
　요구불예금이라 한다. 저축성예금은 일정기간이 경과한 후에 인출
　할 것을 약정하는 예금으로 거치식과 적립식으로 구분한다.

22 ○

23 ○

24 X
　원금보장형과 원금비보장형으로 발행된다.

25 ○

26 재형저축은 예금자보호법에 따라 금융상품의 원금에 대하여 1인당 5천만원까지 보호를 받는다. (○ / X)

27 주택청약종합저축은 적립식인 경우 매월 2만원 이상 50만원 이하의 금액을 1만원 단위로 납입한다. (○ / X)

28 비과세 종합저축은 만 65세 이상인 거주자는 누구나 가입 가능하다. (○ / X)

29 양도성 예금증서(CD)는 무기명식으로 발행되며, 중도해지가 불가능하다. (○ / X)

30 표지어음은 만기 전에 중도해지가 불가능하나 배서에 의한 양도는 가능하다. (○ / X)

31 수탁자가 사망 또는 사임하게 되면 신탁관계는 종료된다. (○ / X)

32 금전신탁은 계약관계상 위탁자와 수익자를 달리 정할 수 없다. (○ / X)

33 금전신탁의 계약관계인은 (   ), (   ), (   )의 3자 관계이다.

34 위탁자가 신탁재산인 금전의 운영방법을 지정하지 않은 신탁을 (   ), 운용방법을 지정하는 신탁을 (   )이라 한다.

35 신연금저축의 계약자가 사망할 경우 상속인에게 승계가 가능하다. (○ / X)

36 신연금저축의 연금수령 한도는 '연금계좌의 평가액 ÷ (11 - 연금수령연차) × (   )%이다.

37 농·수협의 단위조합 및 새마을금고는 예금보험 미가입 금융기관이다. (○ / X)

38 생명보험의 구성원리는 (   ), (   ), (   )이다.

📋 정답 & 상세해설

26 X
원금과 소정의 이자를 합산하여 1인당 최고 5천만원 한도로 보호
받는다.

27 X
5,000원 단위로 납입한다. 다만, 입금하려는 금액과 납입누계액의
합이 1,500만원 이하인 경우에는 납입 잔액 1,500만원까지 월 한
도 50만원을 초과하여 입금이 가능하다.

28 ○

29 ○

30 ○

31 X
수탁자가 사망 또는 사임하더라도 신탁관계는 종료되지 않는다.

32 X
금전신탁은 계약관계상 위탁자와 수익자가 다를 수 있다.

33 위탁자, 수탁자, 수익자

34 불특정금전신탁, 특정금전신탁

35 X
배우자에 한해서 승계가 가능하다.

36 120

37 ○
예금보험 미가입 금융기관이지만 각 중앙회에서 자체적으로 적립
한 기금을 통해 예금자를 보호한다.

38 대수의 법칙, 수지상등의 원칙, 사망률과 생명표

39 생명보험의 영업보험료는 위험보험료와 저축보험료로 구성된다. (○ / X)

40 예정이율, 예정사망이율, 예정사업비율이 올라가면 보험료는 상승한다. (○ / X)

41 피보험자의 수가 2인 이상인 보험은 단체보험이라 한다. (○ / X)

42 손해보험은 보험의 목적을 금전으로 산정할 수 있는 (   )이 존재해야 하며, 이것이 없는 보험계약은 무효이다.

43 화재보험의 잔존물 제거비용의 한도는 화재손해액의 (   )%이다.

44 장기손해보험에는 저축보험료가 분리되어 만기 또는 중도해지 시 환급금이 발생한다. (○ / X)

45 장기손해보험은 1회 사고로 보험금이 보험가입금액의 (   )% 미만인 경우에는 여러 번의 사고가 발생하여도 보험가입금액의 감액 없이 보험사고 전의 보험가입금액으로 자동복원된다. (○ / X)

46 집합투자기구의 구성형태는 (   ), (   ), (   )이다.

47 집합투자기구는 각 기금관리주체로부터 일상적인 운용지시를 받지 않는다. (○ / X)

48 환매금지형 집합투자기구는 언제든지 집합투자증권을 추가로 발행할 수 있다. (○ / X)

49 집합투자기구의 관계회사로는 운용을 담당하는 (   ), 판매를 담당하는 (   ), (   ), 집합투자재산을 보관 및 관리하는 (   ), 사무를 위탁받아 처리하는 (   ), (   ), (   ) 등이 있다.

50 환매청구를 받은 경우 환매청구일로부터 (   )일 이내 집합투자규약에서 정한 환매일에 환매대금을 지급해야 한다.

---

39 X
생명보험의 영업보험료는 순보험료와 부가보험료로 구성된다.

40 X
예정이율이 올라가면 보험료는 하락한다.

41 X
피보험자의 수가 2인 이상인 보험은 연생보험이다. 단체보험은 수십명 이상의 다수를 1매의 보험증권으로 하는 보험이다.

42 피보험이익

43 10

44 X

45 80

46 투자신탁, 투자회사, 투자조합

47 ○

48 X
대통령령으로 정하는 때에만 집합투자증권을 추가로 발행할 수 있다.

49 집합투자업자, 투자매매업자, 투자중개업자, 신탁업자, 일반 사무관리회사, 집합투자기구 평가회사, 채권평가회사

50 15

51 해외펀드 중 국내법에 의해 설립된 운용사가 운용하는 (   )펀드, 외국 운용사가 운용하는 펀드를 (   )펀드라고 한다.

52 Bull Spread형 ELS는 만기 시 주가가 일정 수준을 상회하는지 여부에 따라 사전에 정한 두 가지 수익 중 한 가지를 지급하는 구조이다.
(○ / X)

53 주식워런트증권의 수입원은 주가 변동에 따른 자본이득뿐이다.
(○ / X)

54 EWL의 내재가치가 0보다 커서 현재 권리행사 가능 구간으로 돈이 되는 영역에 있는 경우를 (   )이라고 한다.

55 기초자산의 변동성이 클수록 콜, 풋 주식워런트증권에 관계없이 모두 주식워런트 가격은 높아진다.
(○ / X)

56 (   )은 기초자산을 대신하여 ELW를 매입할 경우 몇 배의 포지션이 되는지를 나타내는 것이다.

57 자산유동화증권(ABS)은 자산보유자의 신용도와 결합되어 발행되는 증권이다.
(○ / X)

58 자산유동화증권(ABS)은 현금수취방식에 따라 (   )과 (   )으로 구분할 수 있다.

59 주택저당증권(MBS)은 단기금융상품으로 조기상환에 의해 수익이 변동된다.
(○ / X)

60 역모기지는 대출신청자의 신용상태 및 상환능력에 근거하여 대출금액이 결정된다.
(○ / X)

61 확정기여형 퇴직연금의 적립금 운용주체는 사용자이며, 그 운용결과에 따라 퇴직금의 크기가 달라진다.
(○ / X)

62 개인형 퇴직연금제도는 적립금의 운용방식이나 수급방법 등이 확정기여형 퇴직연금과 동일하다.
(○ / X)

63 확정급여형 적립금은 원리금 비보장자산에 전체 적립금의 (   )%까지 투자할 수 있다.

📖 정답 & 상세해설

51 On-shore(역내펀드), Off-shore(역외펀드)

52 X
Digital형에 대한 설명이다. Bull Spread형은 만기 시 주가 수준에 비례하여 손익을 얻되 최대 수익 및 손실이 일정 수준으로 제한되는 구조이다.

53 ○

54 내가격

55 ○

56 기어링

57 X
자산보유자의 신용도와 분리되어 자산 자체의 신용도로 발행되는 증권이다.

58 지분이전증권, 원리금 이체채권

59 X
주택저당대출 만기와 대응하므로 통상 장기로 발행되는 장기금융상품이다.

60 X
주택소유권을 기초로 대출계약이 성립되므로 대출자의 신용상태 및 상환능력보다는 미래의 특정 시점에 예상되는 주택가치에 근거하여 대출금액이 결정된다.

61 X
적립금의 운용주체는 근로자이다.

62 ○

63 70

부동산 관련 상품

01 부동산은 경제적 개념으로 자산, 생산요소, 자본, 소비재 등으로 이해할 수 있다. (○ / X)

02 부동산은 공신력이 인정되지 않으며 질권설정도 불가능하다. (○ / X)

03 부동성, 영속성, 부증성, 개별성은 부동산의 ( ) 특성이다.

04 지상권, 지역권, 전세권은 담보물권이다. (○ / X)

05 ( )는 채권을 담보할 목적부동산에 대하여 대물변제의 예약 또는 매매의 예약을 하고 채무불이행에 대비하여 소유권이전청구권 보전을 위한 가등기를 하는 방법을 말한다.

06 물건을 사실상 지배하는 자에 대해 인정해주는 물권은 소유권이다. (○ / X)

07 청구권 보전의 효력은 부동산 본등기의 효력이다. (○ / X)

08 부동산 경기는 일반경기의 변동에 비해 저점은 깊고 고점은 높은 특징을 갖고 있다. (○ / X)

09 부동산 시장만이 지니고 있는 특수한 국면은 ( )이다.

10 건물의 공실률의 동향은 부동산 경기의 선행지표가 될 수 있다. (○ / X)

11 부동산 운용에 의한 현금흐름에서 '순운용소득'에서 '부채상환액'을 차감하면 납세 전 현금흐름이 계산된다. (○ / X)

12 순소득 승수는 자본회수기간으로도 이용된다. (○ / X)

---

01 ○

02 ○

03 자연적
반면, 부동산의 인문적 특성에는 용도의 다양성, 합병·분할의 가능성, 사회적·경제적·행정적 위치의 가변성이 있다.

04 X
지상권, 지역권, 전세권은 용익물권이다. 담보물권에는 유치권, 질권, 저당권이 해당된다.

05 가등기 담보

06 X
소유권이 아닌 점유권이다.

07 X
가등기의 효력이다.

08 X
부동산 경기는 일반경기의 변동에 비해 저점과 고점이 높은 특징을 갖고 있다.

09 안정시장
안정시장은 위치가 좋은 적정규모의 주택 등이 대상이 되며, 과거의 사례가격은 새로이 신뢰할 수 있는 거래의 기준이 된다.

10 ○

11 ○

12 ○
순소득 승수는 순운용소득에 대한 총투자액의 배수를 말하며, 자본회수기간으로도 이용된다.

13 현금흐름할인법에는 (   ), (   ), (   )의 세 종류가 있다.

14 투자안의 '순현재가치(NPV) > 0'일 경우 투자안은 기각된다.   (○ / X)

15 투자안의 '내부수익률(IRR) > 요구수익률(K)'이면 투자안을 채택한다.   (○ / X)

16 전통적인 감정평가방법에는 거래사례비교법, 수익환원법, 원가법을 적용하여 투자대상 부동산의 정상 가격을 산출하는 것이다.
                                                                      (○ / X)

17 건축물의 용도나 규모를 결정할 지역·지구 등을 확인할 때 (   )를 활용한다.

18 공시지가는 매년 1월 1일 국토교통부장관이 조사·평가하여 공시한 표준지의 단위면적당(m²) 가격을 말한다.   (○ / X)

19 용도지역은 전국의 토지에 대하여 중복되지 않도록 지정한다. 다만, 용도지역의 지정이 없는 토지가 있을 수 있다.   (○ / X)

20 도시지역은 주거지역, 상업지역, 공업지역, 녹지지역으로 구분한다.   (○ / X)

21 건폐율은 대지면적에 대한 건축면적의 비율을 의미한다.   (○ / X)

22 도시지역 중 공업지역의 용적률이 가장 높다.   (○ / X)

23 경작을 위한 토지의 형질변경은 개발행위의 허가대상이다.   (○ / X)

24 기존 건축물의 전부 또는 일부를 철거하고 그 대지 안에 종전과 동일한 규모의 범위 안에서 다시 축조하는 것을 재축이라 한다.
                                                                      (○ / X)

📋 정답 & 상세해설

13 순현재가치, 내부수익률, 수익성지수

14 X
'순현재가치(NPV) < 0'일 경우 투자안은 기각된다.

15 ○

16 ○

17 토지이용계획확인서

18 ○

19 ○

20 ○

21 ○

22 X
상업지역(1,500% 이하)이 가장 높고 그 다음 주거지역(500% 이하), 공업지역(400% 이하), 녹지지역(100% 이하) 순이다.

23 X
토지의 형질변경은 개발행위의 허가대상이나 경작을 위한 토지의 형질변경은 예외가 인정된다.

24 X
개축에 대한 설명이다. 재축은 건축물이 천재지변 기타 재해에 의하여 건축물의 전부 또는 일부가 멸실된 경우에 그 대지 안에 종전과 동일한 규모의 범위 안에서 다시 축조하는 것이다.

25 증권 및 특별자산집합투자기구의 부동산 등에 대한 투자는 불가능하다. (○ / X)

26 리츠(REITs)는 상법상 주식회사로 주주총회, 이사회, 감사 등의 내부 구성요소를 지닌다. (○ / X)

27 리츠(REITs)는 자금차입과 대여가 금지된다. (○ / X)

28 자본환원율은 소득을 가치로 환원시키는 비율로 '상업용 부동산의 순영업이익(NOI) / 부동산 가격'으로 계산된다. (○ / X)

29 부동산 PF의 채권보전장치로 시공업체 등을 통한 담보 확보가 가장 많이 활용된다. (○ / X)

30 부동산 포트폴리오의 위험은 두 자산 간의 공분산이 포함된다. (○ / X)

31 체계적 위험은 해당 부동산에 국한하여 영향을 미치는 위험을 말하며 이는 포트폴리오에 부동산을 추가로 편입시키면 제거할 수 있는 위험이다. (○ / X)

32 (   )은 경제적으로도 타당성이 있는 것으로 판명이 된 최고의 가치를 창출하는 이용을 말한다.

33 부동산의 효용성, 유효수요, 상대적 희소성은 부동산 가치의 발생요인이다. (○ / X)

34 사정보정은 대상 부동산의 가격 산정에 있어서 거래사례자료의 거래 시점과 부동산 감정평가의 시점이 시간적으로 불일치하여 가격 변동이 있을 경우 거래사례 가격을 감정평가 시점의 수준으로 정상화하는 작업이다. (○ / X)

35 재조달원가는 신축 시점 대상 부동산과 동일한 효용을 갖는 부동산을 새로 공급하는 데 소요되는 원가로 직접법과 간접법이 있다. (○ / X)

36 수익환원법을 구성하는 중요한 구성요소로는 (   ), (   ), (   )이 있다.

---

25 X
50% 미만으로 부동산 등에 투자할 수 있으며 혼합자산펀드의 경우 비율제한이 없다.

26 ○

27 X
자금의 차입은 자기자본의 2배까지 가능하며 주주총회 특별결의에 의해 10배까지 가능하다. 다만 자금의 대여는 금지된다.

28 ○

29 ○

30 ○

31 X
비체계적위험에 대한 설명이다.

32 최유효이용의 원칙

33 ○

34 X
시점수정에 대한 설명이다. 사정보정은 수집된 거래사례에 특수한 사정이 있는 경우 비정상적인 요인을 제거하여 부동산의 가격을 정상화시키는 것을 말한다.

35 X
신축 시점이 아닌 가격 시점 현재이다.

36 순수익, 환원이율, 수익환원법
참고로 '수익 가격 = 순수익 ÷ 환원이율 = (총수익 − 총비율) ÷ 환원이율'로 계산된다.

37 비교방식(시장접근법)은 토지평가에 있어서 가장 중추적인 역할을 수행한다. (○ / X)

38 매매가 잘 이루어지지 않는 부동산은 비교방식을 적용하여 감정평가를 진행하는 것이 바람직하다. (○ / X)

39 매년 순영업소득이 5천만원이고 자본환원율이 5%일 때 부동산의 수익가격은 2억 5천만원이다. (○ / X)

40 일반적으로 수익성 분석에 이용되는 지표는 현금흐름할인모델(DCF)을 이용한 순현재가치법(NPV) 및 내부수익률(IRR)법이다.

(○ / X)

📋 정답 & 상세해설

37 ○

38 X
비교방식(시장접근법)은 매매가 잘 이루어지지 않는 부동산에는
적용이 불가능하다.

39 X
10억원(= 5천만원 ÷ 5%)이다.

40 ○

| 제2과목 투자운용 및 전략 II/투자분석

대안투자운용/투자전략

01 MBS가 ABS와 다른 점은 (　　　　)을 전문으로 하는 유동화 중개기관이 있다는 점이다.

02 REITs를 활용하면 일반투자자들도 소액의 자금으로 부동산 투자가 가능하다. (○ / X)

03 헤지펀드는 투기 목적으로 공매도(Short-selling)는 불가능하다. (○ / X)

04 전통적 투자의 위험요소가 (　　　), (　　　　)이라면 대안투자는 (　　　), (　　　　)이 중요한 위험요소이다.

05 REITs는 다수의 투자자로부터 모은 자금을 부동산 및 관련 사업에 투자한 후 투자자에게 배당을 통해 이익을 분배하는 부동산투자회사이다. (○ / X)

06 현금흐름예측에 의해 투자성과를 측정하는 방법으로는 (　　　), (　　　), (　　　)이 있다.

07 프로젝트 금융은 대부분 단기의 만기구조를 가진다. (○ / X)

08 에스크로 계좌(Escrow Account)는 부동산 개발사업의 참여자의 과반수 이상 동의가 있을 경우에만 자금이 인출되는 계좌이다. (○ / X)

09 부동산 개발사업의 진행 프로세스의 순서는 (　　　) → (　　　) → (　　　) → (　　　)이다.

10 PEF(Private Equity Fund)는 비상장된 기업에 투자한 후 주식공개(IPO) 등을 통해 투자금액을 회수한다. (○ / X)

11 PEF의 투자유형 중 Distressed Fund는 부실 채권 및 담보 부동산에 저가 투자하여 수익을 내는 펀드이다. (○ / X)

12 PEF의 정관에서 필수 기재사항인 회사의 존립기간은 10년 이내로 한다. (○ / X)

---

01 주택저당채권
ABS(자산담보부증권)는 보유하고 있는 자산을 담보로 발행된 증권이고 MBS(주택저당증권)는 주택자금으로부터 발생하는 채권과 채권의 변제를 담보로 확보하는 저당권을 기초자산으로 발행하는 증권이다.

02 ○

03 X
헤지펀드는 투기 목적으로 파생상품 활용 및 공매도가 가능하다.

04 시장위험, 신용위험, 유동성위험, 운용역위험

05 ○

06 순현재가치, 수익성지수, 내부수익률

07 X
프로젝트 금융은 대부분 장기의 만기구조를 가진다.

08 X
참여자 전원의 동의가 있을 경우에만 자금이 인출되는 계좌이다.

09 토지매입, 사업 인허가, 분양/착공. 준공/입주

10 ○

11 ○

12 X
회사의 존립기간은 15년 이내로 한다.

13 PEF의 총사원수는 49인 이하여야 한다. (○ / ×)

14 PEF에 여유자금이 발생하는 경우에는 금융기관 예치와 PEF 재산의 10% 범위 내에서 포트폴리오 투자를 할 수 있다. (○ / ×)

15 PEF는 금융위원회 등록 후 (   )년 이내에 (   )% 이상의 재산을 경영권 참여의 목적으로 투자하도록 하고, 기업주식 등의 취득으로 경영권 참여가 이루어지는 투자를 한 경우, 최소 (   )개월 이상 투자대상 기업이 발행한 주식 또는 지분을 보유하도록 규정하고 있다.

16 PEF에서 지배구조 변경을 통해 기업가치 상승이 기대되는 기업을 인수대상 기업으로 선정할 수 있다. (○ / ×)

17 PEF에서 부실기업을 인수대상 기업으로 선정하는 것은 적절하다. (○ / ×)

18 PEF(사모펀드)의 투자회수 방법으로 (   )은 가장 고전적인 전략으로 인수기업의 가치를 상승시킨 후 PEF가 보유한 지분을 전부 제3자에게 처분하는 방법이다.

19 헤지펀드는 규제가 적은 반면 투명성은 낮으며, 설정과 환매가 비교적 자유롭다. (○ / ×)

20 헤지펀드의 운용전략 중 (   ) 전략은 시장 전체의 움직임에 대한 노출을 회피함으로써 시장변동성에 중립화하는 투자전략이다.

21 헤지펀드의 운용전략 중 스프레드거래 전략은 기업의 합병, 사업개편 청산 및 파산 등 기업상황에 영향이 큰 사건을 예측하고 이에 따라 발생하는 가격 변동을 이용하여 수익을 창출하는 방법이다. (○ / ×)

22 헤지펀드는 일반적으로 운용기간에 제한이 없고, 보통 분기별로 환매를 허용하고 최초의 매각제한(Lock-Up) 기간에는 환매가 금지된다. (○ / ×)

23 헤지펀드의 운용자는 운용보수를 받을 수 있으나 성과보수는 받을 수 없다. (○ / ×)

24 시장 중립(Market Neutral)형 전략은 (   )와 (   ), (   )를 함께 사용하는 전략이다.

25 롱/숏 전략은 목적에 따라 (   )과 (   )으로 나뉠 수 있다.

📋 정답 & 상세해설

13 ○

14 ×
재산의 5% 범위 내에서 포트폴리오 투자를 할 수 있다.

15 2, 50, 6

16 ○

17 ○

18 매각

19 ×
설정과 환매가 비교적 자유롭지 못하다.

20 차익거래

21 ×
상황의존형 전략에 대한 설명이다. 상황의존형 전략은 위험을 적극적으로 취하고, 상황에 따라 공매도와 차입을 사용한다.

22 ○

23 ×
헤지펀드 운용자는 운용보수와 성과보수를 모두 받을 수 있다.

24 매수(Long Position), 매도(Short Position), 레버리지

25 수렴형(Convergence), 발산형(Divergence)

26 두 개의 서로 다른 주식을 동시에 매수하고 매도함으로써 이익을 추구하는 헤지펀드 운용전략은 Long-Short 전략이다. (○ / X)

27 ( )는 기초자산 주식을 매도하고 전환사채를 매수하며, 이자율변동위험과 신용위험을 헤지하면서 전환사채의 이론가와 시장 가격의 괴리에서 수익을 추구하는 전략이다.

28 채권차익거래 중 Yield Curve Arbitrage는 나비 몸통의 채권을 매도하고, 양 날개의 채권을 매수하는 Yield Curve Butterfly는 수익률 곡선이 우상향 모양을 하는 경우에 적합하다. (○ / X)

29 특별자산펀드는 주로 실물자산을 투자대상으로 한다. (○ / X)

30 ( )는 글로벌 투자를 할 때 벤치마크로 사용되는 국제 주가지수이다.

31 CDS는 가장 간단하면서도 보편화된 형태의 신용파생상품으로서 준거자산의 신용위험을 분리하여 보장매입자가 보장매도자에게 이전하고 보장매도자는 그 대가로 Premium을 지급받는 금융상품이다. (○ / X)

32 TRS(Total Return Swap)는 신용위험뿐만 아니라 시장위험도 거래상대방에게 전가시키는 신용파생상품이다. (○ / X)

33 일반적으로 TRS 계약에 의하여 현금흐름과 이에 따른 위험은 TRS 수취자에게 이전되지만 투표권 등의 경영권은 이전되지 않는다. (○ / X)

34 발행 목적에 따라 규제자본 경감을 목적으로 하는 Arbitrage CDO와 수익 극대화를 목적으로 하는 Balance-Sheet CDO로 구분될 수 있다. (○ / X)

35 북미 기업들을 중심으로 한 대표적인 신용지수(Credit Index)는 S&P500이다. (○ / X)

36 CDO(Collateralized Debt Obligation)의 구조 중 Equity 트랜치는 가장 위험이 높고, 수익이 높은 트랜치가 된다. (○ / X)

37 Credit Delta는 신용스프레드 변화분에 대한 CDO 가격의 변화분으로 표현되며, CDO 가치가 개별적인 Reference Equity의 신용위험 변화에 얼마만큼 노출되어 있는지를 계산해 준다. (○ / X)

---

26 ○

27 전환증권 차익거래

28 X
우하향 모양을 하는 경우에 적합하다.

29 ○

30 MSCI 지수

31 ○

32 ○

33 ○

34 X
발행 목적에 따라 규제자본 경감을 목적으로 하는 Balance-Sheet CDO와 수익 극대화를 목적으로 하는 Arbitrage CDO로 구분될 수 있다.

35 X
S&P500은 주가지수이다.

36 ○

37 ○

01 각 국가 간 상관관계가 높을수록 국제분산투자 효과는 커진다. (O / X)

02 국제투자의 벤치마크로 가장 많이 사용되는 국제주가지수는 (   ), (   ) 등이 있다.

03 MSCI 지수는 시가총액 방식으로 산출된다. (O / X)

04 개별증권의 총위험은 체계적 위험과 비체계적 위험의 합으로 계산된다. (O / X)

05 요구수익률과 균형수익률의 차이는 투자자의 입장에서 초과수익을 형성하며 국제투자의 유인을 제공하는 것으로 해석된다.
(O / X)

06 원화가치와 한국의 주가가 음의 상관관계를 가지면 미국 투자자가 한국 투자에서 인식하는 위험은 그만큼 줄어든다. (O / X)

07 통화파생상품을 이용하지 않고 환위험을 줄일 수 있는 방법은 존재하지 않는다. (O / X)

08 환율은 금리의 영향을 많이 받기 때문에 어느 한 통화의 가치 상승은 채권수익률 이외에 추가적인 수익률을 제공한다. (O / X)

09 동조화 현상이 강화될수록 국제분산투자 효과는 강화되는 경향이 있다. (O / X)

10 ADR은 외국 주식이 미국의 증권으로 등록되고 미국 증시에 상장되어 거래되도록 하는 제도적 장치이다. (O / X)

11 어느 기업이 미국시장의 상장을 원하지 않는 경우라도 미국 투자자들의 관심이 높을 때는 미국의 증권회사가 비용을 부담하여 DR을 발행 상장하는 경우도 있다. 이를 Unsponsored DR이라 한다. (O / X)

📋 정답 & 상세해설

01 X
상관관계가 낮을수록 국제분산투자 효과는 커진다.

02 MSCI 지수, FTSE 지수

03 X
유동주식 방식으로 산출된다. 유동주식 방식은 정부 보유 및 계열사 보유 지분 등 시장에서 유통되기 어려운 주식을 제외한 실제 유동주식을 기준으로 비중을 계산하는 방식이다.

04 O
개별증권 총위험 = 체계적 위험 + 비체계적 위험

05 O

06 O

07 X
투자하고자 하는 현물자산을 기초자산으로 하는 파생상품에 투자하면 환위험을 줄일 수 있다.

08 O
예를 들어 한국의 금리가 높은 경우 외국자본이 유입되고 원화가치가 상승할 수 있다.

09 X
동조화 현상이 진행되면 총위험 감소라는 의미에서 국제분산투자 효과는 약화될 것이다.

10 O

11 O

12 달러 표시로 해외 DR 발행이 미국과 미국 이외의 시장에서 동시에 이루어지는 것을 EDR이라 한다. (○ / X)

13 해외 상장을 하는 경우 국내시장에서만 주식을 발행하는 경우에 비해서 한계 자본비용이 느리게 상승하도록 하는 효과를 기대해 볼 수 있다. (○ / X)

14 유로채는 채권에서 발생하는 수익에 대한 소득세를 원천징수하지 않는다. (○ / X)

15 한국기업이 미국에서 발행한 미달러화 표시 채권은 유로채이다. (○ / X)

16 유로본드는 발생과 관련된 당국의 규제가 없다는 점에서 역외채권이다. (○ / X)

17 해외거래소 상장 중 본국 거래소와 함께 복수의 거래소에 상장하는 것을 (   )이라고 한다.

18 외국 주식이 DR의 형태를 취하지 않고 원주가 그대로 상장되는 것은 불가능하다. (○ / X)

19 국제 채권의 발행은 통화스왑이나 금리스왑과 결합하여 일어나는 경우가 일반적이다. (○ / X)

20 양키본드를 발행하면 미국의 채권 발행 및 조세에 관한 규제를 따라야 한다. (○ / X)

21 해외주식을 양도한 경우 '양도차익의 20% + 주민세(양도소득세 × 10%)'를 납부해야 한다. (○ / X)

22 국내 상장된 해외 투자 ETF의 경우 15.4%의 배당소득세를 부과한다. (○ / X)

23 딤섬본드는 대체로 신용등급이 높은 회사채로 채권수익률은 낮은 편이다. (○ / X)

24 T-note는 1년 이하의 단기채로 이자가 없고 1만달러의 최저거래 단위를 가진다. (○ / X)

---

12 X
GDR이라 한다. EDR은 달러표시로 전환하여 미국 이외의 거래소에 상장하는 것을 의미한다.

13 ○

14 ○

15 X
유로채는 미국달러 표시 채권이 미국 이외의 국가에서 발생된 경우를 의미하므로 한국기업이 미국 이외의 국가에서 미달러화 표시채권을 발행했을 때 유로채로 볼 수 있다.

16 ○

17 복수상장

18 X
가능하며, 원주가 그대로 상장되도록 하는 형태를 원주상장이라고 한다.

19 ○

20 ○

21 X
'양도소득 과세표준의 20% + 주민세(양도소득세 × 10%)'를 납부해야 한다.

22 ○

23 ○

24 X
T-bill에 대한 설명이다. T-note는 1년 이상 10년 이하의 중기채로 1,000달러 ~ 100만달러의 액면가를 가지며, 이표가 있어 6개월마다 이자를 받을 수 있다.

25 소극적 전략에서 목표수익률의 하한은 벤치마크의 수익률이 된다. (○ / X)

26 공격적 투자에서는 가격 예측에 따른 종목 선택이 가장 중요한 의사결정사항이 된다. (○ / X)

27 해외 투자에서 가장 중요한 예측은 투자대상국의 (   ) 예측과 (   ) 예측이다.

28 상향식 접근방법은 국가분석을 중요하게 생각하며 세계경제를 완전히 통합되지 않고 분리된 각국 경제의 결합체로 본다. (○ / X)

29 환율변동은 해외투자에서 추가적인 위험요인이기는 하지만 동시에 추가적인 수익률 요인이 된다. (○ / X)

30 해외 투자 시 헤지를 하는 것이 헤지비용만을 초래하는 결과를 가져올 수 있으므로 헤지를 하지 않는 것도 고려대상이 되어야 한다.
(○ / X)

📋 정답 & 상세해설

25 X
목표수익률의 상한은 벤치마크의 수익률이 된다.

26 X
가격 예측에 따른 포트폴리오의 구성 비중을 결정하는 자산배분
이 가장 중요한 의사결정사항이 된다.

27 주가, 환율

28 X
하향식 접근방법에 대한 설명이다.

29 ○

30 ○

01 현금흐름 추정 시 기회비용과 매몰비용을 모두 고려해야 한다. (○ / X)

02 산포성향은 자료가 중심으로부터 어느 정도 흩어져 있는가를 나타내는 지표로 (   ), (   ), (   ), (   ) 등이 자주 쓰인다.

03 자산의 위험수준이 높을수록 해당 자산에 대한 투자자들의 요구수익률도 상승한다. (○ / X)

04 배당성향이 30%, 자기자본이익률이 12%일 때 성장률은 3.6%이다. (○ / X)

05 항상성장모형에서 투자자들의 요구수익률은 예상 배당수익률과 자본이득 수익률의 합으로 나타낸다. (○ / X)

06 항상성장모형에서 기업의 배당성장률은 주주의 요구수익률보다 크다. (○ / X)

07 유동비율, 당좌비율, 현금비율은 안정성 지표에 속한다. (○ / X)

08 비유동자산회전율이 높을수록 기업은 보다 효율적으로 영업을 하고 있음을 의미한다. (○ / X)

09 기업성장률이 둔화되고 있을 때 배당성향이 일반적으로 높게 나타난다. (○ / X)

10 이자율의 상승은 고정비용보상비율의 상승을 가져온다. (○ / X)

11 (   )은 현재 기업이 부담하고 있는 재무적 부담을 이행할 수 있는 능력을 측정하는 것이다.

12 어느 기업의 EPS 하락은 기업의 수익성이 하락하고 있거나 유상증자를 행하여 총발행주수가 늘어난 경우에 해당된다. (○ / X)

---

01 X
현금흐름 추정 시 기회비용을 모두 고려해야 하지만 매몰비용은 고려대상이 아니다.

02 범위, 평균편차, 분산, 표준편차

03 ○

04 X
성장률은 '내부유보율 × 자기자본이익률'이고 내부유보율은 '1 − 배당성향'이다. 즉 '(1 − 0.3) × 0.12 = 0.084(8.4%)'가 성장률이다.

05 ○

06 X
주주들의 요구수익률(K)이 배당성장률(g)보다 크다.

07 X
유동성 지표에 속한다. 안정성 지표에는 부채비율, 부채−자기자본 비율 등이 있다.

08 ○

09 ○

10 X
고정비용보상비율은 '고정비용 및 법인세 차감전 이익 ÷ 고정비용'으로 계산되므로 이자율의 상승은 고정비용보상비율의 하락을 가져온다.

11 보상비율
참고로 보상비율에는 배당성향, 이자보상비율, 고정비용보상비율이 있다.

12 ○
EPS는 주당 순이익으로 '(순이익 − 우선주 배당금) ÷ 총 보통주 발행주수'로 계산된다.

13 부채비율이 (   )% 미만인 기업들은 레버리지나 위험의 측면에서 균형이 잘 잡힌 것으로 인식되고 있다.

14 부채-자기자본 비율은 낮을수록 기업의 이익은 더욱 안정적이고, 회사가 발행한 주식과 주주들의 기대수익률은 더 낮아지게 된다.

(○ / X)

15 현금비율은 단기부채를 상환하기 위한 현금을 창출할 수 있는 기업의 능력을 측정한다.

(○ / X)

16 당좌비율은 반드시 부채비율이나 활동성 지표들과 함께 검토되어야 한다.

(○ / X)

17 연구개발에 충분한 투자를 행하고 있지 않은 경우 매출액영업이익률이 높게 나타날 수 있다.

(○ / X)

18 자기자본이익률이 하락 추세를 보인다면 기업의 부채 부담이 (   )하고 있다는 신호로 받아 들일 수 있다.

19 결합레버리지도는 영업레버리지도와 재무레버리지도의 합으로 계산한다.

(○ / X)

20 PER은 성장률과 양(+)의 관계, 자본비용과는 음(-)의 상관관계를 갖는다.

(○ / X)

21 PER이 높다는 것은 기업의 성장성이 주가에 높이 반영되어 있다는 의미이다.

(○ / X)

22 PBR은 ROE와 (   )의 관계, 위험과는 (   )의 관계이다.

23 PBR은 PER에 기업의 마진, 활동성, 부채비율이 추가로 반영된 지표로 자산가치에 대한 평가뿐 아니라 수익가치에 대한 포괄적인 정보가 반영된다.

(○ / X)

24 Tobin's Q 비율이 높을수록 적대적 M&A의 대상이 되는 경향이 있다.

(○ / X)

25 Tobin's Q 비율은 PBR의 문제점 중 하나인 '시간성의 차이'를 극복한 지표이다.

(○ / X)

26 EV는 당기순이익으로 평가하는 PER 모형의 한계점을 보완한다.

(○ / X)

27 EVA는 세후 순영업이익에서 투하자본에 대한 자본비용을 공제한 잔여이익이다.

(○ / X)

📋 정답 & 상세해설

13 50

14 ○

15 X
유동비율에 대한 설명이다. 현금비율은 단기부채를 부담할 수 있는 기업의 능력을 측정한다.

16 ○

17 ○

18 감소

19 X
영업레버리지도와 재무레버리지도의 곱으로 계산한다.

20 ○

21 ○

22 양(+), 음(-)

23 ○

24 X
Q 비율이 낮을수록 적대적 M&A의 대상이 되는 경향이 있다.

25 ○

26 X
EV/EBITDA에 대한 설명이다. EV는 주주 가치와 채권자 가치를 합계한 금액을 의미한다.

27 ○

01 기술적 분석은 가격의 흐름을 잘 파악한다면 주가를 예측할 수 있다고 생각한다. (○ / X)

02 추세의 변화는 수요와 공급의 변동에 의해 일어난다. (○ / X)

03 기술적 분석은 시장이 변화하는 원인을 파악하는 데 용이하다. (○ / X)

04 다우이론에서 주식투자에 경험이 없는 사람이 적극 매입에 나서는 시기는 (   )이다.

05 다우이론에서 가장 많은 투자수익을 얻을 수 있는 시기는 과열국면이다. (○ / X)

06 주가가 저항선을 돌파하면 적극적인 매수 시점으로 본다. (○ / X)

07 지지선이나 저항선은 장기간에 걸쳐 형성되거나 최근에 만들어진 것일수록 신뢰도가 높다. (○ / X)

08 추세선의 신뢰도는 저점이나 고점이 여러 번 나타날수록 추세선의 길이가 길고, 기울기가 가파를수록 크다고 할 수 있다. (○ / X)

09 부채형 추세선이 시간을 두고 여러 개가 형성된다면 기존의 추세가 둔화되면서 향후 추세전환의 가능성이 커지고 있다는 것을 시사한다. (○ / X)

10 단기이동평균선이 중·장기이동평균선을 상향 돌파할 때 매수신호로 본다. (○ / X)

11 20일 이격도가 105라면 현재 주가가 20일 이동평균선보다 (   )% 위에 위치하고 있음을 나타낸다.

12 하락 추세에서 주가가 하락할 때 거래량은 (   )하고 반등할 때 오히려 (   )한다.

---

01 ○

02 ○

03 X
시장이 변화하는 원인을 분석할 수 없다.

04 과열국면

05 X
상승국면이다.

06 ○

07 ○

08 X
기울기는 완만할수록 신뢰도가 크다고 볼 수 있다.

09 ○

10 ○
골든크로스에 대한 설명이며 매수신호로 본다. 반면에 단기이동평균선이 중·장기이동평균선을 하향 돌파할 때(데드크로스) 매도신호로 본다.

11 5

12 증가, 감소

13 이중 천장형은 하락 추세가 상승 추세로 전환될 때 주로 발생한다. (O / X)

14 확대형은 하락 추세의 말기적 현상으로 간주하며 이 패턴이 나타난 이후 대부분 주가는 큰 폭으로 상승하였다. (O / X)

15 상대강도지수(RSI) 값은 최대 100에서 최소 0 사이에 움직이며 100 이상이 되거나 음(-)의 값을 가질 수 없다. (O / X)

16 OBV선이 상승함에도 불구하고 주가가 하락하면 조만간 주가 하락이 예상된다. (O / X)

17 깃발형은 반전형 패턴이다. (O / X)

18 (   )은 일정기간 동안의 주가 변동폭 중 금일 종가의 위치를 백분율로 나타낸다.

19 엘리어트 파동은 상승 5파와 하락 3파의 8개 파동으로 구성된 하나의 사이클을 형성한다. (O / X)

20 엘리어트 파동의 절대불가침의 법칙에 의하면 4번 파동의 저점은 1번 파동의 고점과 겹칠 수 없다. (O / X)

📋 정답 & 상세해설

13 X
이중 천장형은 'M자형'으로 상승 추세가 하락 추세로 전환될 때 주로 발생한다.

14 X
상승 추세의 말기적 현상으로 이 패턴이 나타난 이후에는 대부분 주가의 큰 폭 하락이 있었다.

15 O

16 X
조만간 주가 상승이 예상된다. 반대로 OBV선이 하락함에도 불구하고 주가가 상승하면 조만간 주가 하락이 예상된다.

17 X
깃발형은 지속형 패턴이며 삼각형, 직사각형, 깃발형 또는 패넌트형, 쐐기형, 다이아몬드형 모두 지속형 패턴에 속한다.

18 스토캐스틱

19 O

20 O

01 산업활동의 범위에는 가정 내 가사활동 및 영리적, 비영리적 활동이 모두 포함된다. (○ / X)

02 소득수준이 상승함에 따라 산업구조가 1차 산업에서 2차 산업으로, 다시 3차 산업 중심으로 변화한다는 법칙은 Hoffman의 법칙이다. (○ / X)

03 전통적 국제무역이론은 공급측면에서의 국가 간 차이를 통해 무역패턴을 설명한다. (○ / X)

04 리카도의 비교우위론, 핵셔의 올린 모형 등의 전통적 이론은 (   )이라는 비현실적인 가정에 입각하므로 현실을 설명하는 것에 한계를 갖는다.

05 산업연관표에서 세로 방향은 각 산업부문의 생산물 판매, 즉 배분 구조를 나타낸다. (○ / X)

06 산업의 라이프사이클 분석에서 새로운 제품을 개발하기 위한 연구개발비 지출의 증가가 필요한 단계는 쇠퇴기이다. (○ / X)

07 산업경쟁력 분석은 기업 차원의 접근이 중요한 의미를 갖는다. (○ / X)

08 기술력, 인적자본, 물적자본, 인프라, 수요조건, 국가경쟁력은 산업경쟁력분석모형에서 경쟁자산에 속한다. (○ / X)

09 산업정책은 수요지향적 정책이다. (○ / X)

10 (   )정책은 산업 간의 구조를 대상으로 하며 (   )정책은 산업 내의 구조, 즉 산업조직을 대상으로 하는 정책이다.

11 신무역이론에 의하면 국가(정부)의 전략적 개입이 중요하다고 본다. (○ / X)

---

01 X
가정 내 가사활동은 제외된다.

02 X
Petty의 법칙이다. Hoffman의 법칙은 경제발전에 따라 2차 산업 내에서 소비재 부문보다 생산재 부문의 생산비중이 높아진다는 법칙이다.

03 ○

04 완전경쟁시장

05 X
세로 방향은 상품의 투입 구조를, 가로 방향은 상품의 배분 구조를 나타낸다.

06 X
성숙기이다. 쇠퇴기는 이익률이 더욱 하락하여 적자기업이 다수 발생하게 된다.

07 X
산업경쟁력은 한 국가의 특정 산업에서의 경쟁력으로 해당 산업에서 생산되는 제품들의 경쟁력 또는 그 산업에 속하는 기업들의 경쟁력을 종합적으로 나타내므로 국가 차원에서의 접근이 중요한 의미를 갖는다.

08 ○

09 X
공급지향적 정책이다. 이는 경제성장을 직접적인 목적으로 하여 총공급관리에 초점을 맞추는 것이다.

10 산업구조, 산업조직

11 ○

12 산업연관표의 (   ) 방향 합계인 총투입액과 (   ) 방향 합계인 총산출액은 서로 일치한다.

13 경쟁력 창출요인에서 단순경쟁요소의 경쟁력은 경제가 발전하면 체증적으로 증가한다.　　　　(○ / X)

14 허핀달지수는 집중률과 달리 산업 내 모든 기업의 시장점유율을 포함하므로 기업분포에 관한 정보를 정확히 내포하고 있다.
　　(○ / X)

15 산업정책은 역사적으로 볼 때 후발국에서 강조되었다.　　　　　　　　　　　　　(○ / X)

📋 정답 & 상세해설

12　세로, 가로
13　X
　　　고급요소의 경쟁력에 대한 설명이다. 반대로 단순요소의 경쟁력은
　　　경제개발의 초기에는 상승하나 경제가 일정수준에 도달하면 하락
　　　한다.
14　○
15　○

01 재무위험은 시장위험, 신용위험, 유동성위험, 운용위험 그리고 법적위험으로 분류된다. (○ / X)

02 베어링은행 파산사건은 파생상품 특성에 대한 경영진의 인식부족이 문제점으로 인식되었다. (○ / X)

03 메탈게젤샤프트사 파산사건은 (   )에 노출되어 발생한 사건이다.

04 99% 신뢰구간에서 10일 VaR이 5억원이라는 의미는 10일 동안 발생할 수 있는 최대손실이 5억원보다 클 확률이 (   )%라는 것이다.

05 10일 동안의 VaR은 10일 동안의 VaR × √10의 값을 가진다. (○ / X)

06 VaR을 측정하는 방법 중 역사적 시뮬레이션법, 스트레스 검증법, 몬테카를로법은 (   )이다.

07 A주식 포지션은 매입 포지션, B주식 포지션은 매도 포지션일 경우 상관계수가 −1일 때에는 분산효과가 발생하지 않는다. (○ / X)

08 델타중립에 가까운 포지션을 취한 경우의 델타분석법에 의한 VaR은 1에 가깝게 된다. (○ / X)

09 역사적 시뮬레이션은 완전가치평가법으로 측정하므로 위험요인이 변동할 때 포지션의 가치 변동을 측정하기 위한 가치평가모형이 필요하다. (○ / X)

10 역사적 시뮬레이션은 과거의 가격데이터만 있으면 비교적 쉽게 VaR을 측정할 수 있다. (○ / X)

11 역사적 시뮬레이션 방법의 단점은 계산비용이 많이 든다는 것이다. (○ / X)

12 스트레스 검증법은 최악의 경우에 사용되며 과학적으로 VaR을 계산하지 못한다. (○ / X)

---

01 ○

02 ○

03 롤링위험

04 1

05 X
1일 동안의 VaR × √10의 값을 가진다.

06 완전가치평가법
반면 델타분석법은 부분가치평가방법이다.

07 ○

08 X
콜옵션의 (+)의 델타가 풋옵션의 (−)의 델타에 의해 상쇄되는 델타중립에 가까운 포지션을 취한 경우 델타분석법에 의한 VaR은 0에 가깝게 된다.

09 ○

10 ○

11 X
계산비용이 많이 드는 것은 몬테카를로 시뮬레이션의 단점이다.

12 ○

13 옵션이 포함된 포트폴리오의 경우 델타분석방법이 VaR 측정 시 좋은 선택이 될 수 있다. (○ / ×)

14 VaR은 비율로 표시되기 때문에 다른 회사와의 비교가 용이하다. (○ / ×)

15 VaR의 측정은 과거의 데이터에 의존하여 추정되므로 유의해야 한다. (○ / ×)

16 부도율 측정모형은 기업의 주식가치를 자산가치가 기초자산이고 부채금액이 행사가격인 콜옵션으로 간주한다. (○ / ×)

17 부도거리상 표준편차가 낮을수록 신용위험이 낮은 것을 의미한다. (○ / ×)

18 부도거리는 기업의 자산가치가 채무 불이행점으로부터 떨어진 거리를 표준화하여 구한다. (○ / ×)

19 신용리스크는 신용손실 분포로부터 예상되는 손실로 정의된다. (○ / ×)

20 손실률이 40%일 경우 회수율은 60%이다. (○ / ×)

21 어느 은행이 10억원의 대출을 하고 있다. 대출의 부도율은 3%이고, 회수율이 40%일 때 예상손실(기대손실)은 0.12억원이다.
(○ / ×)

22 어느 투자자가 A주식에 300억원을 투자할 때 1일 수익률의 표준편차가 3%라면 99% 신뢰도 1일 VaR은 13.98억원이다. (○ / ×)

23 어느 기업의 1년 후 기대가치가 500억원이고, 표준편차는 40억원이다. 또한 이 기업의 1년 후 부채가치는 300억원일 때 부도거리(DD)는 5표준편차이다.
(○ / ×)

📋 정답 & 상세해설

13 ×
옵션 미포함 시 델타분석방법이. 옵션 포지션을 포함하는 경우 역사적 시뮬레이션이나 몬테카를로 시뮬레이션이 VaR 측정 시 유용하다.

14 ×
VaR은 수치로 표시되므로 현재 회사의 리스크에 대한 측정이 구체적일 뿐 아니라 다른 회사와의 비교가 어려웠던 리스크 간의 비교를 가능하게 하는 공용 언어로 정보로서의 가치가 높다고 할 수 있다.

15 ○

16 ○

17 ×
부도거리상 표준편차가 높을수록 신용위험이 낮은 것을 의미한다.

18 ○

19 ×
예상 외 손실로 정의된다. 이는 예상되는 손실은 대손충당금 등으로 대비하고 있어 리스크라기보다는 비용으로 인식되고 있기 때문이다. 따라서 신용리스크의 측정치는 신용리스크에 따른 손실의 불확실성. 즉 신용손실의 분포에 의해 결정된다.

20 ○
일반적으로 손실률은 '1 − 회수율'로 계산한다.

21 ×
'예상손실(기대손실. EL) = EAD(신용리스크노출금액) × 부도율 × LGD(손실률)'로 계산되므로 '10억원 × 3% × 60% = 0.18억원'이다.

22 ○
99% 신뢰도 1일 VaR은 '300억원 × 2.33 × 3% = 20.97억원'이다.

23 ○

직무윤리

01 직무윤리의 준수는 금융소비자와 금융투자업종사자들을 보호하는 안전장치의 역할을 한다. (○ / X)

02 금융투자상품은 대부분 (   ), 즉 원본손실위험을 내포하는 특성을 가지므로 직무윤리가 더욱 중요시 된다.

03 정식 고용관계에 있지 않거나 무보수로 일하는 경우 직무윤리를 준수해야 할 대상이 아니다. (○ / X)

04 직무윤리를 위반한 경우 국가기관에 의한 행정제재 및 민사 손해배상책임 등 타율적 규제와 제재의 대상이 될 수 있다. (○ / X)

05 (   )의무는 모든 금융투자업자에게 적용되는 공통적인 직무윤리이자 법적인 근거이다.

06 신의성실의 원칙은 윤리적 의무이자 법적의무이다. (○ / X)

07 금융투자업 직무윤리의 2대 기본원칙은 (   ), (   )이다.

08 신의칙 위반이 법원에서 다투어지는 경우, 이는 강행법규에 대한 위반으로 본다. (○ / X)

09 금융투자업자는 그 이해상충이 발생할 가능성을 낮추는 것이 곤란하다고 판단되는 경우에는 그 사실을 투자자에게 알린 후 매매, 그 밖의 거래를 해야 한다. (○ / X)

10 임직원의 이익은 회사의 이익에 우선되어야 한다. (○ / X)

---

01 ○

02 투자성

03 X
정식 고용관계에 있지 않거나 무보수로 일하는 경우에도 직무윤리를 준수해야 한다.

04 ○

05 선관주의

06 ○

07 고객우선의 원칙, 신의성실의 원칙

08 ○

09 X
이해상충이 발생할 가능성을 낮추는 것이 곤란하다고 판단되는 경우에는 매매, 그 밖의 거래를 하여서는 안 된다.

10 X
회사의 이익은 임직원의 이익에 우선되어야 한다.

11 정보교류의 차단의무를 준수하기 위하여 원칙적으로 임원 및 직원을 겸직하는 행위는 금지된다. (○ / X)

12 투자매매업자 또는 투자중개업자가 자기가 판매하는 집합투자증권을 매수했다면 이는 자기계약의 금지원칙을 위반한 것이다. (○ / X)

13 과당매매는 금융투자업자와 금융소비자 사이에 발생하는 이해상충의 발생원인과는 거리가 멀다. (○ / X)

14 '전문가로서의 주의'의무는 금융회사가 금융소비자에게 판매할 상품을 개발하는 단계부터 적용된다. (○ / X)

15 KYC(Know-Your-Customer-Rule)는 모든 금융투자자를 적용대상으로 한다. (○ / X)

16 일반투자자의 투자목적에 적합하지 아니하다고 인정되는 투자권유를 했다면 이는 적정성의 원칙을 위반한 것이다. (○ / X)

17 과잉권유는 적합성 원칙을 위반한 것이다. (○ / X)

18 적합성의 원칙은 주로 위험성이 큰 파생상품에 적용된다. (○ / X)

19 투자자의 이해수준에 따라 설명의 정도를 달리하는 것은 설명의무 위반에 해당하지 않는다. (○ / X)

20 부당권유의 금지는 모든 투자자에게 적용된다. (○ / X)

21 투자권유를 받은 투자자가 이를 거부하는 취지의 의사를 표시한 후 (   )개월이 지난 후에 다시 투자권유를 하는 행위는 가능하다.

22 장외파생상품은 요청하지 않은 투자권유를 해서는 안 된다. (○ / X)

23 판매 후 모니터링 제도는 금융소비자와 판매계약을 맺을 날로부터 (   )영업일 이내에 금융소비자와 통화하여 불완전 판매가 없었는지에 대해서 확인하는 제도이다.

📋 정답 & 상세해설

11 ○
참고로 대표이사나 감사는 겸직금지 대상에서 제외된다.

12 X
투자매매업자 또는 투자중개업자가 자기가 판매하는 집합투자증권을 매수하는 경우는 투자자의 이익을 해칠 가능성이 없는 경우로서 예외가 적용된다.

13 X
과당매매는 대표적인 이해상충의 발생원인이다.

14 ○

15 X
일반투자자를 대상으로 적용한다.

16 X
적합성의 원칙을 위반한 것이다.

17 ○

18 X
적정성의 원칙에 대한 설명이다. 적정성의 원칙은 원금을 초과하여 손실이 발생할 수 있는 파생상품 등 금융투자상품을 판매하는 경우에는 투자자보호를 위하여 각별한 주의를 기울여야 한다.

19 ○

20 ○

21 1

22 ○
고위험금융상품인 장외파생상품의 경우 원본손실의 가능성이 매우 크고 그에 따른 분쟁 가능성이 상대적으로 크기 때문에 요청하지 않은 투자권유를 해서는 안 된다.

23 7

24 불완전 판매 배상제도에 따라 금융소비자는 본인에 대한 금융투자회사의 불완전판매가 있었음을 알게 된 경우, 가입일로부터 (   )일 이내에 금융투자회사에 배상을 신청할 수 있다.

25 판매수수료 반환 서비스는 금융소비자가 특정 금융투자상품에 가입하고 (   )영업일 이내에 환매, 상환 또는 해지를 요청하는 경우, 환매나 상환, 해지대금과 함께 판매수수료를 돌려주는 제도이다.

26 법규준수, 자기혁신, 품위유지, 사적이익 추구금지는 회사에 대한 윤리에 포함된다. (○ / X)

27 투자매매업자가 조사분석자료의 작성을 담당하는 자에 대하여 성과보수를 지급하는 행위는 불건전 영업행위로 보아 금지하고 있다. (○ / X)

28 시장질서 교란행위의 제재 대상자로는 정보의 1차 수령자 및 이를 전달하는 자 모두를 포함한다. (○ / X)

29 모든 금융투자업자는 반드시 내부통제기준을 두어야 한다. (○ / X)

30 준법감시업무를 위임하는 것은 금지된다. (○ / X)

---

24 15

25 5

26 X
본인에 대한 윤리에 속한다. 회사에 대한 윤리에는 상호존중, 공용 재산의 사적 사용 및 수익 금지, 경영진의 책임, 정보보호, 위반행 위의 보고, 대외활동이 있다.

27 ○

28 ○

29 ○

30 X
준법감시업무 중 일부를 준법감시업무를 담당하는 임직원에게 위 임할 수 있다.

01 금융위원회는 자본시장의 불공정거래 조사 업무를 담당한다. (○ / X)

02 원화표시 CD, 관리형신탁의 수익권, 주식매수선택권은 금융투자상품에서 제외된다. (○ / X)

03 정형화된 시장에서 거래되는지 여부에 따라 증권과 파생상품으로 구분된다. (○ / X)

04 ELS, ELW 등 추가지급의무가 있더라도 증권으로 분류된다. (○ / X)

05 투자매매업자는 누구의 명의로 하든지 타인의 계산으로 금융투자상품을 매매한다. (○ / X)

06 일정요건을 갖춘 개인이 전문투자자로 대우받고자 할 경우 ( )에 신고해야 하며, ( ) 확인 후 ( )년간 전문투자자 대우를 받을 수 있는데 이를 ( )라 한다.

07 일반투자자는 자발적 일반투자자와 상대적 일반투자자로 구분한다. (○ / X)

08 투자자문업과 투자중개업은 자본시장법상 등록대상 금융투자업자이다. (○ / X)

09 매 회계연도 말 기준 자기자본이 인가업무 단위별 최저 자기자본의 ( )% 이상을 유지해야 자기자본 요건을 충족한 것으로 본다.

10 영업용순자본 산정 시 부외자산과 부외부채에 대해서도 위험액을 산정한다. (○ / X)

11 금융투자업자는 매 분기마다 보유자산에 대해 ( ) – ( ) – ( ) – ( ) – ( )의 5단계로 분류한다.

12 금융투자업자는 자본적정성 유지를 위해 순자본비율이 150% 이상 유지되도록 해야 한다. (○ / X)

📋 정답 & 상세해설

01 X
증권선물위원회의 업무이다.

02 ○

03 X
정형화된 시장에서 거래되는지 여부에 따라 장내파생상품과 장외파생상품으로 분류한다.

04 ○

05 X
투자중개업자에 대한 설명이다.

06 금융위원회, 금융위원회, 2, 자발적 전문투자자

07 X
일반투자자는 절대적 일반투자자와 상대적 일반투자자로 구분한다.

08 X
투자자문업과 투자일임업은 등록대상, 투자매매업과 투자중개업, 집합투자업, 신탁업은 인가대상 금융투자업자이다.

09 70

10 ○

11 정상, 요주의, 고정, 회수의문, 추정손실

12 X
100% 이상 유지되도록 해야 한다.

13 순자본비율이 (   )% 미만인 경우 지체없이 (   )에게 보고해야 한다.

14 순자본비율이 0% 미만인 경우 경영개선 명령의 적기시정조치가 내려진다.　　　　　　　　　　　　(○ / X)

15 경영개선계획 이행기간은 경영개선 권고는 (   ), 요구는 (   ), 명령은 (   )이다.

16 원칙적으로 금융투자업자는 대주주가 발행한 증권을 소유할 수 없다.　　　　　　　　　　　　　　(○ / X)

17 금융투자업자는 겸영업무를 영위하고자 하는 날의 (   )일 전까지 이를 (   )에 (   )하여야 한다.

18 금융투자업자는 제3자에게 업무를 위탁하는 경우 위탁계약을 체결하여 실제 업무 수행일의 (   )일 전까지 (   )에 (   )해야 한다.

19 임직원의 겸직은 금지되나 임원 중 대표이사, 감사, 사외이사가 아닌 감사위원회의 위원은 겸직이 가능하다.　(○ / X)

20 투자권유를 거부한 투자자에 대한 재권유는 불가능하다.　　　　　　　　　　　　　　　　　　(○ / X)

21 금융투자업자가 설명의무를 위반하여 투자자에게 손해가 발생하면 투자자의 손실액 전부가 손해액으로 추정되지만 이에 대한 입증책임은 투자자에게 있다.　　　　　　　　　　　　　　　　　　　　　　　　　　　　(○ / X)

22 투자권유대행인은 위탁한 금융투자업자를 대리하여 계약을 체결하는 행위는 금지된다.　　　　　　　(○ / X)

23 투자광고에 최소비용을 표기하는 경우 그 (   ), 최대수익을 표기하는 경우 그 (   )이 표기되어야 한다.

24 금융투자업자는 금융투자업을 폐지하거나 지점 등의 영업을 폐지하는 경우에는 폐지 (   )일 전에 일간신문에 공고해야 하고, 알고 있는 채권자에게는 각각 통지해야 한다.

25 임직원이 상장된 지분증권이나 장내파생상품을 매매할 때는 매매명세를 분기별로 소속회사에 통지해야 한다.　(○ / X)

---

13 100, 금융감독원장(금감원장)

14 ○
참고로 순자본비율 50% 이상 ~ 100% 미만은 경영개선 권고, 0% 이상 ~ 50% 미만은 경영개선 요구의 조치를 취한다.

15 6개월, 1년, 금융위원회가 정한 기간

16 ○
예외적으로 담보권의 실행, 안정조작, 인수, 특수채증권을 취득하는 경우는 인정된다.

17 7, 금융위원회, 신고

18 7, 금융위원회, 보고

19 ○

20 X
투자권유를 거부한 투자자에게 투자성 있는 보험계약, 1개월 경과후, 다른 종류의 금융투자상품에 대한 재권유는 가능하다.

21 X
입증책임은 금융투자업자에게 있다.

22 ○

23 최대비용, 최소수익

24 30

25 ○
주요 직무종사자의 경우 월별로 소속회사에 통지해야 한다.

26 투자자에게 금융투자상품의 매매에 관한 주문을 받은 경우 반드시 서면으로 투자매매업자인지, 투자중개업자인지를 사전에 알려야 한다. (○ / X)

27 선행매매의 금지는 투자자와의 이해충돌의 문제를 막기 위한 것이다. (○ / X)

28 투자매매업자 또는 투자중개업자는 주권 등 일정한 증권의 모집 또는 매출과 관련된 계약을 체결한 날부터 그 증권이 최초로 증권시장에 상장된 후 (   )일 이내에 그 증권에 대한 조사분석자료를 공표하거나 특정인에게 제공할 수 없다.

29 투자매매업자 또는 투자중개업자의 신용공여행위는 증권과 관련된 경우 예외적으로 허용된다. (○ / X)

30 신용공여 시 투자자의 신용상태 및 종목별 거래상황 등을 고려해 신용공여금액의 (   )% 이상에 상당하는 담보를 징구해야 한다.

31 은행, 한국산업은행, 중소기업은행, 보험회사는 투자자예탁금을 신탁업자에게 신탁할 수 있다. (○ / X)

32 다자간매매체결회의 주식소유에 대하여 일정한 경우를 제외하고 다자간매매체결회사의 의결권이 있는 발행주식 총수의 (   )%를 초과하여 소유할 수 없다.

33 국채, 정부보증채, 한국은행통화안정증권은 동일 종목에 100% 투자 가능하다. (○ / X)

34 각 집합투자증권의 자산 총액의 (   )%를 초과하여 동일 집합투자증권에 투자하는 행위는 금지된다.

35 대량환매청구 발생 시 집합투자업자는 순자산 총액의 10% 한도로 금전차입이 가능하다. (○ / X)

36 이해관계인이 되기 전 (   )개월 이전에 체결한 계약에 따른 거래는 이해관계인과의 거래 제한 등의 예외가 인정된다.

37 사모집합투자기구는 성과보수를 받을 수 있다. (○ / X)

38 집합투자업자는 자산운용보고서를 작성하여 금융위원회의 확인을 받아 3개월에 1회 이상 투자자에게 제공해야 한다. (○ / X)

📋 정답 & 상세해설

26 X
반드시 서면일 필요는 없으며 투자매매업자인지 또는 투자중개업자인지를 밝히는 방법에는 제한이 없다.

27 X
선행매매 금지는 투자매매업자 또는 투자중개업자가 고객의 매매주문정보를 이용하여 시장에서의 정보 평등을 해치는 것을 막기 위한 것이다.

28 40

29 ○

30 140

31 ○

32 15

33 ○

34 20

35 ○

36 6

37 ○
공모집합투자기구는 운용실적에 연동하여 미리 정해진 산정방식에 따른 보수를 받는 것이 원칙적으로 금지된다.

38 X
신탁업자의 확인을 받아야 한다.

39 투자설명서의 변경은 집합투자업자의 수시공시사항이다.　　　　　　　　　　　　　　　　(○ / X)

40 투자자문업자 및 투자일임업자는 투자자로부터 금전이나 증권 등을 보관, 예탁받는 행위가 금지된다.　(○ / X)

41 투자일임업자는 투자일임재산을 각각의 투자자별로 운용하는 행위는 금지된다.　　　　　　　　　(○ / X)

42 투자일임업자는 반기마다 1회 이상 투자일임계약을 체결한 일반투자자에게 투자일임보고서를 교부해야 한다.　(○ / X)

43 신탁재산은 위탁자와 수탁자로부터 독립된다.　　　　　　　　　　　　　　　　　　　　　(○ / X)

44 모집은 50인 이상의 투자자에게 이미 발행된 증권의 매도 또는 매수의 청약을 권유하는 것이다.　　(○ / X)

45 증권신고서의 제출의무자는 언제나 해당 증권의 발행인이다.　　　　　　　　　　　　　　　(○ / X)

46 증권신고서의 제출일을 기준으로 해당 증권의 취득 또는 청약이 있는 경우 그 증권의 발행인·매출인과 그 대리인은 그 청약의 승낙을
할 수 있다.　　　　　　　　　　　　　　　　　　　　　　　　　　　　　　　　　　(○ / X)

47 기업어음의 만기가 365일 이상인 경우 전매가능성이 있는 경우로 보아 간주모집이 인정된다.　　　(○ / X)

48 일괄신고서의 정정신고서는 수리된 날부터 (　　　)일이 경과한 날에 그 효력이 발생한다.

49 간이투자설명서는 증권신고서의 효력발생시기에 관계 없이 사용 가능하다.　　　　　　　　　　(○ / X)

50 개방형집합투자증권은 투자설명서 및 간이설명서를 제출한 후 6개월마다 1회 이상 다시 고친 투자설명서 및 간이투자설명서를 제출
해야 한다.　　　　　　　　　　　　　　　　　　　　　　　　　　　　　　　　　　　(○ / X)

51 사업보고서는 사업연도 경과 후 (　　　)일 이내, 반기보고서와 분기보고서는 반기 및 분기 종료일로부터 (　　　)일 이내 금융
위원회와 거래소에 제출해야 한다.

---

39 X
투자설명서의 변경은 집합투자업자의 수시공시사항이 아니다.

40 ○

41 X
각각의 투자자별로 운용하지 아니하고 여러 투자자의 자산을 집
합하여 운용하는 행위는 원칙적으로 금지된다.

42 X
3개월마다 1회 이상 교부해야 한다.

43 ○

44 X
매출에 대한 설명이다. 모집은 50인 이상의 투자자에게 새로 발행
되는 증권의 취득 청약을 권유하는 것이다.

45 ○

46 X
증권신고서 제출 후 효력발생기간이 지나야 한다.

47 ○

48 3

49 ○

50 X
1년마다 1회 이상 다시 고친 투자설명서 및 간이투자설명서를 제
출해야 한다.

51 90, 45

52 최초로 사업보고서를 제출하는 법인은 사업보고서 제출대상법인에 해당하게 된 날부터 (   )일 이내에 그 직전 사업연도의 사업보고서를 금융위원회와 거래소에 제출해야 한다.

53 주요 사항 보고서 제출대상 법인과 사업보고서 제출대상 법인은 동일하다. (○ / X)

54 영업활동의 전부 또는 중요한 일부가 정지된 때 주요사항 보고서를 제출해야 한다. (○ / X)

55 조회공시대상이 풍문 또는 보도와 관련한 경우 요구 시점이 오전일 때는 다음 날 오전까지 답변해야 한다. (○ / X)

56 공개매수기간은 공개매수신고서의 제출일로부터 20일 이상 60일 이내이다. (○ / X)

57 응모주주는 공개매수기간 중에는 언제든지 응모를 취소할 수 있으나 취소에 따른 위약금이 발생된다. (○ / X)

58 주권상장법인의 주식 등을 5% 이상 보유자가 보율비율의 (   )% 이상이 변동되는 경우, 사유발생일로부터 (   )일 이내 보고해야 한다.

59 집합투자기구의 등록신청은 집합투자기구가 설정·설립된 때부터 7일 이내로 해야 한다. (○ / X)

60 집합투자업자 및 신탁업자 등이 받는 보수 및 수수료의 인상은 사전에 수익자총회의 결의를 받아야 한다. (○ / X)

61 수익자 총회의 결의가 이루어지지 않은 경우에 집합투자업자는 (   )주 이내 연기수익자총회를 소집하여야 한다.

62 공모투자신탁을 설정하고 1년이 지난 후 1개월간 계속하여 투자신탁의 원본액이 (   )억원 미만인 경우 금융위원회의 승인 없이 투자신탁의 해지가 가능하다.

63 집합투자기구는 존속기간을 정한 경우에만 환매금지형집합투자기구로 설정할 수 있다. (○ / X)

📋 정답 & 상세해설

52 5

53 ○
주요사항 보고서는 정기적으로 제출되는 사업보고서, 반기보고서, 분기보고서를 보완하기 위한 제도이므로 제출대상은 사업보고서 제출대상과 동일하다.

54 ○

55 X
요구 시점이 오전일 때에는 당일 오후까지, 오후일 때에는 다음 날 오전까지 답변해야 하며, 시황급변과 관련한 경우에는 요구받은 날로부터 1일 이내 다음 날까지 답변해야 한다.

56 ○

57 X
위약금을 지급할 필요가 없다.

58 1, 5

59 X
7일 이내 → 2주일 이내

60 ○
수익자에게 불리하게 변경된 경우 사전에 수익자총회의 결의를 받아야 한다.

61 2

62 50

63 ○

64 종류형 집합투자기구에서 집합투자기구 간 전환의 경우 투자자에게 환매수수료가 부과된다. (○ / X)

65 집합투자증권의 환매대금은 실물지급이 불가능하다. (○ / X)

66 기업어음증권을 거래하기 위해서는 둘 이상의 신용평가업자로부터 신용평가를 받아야 한다. (○ / X)

67 일반투자자의 장외파생상품 매매는 예외없이 금지된다. (○ / X)

68 국내 기업이 외국에서 발행한 증권예탁증권(DR)과 파생결합증권은 미공개 중요 정보 이용행위의 금지 규정대상에 제외된다.
(○ / X)

69 내부자 및 준내부자에 해당하지 않게 된 날로부터 1년이 경과하지 않으면 내부자 및 준내부자로 보아 미공개 정보 이용행위 금지 규제
대상자에 포함된다. (○ / X)

70 주식매수선택권의 행사에 따라 주식을 취득하는 경우 단기매매차익으로 보아 반환해야 한다. (○ / X)

71 규제대상 시세조정행위로는 위장거래에 의한, 현실거래에 의한, 허위표시 등에 의한 가격 고정 또는 안정조작행위, 현·선연계 시세조
정행위 등이 있다. (○ / X)

72 부당거래 위반행위로 얻은 이익 또는 회피한 손실액의 5배에 해당하는 금액이 10억원 이하인 경우에는 벌금의 상한액을 10억원으로
한다. (○ / X)

73 시장질서 교란행위에 대해서는 (   )억원 이하의 과징금을 부과할 수 있다.

74 제재를 받은 금융기관 또는 그 임직원은 당해 제재처분 또는 조치요구가 위법 또는 부당하다고 인정하는 경우 금융위원회 또는 금융
감독위원장에게 이의를 신청할 수 있다. 다만 이의신청 처리결과에 대해서는 다시 이의신청할 수 없다. (○ / X)

---

64 X
투자자에게 환매수수료를 부과해서는 안 된다.

65 X
현금환매를 원칙으로 하고 있으나 집합투자자 전원의 동의가 있
으면 실물지급이 가능하다.

66 ○

67 X
일반투자자가 위험회피 목적의 거래를 하는 경우 장외파생상품의
매매가 허용된다.

68 X
모두 포함된다.

69 ○

70 X
단기매매차익 반환의 예외에 해당한다.

71 ○

72 X
5억원 → 10억원

73 5

74 ○

01 확인한 투자자 정보의 내용은 해당 일반투자자에게 지체 없이 제공해야 하며, 5년 이상 기록·보관해야 한다. (○ / ×)

02 일반투자자가 투자설명서의 수령을 거부할 경우 간이투자설명서를 교부해야 한다. (○ / ×)

03 투자설명서 및 간이투자설명서는 준법감시인 또는 금융소비자보호 총괄책임사의 사전심의를 받아야 한다. (○ / ×)

04 투자설명서의 교부 없이 핵심설명서만을 교부해서는 안 된다. (○ / ×)

05 공모로 발행된 파생결합 증권에 대해서만 금융투자회사에게 다양한 정보제공의무를 부과한다. (○ / ×)

06 금융투자회사는 조사분석자료를 공표하거나 제3자에게 제공하기에 앞서 금융투자분석사의 확인을 필요로 한다. (○ / ×)

07 금융투자회사는 자신이 안정조작 또는 시장조성 업무를 수행하고 있는 증권을 발행한 법인의 조사분석을 공표할 수 없다. (○ / ×)

08 금융투자분석사는 소속 금융투자회사에서 조사분석자료를 공표한 금융투자상품을 매매하는 경우 공표 후 (　　　)시간이 경과해야 하며, 금융투자상품의 공표일로부터 (　　　)일 동안은 공표한 투자의견과 같은 방향으로 매매해야 한다.

09 금융투자분석사는 금융투자상품 매매거래내역을 분기별로 회사에 보고해야 한다. (○ / ×)

10 금융투자회사가 불특정 다수인에게 금융투자상품이나 금융투자회사 또는 그 영위업무를 널리 알리는 행위는 투자권유로 정의한다. (○ / ×)

11 이미지 광고 및 휴대전화(SNS)를 이용한 투자광고에는 금융투자업자의 명칭, 금융투자상품의 내용 등 의무표시사항을 표시해야 한다. (○ / ×)

12 투자광고 시 A4용지 기준 7포인트 이상의 활자체로 투자자가 쉽게 알아볼 수 있도록 표시해야 한다. (○ / ×)

13 인터넷 배너를 이용한 투자광고의 경우 위험고지내용이 3초 이상 보일 수 있도록 해야 한다. (○ / ×)

📋 정답 & 상세해설

01 ×
10년 이상 기록·보관해야 한다.

02 ×
투자설명서의 수령을 거부할 경우 투자설명서를 교부하지 않아도 된다.

03 ×
간이투자설명서는 제외된다.

04 ○

05 ○
최초 손실발생 기준 도달 시 투자자 통지 및 판매 후 정보제공의무를 부과한다.

06 ○

07 ○

08 24, 7

09 ×
매월 회사에 보고해야 한다.

10 ×
투자광고로 정의한다.

11 ×
이미지 광고와 휴대전화(SNS) 광고에는 의무표시사항을 표시하지 않을 수 있다.

12 ×
A4용지 기준 9포인트 이상의 활자체로 표시해야 한다.

13 ○
다만 파생상품 등 투자위험성이 큰 거래에 관한 내용을 포함하는 경우 위험고지내용이 5초 이상 보일 수 있도록 해야 한다.

14 펀드의 설정·설립일로부터 1년 이상 지나고 순자산 총액이 100억원 이상인 펀드만 투자광고에 운용실적을 표시할 수 있다.(○ / X)

15 펀드의 운용실적은 과거 1개월 이상의 수익률을 사용하되 과거 6개월 및 1년 수익률을 함께 표시해야 한다. (○ / X)

16 투자광고 유효기간은 펀드 운용실적을 포함하는 광고는 (   )개월, 기타 광고는 (   )년이다.

17 경제적 가치가 10만원 이하의 물품 또는 식사는 재산상의 이익으로 보지 않는다. (○ / X)

18 금융투자회사로부터 징계퇴직 처분을 받은 날로부터 (   )년이 경과하지 않은 자는 직원으로 채용할 수 없다.

19 배타적 사용권을 부여받은 금융투자회사는 배타적 사용권에 대한 직접적인 침해가 발생한 경우 협회 신상품 심의위원회가 정한 서식에 따라 침해배제를 신청할 수 있으며 심위위원회 위원장은 신청 접수일로부터 (   )영업일 이내 심의해야 한다.

20 유사해외통화선물거래(FX마진거래)의 위탁증거금은 거래단위당 미화 1만달러 이상이며, 미국 달러만 증거금으로 인정된다. (○ / X)

21 펀드관계회사인력에는 펀드사무관리인력, 펀드평가인력, 채권평가인력 3종이 있다. (○ / X)

22 금융투자회사는 상장예비심사청구를 한국거래소에 제출하는 날로부터 (   )개월 전에 대표준관계약 또는 주관계약을 체결해야 한다.

23 금융투자회사가 발행회사의 최대주주이거나 주식 등을 5% 이상 보유한 경우 주관업무를 수행할 수 없다. (○ / X)

24 기업공재를 위한 대표주관회사 및 인수회사는 인수업무조서를 작성하여 발행회사가 유가증권 시장, 코스닥 시장 또는 코넥스 시장에 상장된 날부터 (   )년 이상의 기간 동안 보관해야 한다.

25 금융투자회사는 업무와 관련하여 협회가 정한 표준약관을 사용할 수 있으나 이를 수정할 수 없다. (○ / X)

26 금융투자업 영위와 관련하여 약관을 제정 또는 변경하는 경우에는 약관의 제정 또는 변경 후 (   )일 이내에 협회에 보고해야 한다. 다만 사전신고에 해당되는 경우 (   )영업일 전까지 협회에 신고해야 한다.

---

14 ○

15 ○

16 6, 1

17 X
3만원 이하인 경우 재산상의 이익으로 보지 않는다.

18 5

19 7

20 ○

21 ○

22 2

23 ○

24 3

25 X
협회가 정한 표준약관을 사용하거나 이를 수정하여 사용할 수 있다. 다만 모든 표준약관을 다 수정하여 사용할 수 있는 것은 아니며 외국집합투자증권 매매에 관한 표준약관은 그대로 사용해야 한다.

26 7, 10

01 자산운용은 (   ), (   ), (   )의 3단계 활동이 긴밀하게 연결되어 있는 의사결정체계이다.

02 강형 효율적 시장가설을 신뢰한다면, 어떤 형태의 액티브 운용도 시도할 필요가 없다고 본다.   (○ / ×)

03 마켓타이밍, 테마 선택, 종목 선택의 3가지 전략을 모두 활용하여 벤치마크 수익률 이상의 초과수익을 얻으려 한다면 이는 액티브 운용이다.   (○ / ×)

04 패시브 운용은 마켓타이밍, 테마 선택, 종목 선택의 전략이 관계되지 않은 운용이다.   (○ / ×)

05 자산집단은 동질성, 배타성, 분산가능성, 포괄성, 충분성의 5가지 요건을 갖추어야 한다.   (○ / ×)

06 자산집단의 기대수익률을 추정하는 방법으로 (   ), (   ), (   ), (   )이 있다.

07 전략적 자산배분은 마코위츠의 포트폴리오 이론에 토대를 두고 있다.   (○ / ×)

08 무차별곡선의 기울기는 공격적인 투자자일수록 급하다.   (○ / ×)

09 역투자전략은 전략적 자산배분의 특징이다.   (○ / ×)

10 전략적 자산배분의 실행방법으로는 시장가치 접근법, 위험수익 최적화 방법, 투자자별 특수상황을 고려하는 방법, 다른 유사한 기관투자자의 자산배분을 모방하는 방법이 있으며 이중 위험수익 최적화 방법을 보편적으로 사용한다.   (○ / ×)

11 전술적 자산배분은 평균반전 현상을 활용한다.   (○ / ×)

12 전술적 자산배분의 실행 방법 중 (   )은 주가가 하락하면 주식을 매수하고, 주가가 상승하면 주식을 매도하므로 (   )을 지향한다.

13 보험자산배분은 일정한 목표수익률을 제시하는 펀드나 최소 보장수익률이 존재하는 보장형 펀드 등에 적용 가능하다.   (○ / ×)

14 포트폴리오 보험의 최저 보장수익률 또는 목표수익률은 반드시 무위험자산수익률 이하로 결정해야 한다.   (○ / ×)

📋 정답 & 상세해설

01 계획, 실행, 평가

02 ○

03 ○
3가지 전략 중 하나 또는 그 이상의 전략을 사용하여 초과이익을 얻으려 한다면 이는 액티브 운용전략으로 볼 수 있다.

04 ○

05 ○

06 추세분석법, 시나리오분석법, 근본적 분석법, 시장공통예측치 사용법

07 ○

08 ×
보수적인 투자자일수록 급하다.

09 ×
전술적 자산배분의 특징이다.

10 ×
다른 유사한 기관투자자의 자산배분을 모방하는 것을 보편적으로 사용한다.

11 ○
평균반전이란 자산집단가격이 단기적으로는 내재가치에서 벗어나지만 장기적으로는 결국 내재가치를 향해 돌아온다는 현상이다.

12 포뮬러 플랜, 역투자전략

13 ○

14 ○

15 포트폴리오 보험을 추구하는 투자자는 주식 가격이 상승할 때 주식을 (   )하게 되고 주식 가격이 하락할 때 주식을 (   ) 하게 된다.

16 포트폴리오 보험(OBPI)은 (   )옵션 대신 주식과 채권을 이용하여 (   )옵션을 복제하는 합성 (   )옵션 전략이라고 한다.

17 고정비율 포트폴리오 보험(CPPI) 전략은 내재변동성의 추정이 어렵다.   (○ / X)

18 고정비율 포트폴리오 보험(CPPI) 전략은 투자기간이 반드시 사전에 정해질 필요는 없다.   (○ / X)

19 고정비율 포트폴리오 보험(CPPI) 전략을 수행하기 위해서는 투자 개시 시점에서 승수와 만기 시의 최저 보장 가치를 결정해야 한다.
(○ / X)

20 (   ) 운용은 단기적으로 효율적인 시장을 전제로 하며 평균수익률을 목표로 한다.

21 주식 현물을 이용하여 인덱스 펀드를 구성하는 방법은 (   ), (   ), (   )의 3가지 유형으로 나눌 수 있다.

22 성장 모멘텀 투자자들은 성장률이 높은 기업에 대해 시장 PER보다 높은 가격을 지불한다.   (○ / X)

23 (   )펀드는 초과수익을 얻기 위해 성과가 저조할 것으로 예상되는 종목을 의도적으로 제외하여 지수를 만들기도 한다.

24 계량분석모형은 기업의 적극적인 가치를 발견하여 투자전략을 만들어 낸다.   (○ / X)

25 구조화된 파생상품(옵션)을 이용할 경우 원하는 수익·위험 구조의 창출이 가능한 반면 거래비용이 부담된다.   (○ / X)

26 델타헤징을 이용한 운용전략은 패시브 전략과 액티브 운용 방식의 두가지 성격을 모두 보유하고 있다.   (○ / X)

27 액티브 – 보완 조합은 액티브 운용을 보완펀드의 목적으로 이용한다.   (○ / X)

28 수익률 역전 그룹에서 베타가 낮은 주식의 수익률이 높은 현상이 나타난다. 이를 저 베타(β) 효과라 한다.   (○ / X)

29 액티브 펀드의 수익률 편차는 패시브 펀드들의 표준편차보다 크다.   (○ / X)

30 액티브 펀드의 잔차위험은 패시브 펀드들의 잔차위험보다 크다.   (○ / X)

---

15 매입, 매도

16 풋, 풋, 풋

17 X
옵션 모형 포트폴리오 보험(OBPI)에 대한 설명이다.

18 ○

19 ○

20 패시브

21 완전복제법, 표본추출법, 최적화법

22 ○

23 인핸스드 인덱스

24 X
계량분석모형은 과거 주가 변동의 패턴을 이용하여 귀납적으로 전략을 마련하는 특징을 가진다.

25 ○

26 ○
적극적으로 초과수익을 추구하지 않는다는 점에서 패시브 전략, 거래가 빈번하다는 관점에서 액티브 운용 전략으로 볼 수 있다.

27 X
패시브 운용을 보완펀드의 목적으로 이용하는 것으로 우선 액티브 운용자가 초과수익을 달성 가능한 분야를 선정하여 해당 분야에 집중적으로 투자하는 펀드 설정 후, 액티브 운용이 담당하지 않는 분야를 대상으로 운용하는 펀드를 설정하면 기금이 투자하고자 하는 벤치마크 전체에 대해 투자하는 포트폴리오를 구성할 수 있다.

28 ○

29 ○

30 ○

01 채권은 원리금의 상환기간이 정해져 있는 확정이자부 증권이다. (○ / X)

02 액면가 1만원, 표면이율 8%인 연 단위 복리채의 2년 후 만기상환금은 ( )원이다.

03 전환사채는 일반채권에 비해 낮은 금리로 발행할 수 있다. (○ / X)

04 교환사채는 권리행사 시 사채권이 존속하므로 자산이 감소한다. (○ / X)

05 신주인수권부사채는 주식을 인수하기 위한 신규자금이 불필요하다. (○ / X)

06 전환사채와 교환사채는 권리행사 시 사채권이 소멸된다. (○ / X)

07 전환사채는 권리행사 시 자본금이 증가한다. (○ / X)

08 전환사채의 전환프리미엄(괴리)이 양수일 때 주식으로 전환하는 것이 유리하다. (○ / X)

09 수의상환청구채권은 ( )가 중도상환 청구권리를 보유하고 수의상환채권은 ( )가 중도상환 권리를 보유한다.

10 수의상환채권은 일반사채보다 액면이자율 및 만기수익률이 높다. (○ / X)

11 채권의 직접발행은 발행기관이 발행위험을 부담하고 사무를 직접 담당한다. (○ / X)

12 채권의 사모발행은 공모보다 이자율이 높고 만기가 긴 것이 일반적이다. (○ / X)

13 채권의 유통시장은 장외시장의 비중이 높다. (○ / X)

14 국공채와 회사채의 매출발행이 가능하다. (○ / X)

📋 정답 & 상세해설

01 X
채권은 기한부 증권이다.
02 11,664
03 ○
04 X
교환사채는 권리행사 시 사채권이 소멸하므로 부채는 감소하고, 자본금의 변화는 없으며, 자산은 감소한다.
05 X
신규자금이 필요하다.
06 ○
07 ○
권리행사 시 사채권 소멸, 부채 감소, 자본금 증가, 자산 불변이다.

08 X
전환프리미엄(괴리)은 전환사채의 가격수준이 패리티가격에 비하여 얼마나 싸고 비싼가의 정도를 나타낸다. 따라서 그 값이 음수일 때 주식으로 전환하는 것이 유리하다.
09 투자자, 발행자
10 ○
11 X
간접발행에 대한 설명이다. 직접발행은 발행자가 발행위험 및 사무를 모두 담당한다.
12 X
만기가 짧은 것이 일반적이다.
13 ○
14 X
회사채는 매출발행이 불가능하다.

15 복리채는 재투자위험이 없다. (○ / X)

16 경상수익률은 연이자지급액을 현재의 채권시장가격으로 나눈 값으로 자본이득은 고려하지 않는다. (○ / X)

17 표면이자율이 낮을수록 동일한 수익률 변동에 대한 가격 변동폭은 커진다. (○ / X)

18 이표채의 듀레이션은 만기보다 항상 길다. (○ / X)

19 복리채와 할인채의 듀레이션은 잔존만기와 동일하다. (○ / X)

20 듀레이션은 만기와 ( ), 시장수익률과 ( ), 표면이자율과 ( ) 관계이다.

21 만기 3년, 듀레이션 2.98, 만기수익률 10%인 3개월 후급 이표채의 수정듀레이션은 ( )이다.

22 볼록성은 듀레이션이 증가함에 따라 가속도로 증가한다. (○ / X)

23 수익률과 만기가 일정할 때, 표면이자율이 클수록 볼록성은 증가한다. (○ / X)

24 채권마다 수익률이 다른 이유는 위험구조와 기간구조가 다르기 때문이다. (○ / X)

25 시장분할이론에 의하면 서로 다른 만기의 채권금리는 어떠한 상관관계도 존재하지 않는다. (○ / X)

26 유동성프리미엄은 우하향 수익률 곡선을 잘 설명한다. (○ / X)

27 콜옵션부사채에 투자할 경우 수익률 상승에 따른 발행자의 중도 상환 요구로 재투자 위험에 노출될 수 있다. (○ / X)

28 채권운용전략 중 적극적 운용전략은 시장이 ( ), 소극적 운용전략은 시장이 ( )이라 가정한다.

29 만기보유, 인덱스, 사다리형, 면역, 현금흐름일치 전략은 ( ) 운용전략이다.

30 수익률곡선타기 전략은 불편기대이론이 성립되면 오히려 손실이 발생하는 전략이다. (○ / X)

---

15 ○

16 ○
경상수익률 = (연간 이자 ÷ 채권가격) × 100

17 ○

18 X
이표채의 듀레이션은 만기보다 짧다.

19 ○

20 비례, 반비례, 반비례

21 2.9073
수정듀레이션 = 듀레이션 ÷ {1 + (만기수익률 ÷ 연 이자지급횟수) } = 2.98 ÷ {1 + (0.1 ÷ 4)} = 2.9073

22 ○

23 X
볼록성은 감소한다.

24 ○

25 ○

26 X
우상향 수익률 곡선을 잘 설명한다.

27 X
수익률 하락에 따른 발행자의 중도 상환 요구로 위험에 노출될 수 있다.

28 효율적, 비효율적

29 소극적

30 ○

01 신용위험(Credit Risk)은 파생상품의 거래대상이 될 수 없다. (○ / X)

02 파생상품 투자전략으로는 (   ), (   ), (   ), (   )가 있다.

03 집 앞에 있는 슈퍼에서 과자를 사고, 현금은 이틀 후 지불하기로 하였다면 이는 선도거래에 해당된다. (○ / X)

04 선도거래의 일반적인 특징은 향후 얼마가 될지 모르는 가격을 미리 정해 놓음으로써 위험이 커진다는 것이다. (○ / X)

05 원래 포지션을 그대로 둔 채 추가 포지션을 취하여 전체적으로 손익을 중립적으로 만드는 기법을 활용한 파생상품 투자전략은 헤지거래이다.
(○ / X)

06 KOSPI200 지수가 200Point이고 이자율은 연 4%, 주가지수에 대한 배당률이 연 1%일 경우, 만기가 3개월 남은 KOSPI200 주가지수선물의 균형가격은 201.5Point이다. (○ / X)

07 향후 기초자산 가격의 변동성이 축소될 것으로 예상된다면 스트래들매도, 스트랭글매도 전략을 취하는 것이 적절하다. (○ / X)

08 (   ) 옵션의 델타는 0에서 1 사이의 값을 (   ) 옵션의 델타는 −1에서 0까지의 값을 가진다.

09 강세 스프레드(Bull Spread)는 행사가격이 낮은 콜옵션을 (   )하고, 행사가격이 높은 콜옵션을 (   )하는 전략으로 상승장에서 유용하다.

10 권리행사 시 이익이 났다면 이는 (   ) 옵션, 손실이 났다면 이는 (   ) 옵션이다.

11 스트래들매도 포지션인 포지션 델타는 음수이다. (○ / X)

📋 정답 & 상세해설

01 X
신용위험(Credit Risk)도 파생상품의 거래대상이 된다.

02 헤지거래, 투기거래, 차익거래, 스프레드거래

03 X
계약과 계약의 집행이 모두 현재(또는 T + 2일 이내)에 이루어지는 거래이므로 현물거래이다.

04 X
선도거래는 향후 얼마가 될지 모르는 가격을 미리 정해 놓음으로써 위험회피효과를 거둘 수 있다.

05 ○

06 ○

07 ○

08 콜, 풋

09 매도, 매수

10 내가격, 외가격

11 ○

12 풋옵션에서 행사가격이 기초자산 가격보다 크다면 이는 외가격 옵션이다.　　　　　　　　　　　　(○ / X)

13 선물을 이용하여 헤지를 하는 경우 보유현물과 선물포지션을 선물 만기 시점까지 가서 청산을 하게 되면 베이시스 위험이 사라지게
되는데, 이를 제로 베이시스 헤지라 한다.　　　　　　　　　　　　　　　　　　　　　　　　　　　　　(○ / X)

14 선물을 이용한 헤지의 효과는 선물가격과 현물가격이 같은 폭으로 동일한 방향으로 움직일 때 극대화된다.　　(○ / X)

15 선물시장이 백워데이션(Backwardation) 상태라면, 이를 이용한 차익거래 포지션은 '(　　　　)매도 + (　　　　)매수'이다.

16 시간 스프레드는 서로 다른 품목 내에서 만기가 다른 두 선물계약에 대해 각각 매수와 매도 포지션을 동시에 취하는 전략이다.
　　(○ / X)

17 시간 스프레드는 서로 다른 품목 내에서 만기가 다른 두 선물계약에 대해 각각 매수와 매도 포지션을 동시에 취하는 전략이다.
　　(○ / X)

18 스트래들매수 포지션은 만기는 동일하고 행사가격이 서로 다른 콜옵션과 풋옵션을 동시에 매수하는 전략이다.　　(○ / X)

19 동적 자산배분전략에서는 프리미엄을 따로 지불할 필요가 없다.　　　　　　　　　　　　　　　　　　　(○ / X)

20 (　　　　)전략은 합성 매도 포지션(콜매도 + 풋매수)과 현물 매수 포지션을 병행하는 전략으로 기초자산 가격의 (　　　) 시 이익
을 보도록 포지션을 구축하는 방법이다.

21 등가격(ATM) 상태에서 콜옵션의 델타값은 약 0.5가 된다.　　　　　　　　　　　　　　　　　　　　　(○ / X)

22 풋옵션 매수일 때 감마의 옵션 민감도 지표의 부호는 (+)이다.　　　　　　　　　　　　　　　　　　　(○ / X)

---

12 X
풋옵션은 매도할 권리이므로 행사가격이 기초자산 가격보다 크다면 이는 내가격 옵션(권리행사시 이익)이다.

13 ○

14 ○

15 현물, 선물

16 X
시간 스프레드는 동일한 품목에서 만기가 다른 두 선물계약에 대해 각각 매수와 매도 포지션을 동시에 취하는 전략이다.

17 X
시간 스프레드는 동일한 품목 내에서 만기가 서로 다른 두 선물계약에 대해 각각 매수와 매도 포지션을 동시에 취하는 전략이다.

18 X
스트랭글매수 포지션에 대한 설명이다.

19 ○
포트폴리오 전체를 주식과 채권으로 운용함으로써 따로 프리미엄을 지급할 필요가 없다.

20 컨버전, 하락

21 ○
등가격일 때 델타값은 0.5. 외가격에서는 0에 가깝고 내가격에서는 1에 가까워진다.

22 ○
감마의 민감도 지표 부호는 콜옵션 매수, 풋옵션 매수 모두 (+) 부호이다.

투자운용결과분석

01 현금유출액의 현재가치와 현금유입액의 현재가치를 일치시키는 할인율은 내부수익률이다. (○ / X)

02 성과평가는 투자 프로세스의 계획단계나 실행단계에 영향을 주지 않는다. (○ / X)

03 펀드를 분석하고 평가하는 목적은 펀드 운용결과의 성공 및 실패 여부를 분석하고 재투자 여부를 판단하기 위해서이다. (○ / X)

04 상대적 위험을 측정하는 척도로는 (   ), (   ), (   ), (   )이 있다.

05 펀드평가에서 1차적으로 측정한 펀드의 계량적 성과를 가지고 판단할 때, 베타가 높은 펀드는 양호한 펀드로 볼 수 없다. (○ / X)

06 위험조정성과지표의 종류로는 (   ), (   ), (   ), (   )이 있다.

07 펀드평가 방법 중 KOSPI와 성과를 비교하는 평가방법은 절대평가이다. (○ / X)

08 포트폴리오 분석은 포트폴리오 성과의 결과물을 살펴보는 것이다. (○ / X)

09 펀드 스타일을 분석하는 이유는 펀드 성과원인을 분석하고, 자산배분계획을 수립하기 위해서이다. (○ / X)

10 내부성과평가에서 내부자는 투자설계에서부터 운용에 이르는 전 과정에 걸쳐 모든 정보에 접근해 성과를 평가할 수 있다. (○ / X)

📋 정답 & 상세해설

01 ○

02 X
성과평가는 투자 프로세스의 'Plan-Do-See' 중에서 See에 해당하는 것으로 피드백 과정을 통해 투자 프로세스의 계획단계나 실행단계에 영향을 준다.

03 ○

04 베타, 잔차위험, 공분산, 상대 VaR

05 ○

06 젠센의 알파, 샤프비율, 트레이너비율, 정보비율

07 X
벤치마크 대비 평가이다.

08 X
포트폴리오 분석은 결과물이 아닌 포트폴리오 자체의 특성을 분석하는 것이다.

09 ○

10 ○

11 GIPS의 회계기준에서 회사는 모의실험된 성과를 실제 성과와 연결하여 비교 공시해야 한다. (○ / X)

12 펀드의 회계처리 중 유가증권 거래는 결제일을 기준으로 회계장부에 기록한다. (○ / X)

13 GIPS의 수익률 계산규칙에는 외부현금흐름을 감안한 시간가중수익률을 계산하도록 하고 있다. (○ / X)

14 자본시장과 금융투자업에 관한 법률 제238조는 집합투자재산을 ( )에 따라 평가하되, 평가일 현재 신뢰할 만한 ( )가 없는 경우에는 대통령령으로 정하는 ( )으로 평가하도록 하고 있다.

15 수익률 분포에서 ( )란 분포의 기울어진 정도를 나타내고, ( )란 수익률 분포에서 가운데 봉우리 부분이 얼마나 뾰족한가를 측정하는 지표이다.

16 벤치마크는 평가기간이 시작되기 전 미리 정해져야 하며, 실행가능한 투자대안이어야 한다. (○ / X)

17 수익률 측정 시 고려사항으로는 산술평균 수익률은 특정한 1년간의 예상수익률을 추정하는 등의 제한적인 목적에 한하여 사용하는 것이 바람직하다. (○ / X)

18 ( )은 펀드수익률에서 무위험 이자율을 차감한 초과수익률을 펀드의 표준편차(총 위험)로 나눈 비율로, 총 위험 한 단위당 무위험 이자율을 초과 달성한 펀드수익률(초과수익률)을 나타낸다.

19 운용회사의 평균적인 수익률을 계산해서 분석할 때 고려해야 할 사항으로는 대표 펀드의 문제, 생존계정의 오류, 성과의 이전 가능성, 시간에 따른 성과 변동의 문제가 있다. (○ / X)

20 절대적 위험의 하락위험을 측정하는 지표로는 절대 VaR, 하락편차, 반편차, 적자위험, 공분산이 있다. (○ / X)

---

11 X
회사는 모의실험된 또는 모형포트폴리오의 성과를 실제 성과에 연결시키지 않아야 한다.

12 X
체결일을 기준으로 회계처리해야 한다.

13 ○

14 시가, 시가, 공정가액

15 왜도, 첨도

16 ○

17 ○

18 샤프비율

19 ○

20 X
공분산은 상대적 위험의 전체위험을 측정한다.

01 IS곡선이 (   )으로 이동하면 국민소득이 (   )하고 이자율은 (   )한다.

02 이자율결정이론에서 고전학파는 이자율이 화폐시장에서 결정된다고 보고, 케인즈학파는 이자율이 실물적 요인에 의해 결정된다고 본다. (○ / X)

03 조세의 증가는 IS-LM모형에서 IS곡선이 우측으로 이동하는 요인이 된다. (○ / X)

04 (   )는 경기변동의 변화 방향과 전환점을 식별하기 위한 지표이며, 경기변동의 진폭이나 속도를 측정할 수 있다.

05 유동성 함정 구간에서 화폐수요의 이자율 탄력성은 완전비탄력적이다. (○ / X)

06 확대재정정책은 이자율을 상승시켜 민간투자를 위축시키는 구축효과를 발생시킨다. (○ / X)

07 불편기대이론에서 수익률곡선은 미래 시장금리의 움직임에 대한 투자자들의 예상에 의해 결정된다. (○ / X)

08 경기변동의 요인은 (   ), (   ), (   ), (   ) 등으로 구분할 수 있다.

09 전체 응답자 중 장래의 경기를 낙관적으로 보는 기업이 25%이고 비관적으로 보는 기업이 75%라면 기업경기실사지수(BSI)는 (   )이다.

10 확대재정정책이 이자율을 상승시켜 민간투자를 위축시키는 현상을 (   )라고 한다.

📋 정답 & 상세해설

01 우측, 증가, 상승

02 X
이자율결정이론에서 케인즈학파는 이자율이 화폐시장에서 결정된다고 보고, 고전학파는 이자율이 실물적 요인에 의해 결정된다고 본다.

03 X
조세의 감소

04 경기확산지수(DI)

05 X
유동성 함정 구간에서 화폐수요의 이자율 탄력성은 무한대이다.

06 ○

07 ○

08 계절요인, 불규칙요인, 추세요인, 순환요인

09 50
BSI 지수 = (25 − 75) + 100 = 50

10 구축효과(Crowding Out Effect)

11 IS−LM모형에서 재정정책의 구축효과는 LM곡선의 기울기가 이자율에 (   )일수록 커지게 된다.

12 유동성 함정은 경기가 호황일 때 주로 발생한다.   (○ / X)

13 물가 하락에 따른 실질화폐공급 증가로 인하여 부(Wealth)가 증가하여 소비수요가 증가하는 것을 (   )라고 부른다.

14 합리적 기대학파가 주장한 것은 리카르도 불변 정리이다.   (○ / X)

15 케인즈의 유동성 선호가설에서는 이자율을 한계생산물의 소비를 미래로 연기한 것에 대한 보상이라고 생각한다.   (○ / X)

16 고전학파는 이자율결정이론에 대해서 이자율은 생산성과 검약 등 실물적 요인에 의해 결정된다고 봤다.   (○ / X)

17 국내총생산(GDP)은 한 나라의 국민이 생산활동에 참여한 대가로 받은 소득의 합계이다.   (○ / X)

18 소비자물가지수는 국민경제 전체의 물가압력을 측정하는 지수로 사용된다.   (○ / X)

19 경기확산지수가 90에서 60으로 하락했다면 이는 하강국면으로 판단한다.   (○ / X)

20 지급준비율 인하 및 화폐수요 감소는 화폐공급 증가와 동일한 효과를 가져오므로 LM곡선을 오른쪽으로 이동시킨다.   (○ / X)

---

11 비탄력적

12 X
일반적으로 유동성 함정은 경제가 극심한 불황 상태에 있을 때 발생한다.

13 피구(Pigou)효과

14 ○

15 X
이자율은 현재 혹은 과거에 소비하지 않고 축적한 소득을 화폐가 아닌 다른 금융자산의 형태로 보유함으로써 유동성을 희생시킨 데에 대한 보상으로 생각했다.

16 ○

17 X
국민총소득(GNI)에 대한 설명이다.

18 X
GDP 디플레이터에 대한 설명이다.

19 X
경기확산지수가 50% 이상이면 상승국면으로 보기 때문에 90에서 60으로 하락했더라도 상승국면으로 본다.

20 ○

분산투자기법

01 통합적 포트폴리오 관리 과정은 '투자목표의 설정 → 거시경제예측, 시장예측 → 투자실행 → 사후통제' 순으로 이루어 진다.
(○ / X)

02 투자실행단계에서 적극적 포트폴리오 관리는 증권시장이 효율적인 것을 전제로 하며, 소극적 포트폴리오 관리는 비효율적인 것을 전제로 한다.
(○ / X)

03 현재 위험포트폴리오의 기대수익률은 15%이고, 표준편차는 20%, 무위험이자율은 7%일 때, 투자자금의 60%를 위험포트폴리오에, 나머지 40%를 무위험자산에 투자하려고 할 때 포트폴리오의 기대수익률은 11.8%이다.
(○ / X)

04 포트폴리오 A의 기대수익률은 10%, 표준편차는 19%이고, 포트폴리오 B의 기대수익률은 12%, 표준편차는 17%일 때 합리적 투자자가 취하여야 할 투자전략은 무위험이자율로 차입한 포트폴리오 A에 투자해야 한다.
(○ / X)

05 포트폴리오의 위험(분산)은 개별자산의 위험(분산)을 가중평균한 것과 같다.
(○ / X)

06 포트폴리오의 기대수익은 개별자산의 기대수익을 가중평균한 것과 같다.
(○ / X)

07 무위험이자율과 위험자산으로 구성되는 효율적 투자선에 접하는 점을 연결하는 선을 (   )이라고 한다.

08 자본자산가격결정모형(CAPM)의 가정 중 마코위츠 모형에 의해서 포트폴리오를 선택하고 투자결정을 내릴 때 오로지 알 필요가 있는 투자기준은 기대수익과 분산뿐이다.
(○ / X)

09 개인투자자는 자본시장에서 가격 결정자이고, 자본과 정보의 흐름에는 마찰이 없이 거래 비용과 세금이 존재하지 않는다. (○ / X)

10 샤프의 단일지표모형에서 A주식의 증권특성선의 기울기가 1.5일 때 시장수익률이 10%만큼 증가하면 A주식의 수익률은 평균적으로 15%만큼 증감하게 된다.
(○ / X)

📋 정답 & 상세해설

01 ○

02 X
소극적 포트폴리오 관리는 증권시장이 효율적인 것을 전제로 하고 적극적 포트폴리오 관리는 증권시장이 비효율적인 것을 전제로 한다.

03 ○

04 X
포트폴리오 A를 공매도하고, 그 자금으로 포트폴리오 B에 투자해야 한다.

05 X
같지 않다.

06 ○

07 자본시장선

08 ○

09 X
개인투자자는 자본시장에서 가격순응자이다.

10 ○

11 (　　　)과 (　　　) 간의 관계를 설명하는 식을 증권특성선이라 한다.

12 트레이너지수는 위험의 측정치로 표준편차를 이용하여 성과를 측정한다. (○ / X)

13 체계적 위험으로는 (　　　), (　　　), (　　　)이 있다.

14 포트폴리오를 구성하는 주식의 수가 많아질수록 포트폴리오의 위험이 감소하는 이유는 주식의 수가 많을수록 수익률이 높은 주식이 많기 때문이다. (○ / X)

15 평균분할투자전략은 적극적 투자전략이다. (○ / X)

16 적극적 투자전략 중 증권선택 전략은 (　　　), (　　　)이다.

17 분산투자를 하면 포트폴리오의 위험을 줄일 수 있다. (○ / X)

18 포트폴리오의 위험은 투자종목수가 많을수록 (　　　) 한다.

19 주식A에 투자자금의 60%를 투자하고 나머지 40%를 무위험자산에 투자한 포트폴리오 P가 있다. 주식 A의 베타가 1.5일 때 포트폴리오 P의 베타는 0.6이다. (○ / X)

20 자본자산가격결정모형은 투자사업의 체계적 위험에 상응하는 요구수익률을 투자사업의 예상수익률과 비교하여 투자사업의 경제적 타당성을 평가하는 데 활용할 수 있다. (○ / X)

---

11 시장수익률, 개별주식 수익률

12 X
　　베타계수를 이용하여 성과를 측정한다.

13 시장위험, 분산불능위험, 공분산(상관관계)

14 X
　　수익률의 분포 양상. 즉 포트폴리오를 구성하고 있는 각 자산별 수익률 간의 상관관계가 다르기 때문에 위험분산이 가능해지는 것이다.

15 X
　　평균분할투자전략은 주가등락에 관계없이 정기적으로 일정금액을 주식에 계속 투자하는 소극적 투자전략이다.

16 내재가치추정법, 베타계수이용법

17 X
　　포트폴리오의 위험은 분산투자를 하여도 줄일 수 없는 부분이 있다.

18 감소

19 X
　　무위험자산의 베타는 0이므로 포트폴리오 베타는 $1.5 \times 60\% + 0 \times 40\% = 0.90$이다.

20 ○

여러분의 작은 소리
에듀윌은 크게 듣겠습니다.

본 교재에 대한 여러분의 목소리를 들려주세요.

공부하시면서 어려웠던 점, 궁금한 점,

칭찬하고 싶은 점, 개선할 점, 어떤 것이라도 좋습니다.

에듀윌은 여러분께서 나누어 주신 의견을

통해 끊임없이 발전하고 있습니다.

에듀윌 도서몰 book.eduwill.net
- 부가학습자료 및 정오표: 에듀윌 도서몰 → 도서자료실
- 교재 문의: 에듀윌 도서몰 → 문의하기 → 교재(내용,출간) / 주문 및 배송

2022 에듀윌 투자자산운용사 실전 봉투모의고사

발 행 일	2021년 10월 21일 초판
저 자	김범곤
펴 낸 이	박명규
펴 낸 곳	(주)에듀윌
등록번호	제25100-2002-000052호
주 소	08378 서울특별시 구로구 디지털로34길 55 코오롱싸이언스밸리 2차 3층

ISBN 979-11-360-1248-7 (13320)

www.eduwill.net

대표전화 1600-6700